O JOGO

ELLE KENNEDY

# O JOGO

Tradução
JULIANA ROMEIRO

*9ª reimpressão*

A Editora Paralela é uma divisão da Editora Schwarcz S.A.

*Grafia atualizada segundo o Acordo Ortográfico da Língua Portuguesa de 1990, que entrou em vigor no Brasil em 2009.*

TÍTULO ORIGINAL The Score: An Off-Campus Novel

CAPA Paulo Cabral

FOTO DE CAPA Peter Beavis/ Getty Images

FOTO DE QUARTA CAPA Rolfo Eclaire/ Getty Images

PREPARAÇÃO Ana Lima Cecilio

REVISÃO Adriana Bairrada e Marise Leal

Dados Internacionais de Catalogação na Publicação (CIP)
(Câmara Brasileira do Livro, SP, Brasil)

Kennedy, Elle
O jogo / Elle Kennedy ; tradução Juliana Romeiro. — 1ª ed.
— São Paulo : Paralela, 2017.

Título original: The Score : An Off-Campus Novel
ISBN 978-85-8439-057-1

1. Ficção canadense (Inglês) I. Título.

17-00783 CDD-813

Índice para catálogo sistemático:
1. Ficção : Literatura canadense em inglês 813

[2021]

EDITORA SCHWARCZ S.A.
Rua Bandeira Paulista, 702, cj. 32
04532-002 — São Paulo — SP
Telefone: (11) 3707-3500
editoraparalela.com.br
atendimentoaoleitor@editoraparalela.com.br
facebook.com/editoraparalela
instagram.com/editoraparalela
twitter.com/editoraparalela

# O JOGO

# 1

## ALLIE

*Vamos conversar?*

*Pfvr???*

*Q merda, Allie. Depois d td q a gnt passou, eu mereço mas q isso.*

*Vc não tava falando sério qdo disse q acabou, né?*

*Responde, porra!*

*Quer saber? Q se foda. Quer continuar me ignorando? Td bem. Vc q sabe.*

Na sexta à noite, na saída da academia do campus, dou uma olhada no meu celular e vejo seis mensagens esperando por mim. São todas de Sean, que desde ontem é meu atual ex-namorado. E, embora eu não deixe de notar a progressão emocional de pidão a furioso, me pego fazendo cara feia para o erro de ortografia.

*Eu mereço mas q isso.*

"Mas", e não "mais". E duvido que seja culpa do corretor ortográfico, porque Sean não é exatamente nenhum prêmio Nobel.

Tá, isso não é totalmente verdade. Sean é muito esperto para algumas coisas. Beisebol, por exemplo — sério, o cara sabe tudo de beisebol, consegue até listar resultados dos anos 60. Mas inteligência formal não é o seu forte. *Namorado perfeito* também não está na sua lista de qualidades, pelo menos não recentemente.

Nunca quis ser daquelas que terminam e fazem as pazes com o mesmo cara milhares de vezes. Achei que fosse mais forte que isso, mas, desde o primeiro ano na Universidade Briar, Sean McCall me pegou de jeito. Ele me conquistou com aquela cara de mauricinho e o sorriso de menino. Um sorriso lindo, todo torto, cheio de covinhas e promessas.

Olho para a tela do celular de novo, e um receio toma conta de mim tal qual a hera que se espalha pela fachada do prédio às minhas costas. Droga. Sobre o que ele quer conversar? Já dissemos tudo o que tinha que ser dito ontem à noite. Quando decretei que para mim tudo tinha acabado e fui embora da república dele, estava falando sério.

Para mim, *chega*. É a quarta vez que a gente termina em três anos. Não posso continuar fazendo isso comigo, esse looping doentio de alegria e dor de cotovelo, principalmente quando a pessoa com quem eu deveria estar construindo um futuro está empenhada em me sabotar.

Ainda assim, estou sofrendo. É difícil deixar para trás alguém que foi tão importante na sua vida por tanto tempo. É ainda mais difícil quando essa pessoa se *recusa* a deixar você.

Suspirando, desço apressada os degraus que levam ao caminho de paralelepípedos que corta o campus. Em geral, tiro um tempo para admirar a paisagem — os maravilhosos edifícios antigos, os bancos de ferro e as árvores enormes —, mas hoje só quero correr de volta para o meu alojamento, me enfiar debaixo das cobertas e esquecer o mundo. Por sorte, posso fazer exatamente isso, porque Hannah, a menina que mora comigo, vai viajar no fim de semana, o que significa que não vai estar por perto para me passar um sermão sobre os perigos emocionais de chafurdar na tristeza.

Ontem, no entanto, Hannah não me deu sermão. Não, o que ela fez foi digno do troféu de melhor amiga da história. No instante em que entrei pela porta do alojamento depois de terminar com Sean, Hannah já estava me esperando na nossa sala de estar com um pote de sorvete, uma caixa de lenços de papel e duas garrafas de vinho tinto, e depois ficou metade da noite me passando lenços e me ouvindo balbuciar coisas sem sentido.

Fim de namoro é *uma merda*. Me sinto um fracasso. Não, me sinto uma fraca. O último conselho que minha mãe me deu antes de morrer foi nunca desistir do amor. Na verdade, ela colocou essa ideia na minha cabeça muito antes de adoecer. Não sei todos os detalhes, mas não era segredo lá em casa que o relacionamento dos meus pais esteve por um fio mais de uma vez nos seus dezoito anos de casados. E eles perseveraram. Eles se *empenharam* para resolver os problemas.

Toda vez que penso em como deixei Sean ontem, sinto um enjoo. Talvez eu devesse ter lutado mais por nós. Quer dizer, sei que ele me ama...

*Se ele te amasse, não teria dado um ultimato*, me assegura uma voz rouca. *Você fez a coisa certa.*

Minha garganta se fecha assim que reconheço a voz em minha cabeça. É o meu pai, meu maior fã. Aos seus olhos, não erro nunca.

Uma pena que Sean não seja capaz de me enxergar por essa mesma perspectiva.

A cinco minutos da Bristol House, onde divido um alojamento de dois quartos com Hannah, meu celular vibra.

Merda. Outra mensagem de Sean.

E merda de novo, porque a mensagem diz:

*Foi mal pelo palavrão, amor. Ñ foi por mal. Só tô chateado. Vc é tudo p mim. Espero q saiba disso.*

E outra mensagem aparece: *Tô indo praí dps da aula. Aí a gente conversa.*

Paro de supetão, uma onda de pânico me invadindo. Não tenho medo de Sean, pelo menos não no sentido físico. Sei que ele jamais encostaria um dedo em mim nem teria um ataque de fúria. Mas tenho medo da sua capacidade de me persuadir. Ele é *tão* bom nisso. Basta me chamar de *amor* e abrir aquele sorriso bonito, e sou um caso perdido.

Releio as mensagens, enquanto a raiva, o pavor e a irritação batalham dentro de mim. Sean está blefando. Ele não apareceria sem ser convidado, apareceria?

Puta merda.

Com os dedos trêmulos, abro o contato de Hannah no celular. Dois toques depois, e a voz tranquilizadora da minha melhor amiga ecoa na linha. "E aí, tudo bem?"

Ouço outras vozes ao fundo. Uma delas, feminina — Grace Ivers, namorada do Logan. O que significa que Hannah e seu namorado, Garrett, já partiram para o fim de semana em Boston. Ela me convidou para ir com eles, mas achei melhor recusar, porque não queria ficar de vela. Dois casais loucamente apaixonados e eu? Não, obrigada.

Agora, queria ter aceitado o convite, porque vou passar o fim de semana sozinha, e Sean quer *conversar.*

"O Sean tá vindo pra cá hoje à noite", deixo escapar.

Hannah leva um susto do outro lado da linha. "O quê? *Não!* Por que você deixou..."

"Não deixei nada! Ele nem me perguntou se podia. Só mandou uma mensagem dizendo que tá vindo."

"Mas que inferno!" Ela soa tão contrariada quanto eu me sinto neste momento.

"Eu sei, tá?" Deixo o pânico transparecer. "Não posso encontrar com ele, Han. O término ainda tá muito recente. Se ele vier, posso acabar voltando atrás."

"Allie..."

"Será que, se eu apagar as luzes e fechar a porta, ele vai achar que não estou em casa e vai acabar indo embora?"

"Você não conhece o Sean? Ele vai passar a noite toda na frente da nossa porta." Hannah solta um palavrão. "Sabe de uma coisa? Eu não devia ter concordado em assistir a esse jogo do Bruins. Devia estar em casa com você. Espera, vou falar para o Garrett pegar o retorno..."

"De jeito nenhum", interrompo. "Você *não vai* cancelar a sua viagem por minha causa. É a última chance que você tem de se divertir."

Hannah namora o capitão do time de hóquei da Briar, e isso significa que a agenda dele vai estar lotada de treinos e jogos agora que começou a temporada. O que, por sua vez, significa que Hannah não vai ter mais muito tempo livre com ele. E me recuso a ser a pessoa a arruinar um raro fim de semana de liberdade para os dois.

"Só quero um conselho." Engulo em seco. "Então, por favor, o que eu faço? Ligo para a Tracy e peço para dormir no quarto dela?"

"Não, com o Sean vagando pelos corredores, é melhor você sair da Bristol House. Talvez a Megan... Não, espera, o namorado novo dela vai passar este fim de semana na cidade. Eles provavelmente vão querer ficar sozinhos." Hannah parece pensativa. "E a Stella?"

"Tem uma semana que ela e o Justin estão morando juntos. Eles não vão querer uma hóspede de última hora."

"Espera um segundo." Mais uma longa pausa. Ouço a voz abafada de Garrett, mas não consigo distinguir o que está dizendo. Então Hannah volta à linha. "Garrett disse que você pode passar o fim de semana na casa dele. O Dean e o Tuck vão estar lá, então se o Sean descobrir e aparecer, os dois colocam ele na rua." As vozes ressurgem ao fundo. "Você pode dormir no quarto do Garrett", acrescenta ela.

Fico em dúvida. Quer dizer, isso é ridículo. Não acredito que estou considerando fugir do meu próprio alojamento por causa de Sean. Mas, em minha mente, vejo-o esmurrando a minha porta. Ou pior, colocando um rádio debaixo da janela para tocar "Say Anything". Ai, e se ele vier com a música do Peter Gabriel? *Odeio* aquela música.

"Certeza que não tem problema?", pergunto.

"Claro. Problema nenhum. O Logan tá aqui mandando uma mensagem para o Dean e o Tucker, para avisar. Pode ir a hora que quiser."

Sinto uma onda de alívio e uma pontada de culpa. "Coloca no viva-voz? Quero falar com o Garrett."

"Tá. Só um segundo."

Um instante depois, a voz profunda de Garrett Graham surge na linha. "Tem lençol limpo no armário, e talvez você queira levar o próprio travesseiro. A Wellsy acha os meus fofos demais."

"Eles *são* fofos demais", protesta Hannah. "É tipo dormir num marshmallow encharcado."

"É tipo dormir numa nuvem macia", corrige Garrett. "Vai por mim, Allie, meus travesseiros são o máximo. Mas mesmo assim é melhor você levar o seu."

Eu rio. "Obrigada por avisar. Mas tem certeza que não tem problema? Não quero atrapalhar."

"Relaxa, Allie. Basta uma piscadela com esses seus olhões azuis, e o Tuck vai te dar um belo de um jantar. Ah, e o Logan mandou o Dean não dar em cima de você, então não precisa se preocupar com isso."

Até parece. Dean Heyward-Di Laurentis é o cara mais abusado do planeta. Toda vez que me vê, tenta me levar pra cama. E nem posso me sentir especial por isso, porque ele tenta levar *todo mundo* pra cama.

Mas não ligo. Sei lidar com Dean, e Tucker vai ser um bom contrapeso entre mim e o pervertido do colega de república dele.

"Obrigada mesmo", digo a Garrett. "Sério. Te devo uma."

"Que nada."

Hannah volta a falar. "Me escreve quando chegar lá, tá? E depois desliga o celular, assim o Sean não enche o saco."

Já falei o quanto amo minha melhor amiga?

Desligo me sentindo muito melhor. Talvez seja uma boa ideia passar um fim de semana longe do alojamento. Posso encarar isso como um retiro agradável, alguns dias para limpar a cabeça e me reorganizar. E com Tucker e Dean por perto não vou me sentir tentada a ligar para Sean. Precisamos de um tempo afastados desta vez. Sem contato nenhum, pelo menos por algumas semanas. Ou meses. Ou anos.

Para ser sincera, não sei se vou sobreviver a esta separação. Amei esse cara por anos. E Sean tem seus momentos gentis. Como todas as vezes em que apareceu na minha porta trazendo sopa quando eu estava doente. E quando...

*Cuidado, olha a recaída!*

Um alarme dispara em minha cabeça, me alertando para a minha estupidez. Não. Não vou ter uma recaída. Não importa que Sean seja capaz de ser gentil — porque ele também é capaz de *não* ser gentil, como a última noite prova.

Aprumo os ombros e caminho mais depressa, determinada a seguir com o plano. Sean e eu terminamos. Não posso vê-lo, escrever para ele nem fazer nada que me coloque em seu caminho agora.

O primeiro dia da minha existência sem Sean está oficialmente iniciado.

## DEAN

É sexta à noite e estou deitado no sofá da sala, tomando uma cerveja, enquanto duas louras — muito gostosas e muito nuas, diga-se de passagem — dão um beijo de língua na minha frente. Minha vida é demais.

"Melhor noite da história", comento, com a voz arrastada. Meu olhar está fixo na trajetória das mãos de Kelly em direção aos peitos empinados de Michelle. Kelly aperta, e solto um gemido. "Ficaria melhor ainda se as senhoritas trouxessem a festa pra cá."

Sem fôlego, elas interrompem o beijo e olham para mim, rindo. "Diz um motivo pra gente fazer isso", provoca Kelly.

Arqueio uma sobrancelha e, em seguida, seguro o pau duro feito pedra. Faço um carinho lento. "Isto aqui não é motivo suficiente?"

Michelle é a primeira a vir na minha direção, os peitos e a bunda balançando, enquanto senta no meu colo e aperta a boca contra a minha. Um segundo depois, Kelly está ao meu lado, os lábios quentes e macios grudados ao meu pescoço. Meu. Deus. Estou tão duro que dói, mas as duas deusas estão determinadas a me fazer implorar. Elas me torturam com beijos. Longos, inebriantes e molhados, com línguas maldosas, lambidas estratégicas e mordidas suaves, projetadas para me enlouquecer.

Queria poder dizer que este pequeno momento de perversão a três é uma experiência nova para mim, ou que o rótulo de pegador que meus colegas de time me deram é um exagero. Mas a experiência não é novidade, e o rótulo é bem preciso. Gosto de sexo. Transo muito. Me julgue.

Quando os dedos de Kelly me envolvem, solto um grunhido. "Caramba, como fui me dar tão bem assim?"

"Você ainda não se deu bem", diz Michelle, jogando o longo cabelo por sobre o ombro. "Só pode gozar depois da gente, lembra?"

Ela está certa — fiz uma promessa e pretendo cumpri-la. Ao contrário do que meus amigos idiotas pensam a meu respeito, para mim, sexo é se dedicar à mulher. Ou, neste caso, às *mulheres*. Duas mulheres lindas e sedentas, que não só têm tesão por mim, como uma pela outra.

*Ei, céu? Dean Di Laurentis aqui. Obrigado por me deixar entrar.*

"Bem. Então é melhor começar", anuncio, deitando-a sobre a almofada e levando a boca aos seus seios.

Pego um dos mamilos e chupo com força, e seus quadris se erguem do sofá, enquanto ela geme. Percebo um movimento pelo canto do olho. Kelly se debruça ao meu lado e lambe o outro mamilo de Michelle. Minha nossa. Solto um gemido alto o suficiente para acordar os mortos.

Kelly abre um sorriso para mim. "Achei que você precisava de ajuda." Em seguida, ela deixa um caminho de beijos pela barriga lisa de Michelle em direção ao ponto em que as coxas da amiga se encontram.

Céu coisa nenhuma! Isto aqui é o nirvana.

Sigo o mesmo caminho que Kelly, os lábios viajando sobre a pele bronzeada e as curvas macias, até chegar ao lugar que me deixa com água na boca. Kelly já está lambendo. Puta merda. Não sei se vou conseguir me controlar por tempo suficiente para fazer as duas gozarem. Já estou perto demais.

Ignorando a pulsação que sinto lá embaixo, umedeço o lábio inferior, aproximo a boca, e... a porcaria da campainha toca.

Merda. Ergo a cabeça para a televisão. O relógio digital do aparelho de Blu-Ray marca oito e meia. Tento me lembrar se disse para algum dos caras que eles podiam passar aqui esta noite, mas não falei com ninguém além dos meus colegas de república hoje, e todos eles saíram. Garrett e Logan foram para Boston com as namoradas há uma hora, e Tucker ia levar uma garota ao cinema.

"Já volto." Dou uma lambida provocante na coxa de Michelle, em seguida me levanto do sofá e procuro minha cueca.

Com o pau escondido, me apresso pelo corredor para atender a porta. Quando vejo quem está de pé na entrada, estreito os olhos.

"Chegou atrasada, gata", aviso à melhor amiga de Hannah. "Sua amiga já foi. Volta domingo." Começo a fechar a porta. Isso mesmo, sou um babaca sem educação.

Infelizmente, a loura enfia uma bota preta de neve entre a porta e o batente. "Deixa de ser grosso, Dean. Você sabe que vim passar o fim de semana."

Minhas sobrancelhas se arqueiam. "Hmm, o quê?" Olho melhor para ela e só então noto a mochila estufada pendurada num ombro. E a pequena mala cor-de-rosa de rodinha aos seus pés.

Allie Hayes solta um longo suspiro. "Logan mandou uma mensagem avisando. Agora me deixa entrar. Estou com frio."

Deito a cabeça de lado. Então empurro seu pé para fora sem muita gentileza. "Espera aqui. Já volto."

"Tá me *zoando*..."

A porta se fecha no meio da sua exclamação indignada.

Lutando contra o aborrecimento, corro de volta para a sala, onde Michelle e Kelly nem sequer notam minha reaparição — estão ocupadas demais se pegando. Levo quase um minuto para encontrar meu celular e, quando finalmente o alcanço no chão, descubro que a amiga de Hannah não estava brincando comigo.

Há cinco mensagens não lidas, que é o que acontece quando você é a carne num sanduíche de gostosas. Sexo a três é bem mais interessante que conferir o celular. Óbvio.

Logan: *E aí, mano, a Allie, amiga da Wellsy, vai ficar em casa este fds.*

Logan: *Mas guarda esse pinto dentro da calça. G. e eu nem ligamos se vc aprontar alguma coisa. Mas a Wellsy pode estar a fim d violência. Então: seu pau = dentro da calça = ñ perturbe nossa convidada.*

Hannah: *Allie vai ficar com vcs até domingo. Ela tá meio vulnerável agora. Ñ se aproveite dela, senão vou ficar triste. E vc ñ quer me ver triste, quer?*

Solto uma risada. Hannah, diplomática como sempre. Repasso depressa as duas últimas mensagens.

Garrett: *Allie vai ficar no meu quarto.*

Garrett: *Seu pau pode ficar no seu quarto.*

Nossa, que obsessão é essa que todo mundo tem com o meu pau?

E eles podiam ter escolhido hora pior para isso? Lanço um olhar pesaroso para o sofá. Os dedos de Kelly estão exatamente onde queria que os meus estivessem agora.

Limpo a garganta, e as duas meninas me fitam. Michelle está com uma expressão vaga por causa da atenção especial que a amiga está lhe oferecendo.

"Odeio ter que dizer isso, mas vocês precisam ir embora", anuncio.

Dois pares de olhos se arregalam. "Hã?", exclama Kelly.

"Tenho uma convidada inesperada esperando lá fora", resmungo. "E isso significa que esta casa acabou de se tornar território de censura livre."

Michelle solta uma gargalhada. "Desde quando você se importa que alguém te veja transando?"

Verdade. Normalmente não dou a mínima se tem alguém por perto. Na maioria das vezes até prefiro. Mas não posso expor minha libertinagem para uma amiga de Hannah. Aliás, nem para Hannah ou para Grace. Não estou nem aí para os caras. Eles já me conhecem. Mas sei que Garrett e Logan não curtiriam que eu saísse por aí corrompendo suas namoradas. Assim que começaram com essa história de relacionamento sério, meus parceiros de noitada ficaram caretas. É bem triste.

"Essa hóspede é uma flor delicada", digo, secamente. "Do tipo que cairia dura se visse nós três juntos."

"Cairia nada", rebate Allie irritada, parada na porta.

Estou tão irritado quanto ela. A garota chega entrando como se fosse dona da casa? Nada disso.

Olho feio para ela. "Falei que era pra esperar lá fora."

"E eu falei que estava com frio", devolve Allie. Ela não parece ter nenhum problema com o fato de haver duas garotas nuas a três metros de distância.

Minhas convidadas avaliam Allie como se ela fosse uma cultura de bactérias em seus microscópios. Em seguida, franzem o nariz e a ignoram como se ela fosse, bem, uma cultura de bactérias em seus microscópios. Mulheres costumam ficar competitivas quando estou por perto, mas está na cara que essas não veem Allie como concorrência.

Não sei se chego a culpá-las. A menina está usando um casaco preto estofado, botas e luvas, e o cabelo louro está escapando de um gorro vermelho de tricô. Estamos na primeira semana de novembro — não tem um floco de neve no chão, o ar mal está frio, e não tem nada que justifique se agasalhar tanto. A menos que você seja louco. O que estou começando a desconfiar que Allie Hayes seja, porque ela caminha descaradamente pela sala e se deixa cair na poltrona em frente ao sofá.

Ao abrir o casaco, lança um olhar na direção de minhas convidadas e em seguida se volta para mim. "Por que você não transfere essa festinha para o segundo andar? Vou ficar aqui e assistir a um filme ou qualquer coisa assim."

"Ou você pode ir para o quarto do Garrett e assistir a um filme lá em cima", digo, enfaticamente. Só que, no fundo, não importa mais. Ela já acabou com o clima, e não me sinto confortável de pegar duas meninas com a melhor amiga de Hannah em casa.

Suspirando, me volto para as meninas. "Vamos deixar para a próxima?"

Nenhuma delas faz muita objeção. Aparentemente a srta. Allie não só acabou com o clima, mas arrasou a merda da terra e cobriu com cal para evitar que o tesão jamais brotasse novamente.

Allie mal presta atenção às meninas se vestindo. Está muito ocupada despindo milhares de camadas de roupas de inverno e pendurando-as no braço da poltrona. Ao terminar, parece substancialmente menor, em uma legging preta e uma camiseta listrada grande demais, e não perde tempo em se acomodar na grande poltrona de veludo.

Acompanho Kelly e Michelle até a porta, onde as duas praticamente engolem o meu rosto antes de dizerem que vão me cobrar a promessa. Quando elas enfim saem, meus lábios estão inchados e meu pau está duro de novo.

Volto para a sala de estar com uma carranca que se recusa a desaparecer. "Satisfeita?", pergunto.

"Satisfeita com o quê?"

"Em empatar a minha noite."

Allie ri. "Tem algum motivo para você não ter levado as louras para o segundo andar? Não precisava expulsar as meninas por minha causa."

"Você acha mesmo que eu ia transar lá em cima sabendo que você tá sentada aqui embaixo?"

Isso a faz dar outra risada. "Você transa em *público*. O tempo todo. Que diferença faz se estou na casa?" Ela me encara, pensativa. "A menos que o problema seja o seu quarto. A Hannah disse que você tá sempre atracado com alguém na sala. Me explica essa história. Sua cama tem percevejo ou alguma coisa assim?"

Cerro os dentes. "Não."

"Então por que não faz suas festinhas lá em cima?"

"Porque..." Paro de falar, e a carranca volta para o meu rosto. "Não é da sua conta. O que você tá fazendo aqui, afinal? A Bristol House pegou fogo?"

"Tô me escondendo", responde ela, como se eu tivesse que entender do que está falando. Então olha ao redor. "Cadê o Tucker? Garrett falou que estaria em casa."

"Saiu."

Ela faz beicinho. "Ah, que pena. Tenho certeza que ele assistiria a um filme comigo. Mas acho que você dá pro gasto."

"Você empata a minha foda e agora espera que eu fique aqui fazendo companhia?"

"Vai por mim, você é a última pessoa de quem quero companhia, mas estou no meio de uma crise agora, e você é o único por aqui. Você *tem* que ficar perto de mim, Dean. Senão vou fazer alguma merda e arruinar a minha vida inteira."

Acho que me lembro de Hannah dizendo que Allie gosta de um drama. É. Acho que é verdade.

"Por favor?"

Sua expressão de súplica não fraqueja. E sempre tive uma queda por olhos azuis grandes. Principalmente quando eles pertencem a louras bonitas com uma comissão de frente de respeito.

"Tá bom", cedo. "Vou te fazer companhia, beleza?"

Ela se anima toda. "Que filme a gente vai ver?"

Um gemido se instala na minha garganta. Minha noite de sexta foi de sexo a três para babá da melhor amiga da namorada do meu melhor amigo.

Ah, e ainda estou duro feito pedra graças aos beijos de despedida de Kelly e Michelle.

Que maravilha.

# 2

## ALLIE

Meu autocontrole está nas mãos de Dean Heyward-Di Laurentis, um homem conhecido por ter *zero* autocontrole. Ou seja, estou ferrada. Muito ferrada.

Mas não vou fazer isso. Não vou ligar para Sean. Não importa que, vinte minutos atrás, ele tenha me mandado uma foto da nossa viagem para o México, no ano passado. Ele usou um daqueles aplicativos de moldura para desenhar um coração vermelho em volta dos nossos rostos.

Foi uma viagem tão boa...

Afasto a memória e pego o controle remoto da mesinha de centro. "Você tem Netflix?" Olho para Dean, que ainda parece irritado com a minha presença.

E, ou estou vendo coisas, ou ele está com uma ereção. Mas sou gentil o suficiente para não o provocar com o assunto, porque, em sua defesa, ele estava a cinco segundos de transar com duas mulheres antes de eu chegar.

Meu olhar viaja por seu peito nu. Não tenho como mentir — o peitoral é absolutamente espetacular. O cara é *sarado*. Alto e esguio, com músculos divinamente esculpidos. E está com a barba por fazer — pelos grossos e louros que sombreiam com sensualidade a mandíbula esculpida à perfeição. É mesmo um desperdício. Deveria ser proibido um cara tão babaca ser tão bonito.

"Tenho. Pode ligar e escolher alguma coisa", responde ele. "Vou só dar um pulo lá em cima para bater uma e já venho."

"Tá, acho que tô a fim de ver um... Espera aí, o quê?"

Mas Dean já sumiu, me deixando de boca aberta para o corredor vazio. Ele vai só dar um pulo lá em cima para fazer *o quê*? Era brincadeira, né?

Contrariando meu bom senso, imagino a cena. Dean no seu quarto. Uma das mãos em volta do pau, a outra... segurando o saco? Torcendo o lençol? Ou talvez esteja de pé, agarrando a lateral da escrivaninha, as feições marcadas, enquanto morde o lábio inferior...

E *por que* estou tentando resolver o mistério de como o cara se masturba?

Afastando a imagem, vou clicando no controle remoto até encontrar a Netflix; em seguida, começo a repassar a lista dos últimos lançamentos.

Menos de cinco minutos depois, Dean aparece de novo na sala. Felizmente, vestiu uma calça de moletom. Só que a usa tão baixo na cintura que sei que só pode estar sem cueca, pois quase posso ver... lugares que não tenho interesse nenhum em ver.

Ainda está de peito nu e exibe um leve rubor nas bochechas.

"Você acabou mesmo de bater uma?", pergunto.

Dean faz que sim com a cabeça, como se não fosse nada demais. "Por quê, você acha que eu ia conseguir passar um filme inteiro com as bolas doendo?"

Eu o encaro, embasbacada. "Então você não pode transar com ninguém enquanto estou em casa, mas pode subir e fazer *isso*?"

Seus lábios se torcem num sorriso malicioso. "Eu podia ter feito aqui embaixo, mas aí você ia ficar tentada a tomar as rédeas. Estava tentando ser legal."

É difícil não revirar os olhos. Então, nem tento me conter. "Vai por mim, eu teria ficado na minha."

"Com meu pau aqui pra fora? De jeito nenhum. Você não ia aguentar." Ele arqueia uma das sobrancelhas para mim. "Tenho um pau e tanto."

"Aham. Tenho certeza que sim."

"Duvida? Posso mostrar uma foto." Ele pega o celular na mesa de centro. Em seguida, para e segura o cós da calça. "Na verdade, posso te mostrar ao vivo e a cores, se quiser."

"Não quero. Nem um pouco." Faço um gesto para a televisão. "Escolhi esse. Já viu?"

Dean faz uma careta para o pôster do filme na tela. "Pelo amor de Deus, foi *isso* que você escolheu? Deve ter uns três filmes de terror novos que a gente pode ver. Ou toda a filmografia do Jason Statham."

“Filme de terror não!”, digo com firmeza. “Não gosto de sentir medo.”

“Tudo bem. Então um filme de ação.”

“Não gosto de violência.”

Ele chupa as bochechas de tanta frustração. “Gata, não vou ver um filme sobre...”, então aperta os olhos para a tela, “‘uma mulher que embarca numa jornada de redescoberta depois de ser diagnosticada com uma doença terminal’. De jeito nenhum.”

“Mas parece que é muito bom”, reclamo. “Ganhou um Oscar!”

“Sabe o que mais ganhou um Oscar? *O silêncio dos inocentes. Tubarão. O exorcista*”, cita, presunçoso. “Tudo filme de terror.”

“A gente pode passar a noite inteira discutindo, mas não vou ver nada com sangue, tubarão nem explosão. Pode ir se acostumando com a ideia.”

Dean cerra os dentes visivelmente. Em seguida, relaxa a mandíbula e solta um suspiro pesado.

“Certo. Mas, se tenho que aguentar essa porcaria de filme, vou fumar um baseado antes.”

“Como quiser, lindinho.”

Ele caminha em direção à porta, resmungando algo em voz baixa.

“Espera”, chamo, tirando depressa o celular do bolso do casaco. “Pode levar isso com você? Se ficar sozinha com meu celular, posso acabar caindo na tentação de mandar uma mensagem.”

Ele me lança um olhar desconfiado. “Pra quem você tá tentando não mandar mensagem?”

“Meu ex. Terminamos ontem, e ele não para de me escrever.”

Faz-se um silêncio. “Sabe de uma coisa? Você vem comigo.”

Mal tenho tempo de piscar, e Dean já atravessou a sala e está me tirando da cadeira. Quando meus pés encontram o piso de madeira, perco o equilíbrio e tropeço direto em seu peito gigante, o nariz achatado contra um peitoral definido.

Recobro o equilíbrio depressa e me armo com um olhar mordaz. “Eu já tinha me acomodado toda, seu estúpido.”

Dean me ignora e meio que me conduz, quase me arrastando até a cozinha. Como nem me deixou pegar o casaco, começo a tremer no instante em que passo pela porta dos fundos.

Seu peito nu brilha sob a luz do quintal. Não parece incomodado com o frio, mas seus mamilos franzem um pouco com o ar gelado da noite.

"Que merda. Até seus mamilos são perfeitos", reclamo.

Seus lábios se contorcem. "Quer tocar?"

"Eca. Nunca. Só estou comentando como eles são perfeitos. Totalmente proporcionais para o seu peito."

Ele examina os próprios peitorais e pensa por um instante. "Pois é. Sou *mesmo* perfeito. Preciso me lembrar disso com mais frequência."

Deixo escapar um riso de desdém. "Claro. Porque você já não é vaidoso o suficiente."

"Sou autoconfiante", corrige ele.

"Convencido."

"*Autoconfiante.*" Ele abre a caixinha de lata que pegou na cozinha, e faço uma cara feia ao vê-lo extrair um baseado perfeitamente enrolado e um isqueiro Zippo.

"Por que estou aqui?", resmungo. "Não quero fumar."

"Claro que quer." Ele acende, dá uma tragada profunda e fala por entre a nuvem de fumaça. "Você tá toda nervosa e estranha. Vai por mim, precisa disso."

"Isso é pressão, sabia?"

Ele estende o baseado, uma das sobrancelhas arqueadas, e me persuade, de brincadeira. "Anda logo, gata. Só um trago. Todo mundo fuma."

Não posso deixar de rir. "Vai à merda."

"Você quem sabe." Ele exala de novo, e o cheiro de maconha me rodeia.

Não me lembro da última vez em que curti uma brisa. Não faço isso com frequência, mas, cá entre nós, se eu fosse escolher uma ocasião que pediria um pouco da serenidade que um baseado proporciona, seria esta noite.

"Tá bom. Passa pra cá." Estendo a mão antes que possa mudar de ideia.

Dean obedece, radiante. "Assim que eu gosto. Mas não conta pra Wellsy. Ela vai acabar com a minha raça se achar que estou corrompendo sua melhor amiga."

Levo o baseado aos lábios e trago a fumaça até os pulmões, tentando não rir da apreensão genuína no rosto de Dean. Ele provavelmente tem razão de ter medo de Hannah. Minha amiga é dona de uma língua afiada e não tem medo de usá-la. Por isso que eu a adoro.

Por dois minutos, passamos o baseado de um para o outro em silêncio, feito dois hooligans se escondendo nos fundos de um posto de gasolina. É a primeira vez que fico sozinha com ele, e a sensação de estar no quintal com um Dean Di Laurentis de peito nu é estranha. Falando sério, nunca soube o que achar dele. Sei que é arrogante, atrevido...

*Fútil.*

Eu me sinto uma idiota por pensar isso, mas não posso negar que é o que me vem à mente sempre que vejo Dean. Hannah me disse que ele é podre de rico, e dá pra perceber. Não que saia por aí esbanjando dinheiro, mas pela forma como desfila pelo campus como se tivesse o mundo aos seus pés. Acho que nunca passou por uma dificuldade na vida. Só de olhar, você *sabe* que o cara consegue o que quer, quando quer.

Hmm. Aparentemente maconha me deixa filosófica *e* crítica.

"Então quer dizer que você levou um fora?", pergunta ele, por fim, me observando dar outro trago.

Sopro a fumaça na cara dele. "Não. Fui eu que terminei."

"O mesmo cara de sempre? Da fraternidade? Stan?"

"Sean. E, sim, estamos indo e vindo desde o primeiro ano de faculdade."

"Minha nossa. É tempo demais para ficar com a mesma pessoa. O sexo era sem graça?"

"Por que pra você tudo tem sempre que girar em torno de sexo?" Passo o baseado de volta. "E, para a sua informação, o sexo era bom."

"Bom?" Ele dá uma risada de escárnio. "Uau, isso é que é elogio."

Já estou sentindo os efeitos da maconha, a cabeça leve e o corpo relaxado, e esse deve ser o único motivo que me faz continuar falando. Em condições normais, jamais me abriria com esse cara.

"Acho que, no final, já não era mais o melhor do mundo", admito. "Mas deve ser porque a gente estava brigando muito desde o verão."

"Mas não é a primeira vez que vocês terminam, né? Por que você sempre volta para ele?"

"Porque amo aquele cara." Então me corrijo: "*Amava*". Ai, nem sei mais. "Nas duas primeiras vezes em que terminamos, não foi porque um de nós tinha feito besteira. Só achei que a coisa estava ficando muito séria, muito rápido. Era o primeiro ano, e eu tinha impressão de que a gente devia estar curtindo a vida, fazendo loucuras de solteiro e por aí vai."

"Loucura de solteiro é bom", concorda ele, solene. "Uma vez saí com uma gostosa, e ela fez uma refeição inteira em cima do meu pau."

"Eca." Reviro os olhos. "E o pior é que a vida de solteira foi bem chata. Saí com uns caras, todos eles uns canalhas completos. E isso me fez perceber como era bom o que eu tinha com o Sean."

Dean sopra outra nuvem de fumaça. "Certo. Mas aí vocês terminaram de novo."

"Terminamos." A memória evoca uma onda de irritação. "Dessa vez foi porque ele ficou controlador demais. Um dos colegas de fraternidade dele deu em cima de mim numa festa, e o Sean decidiu que ninguém mais podia olhar pra mim. Ele começou a me dizer como me vestir e a me mandar mensagens o tempo todo, perguntando onde eu estava e com quem. Era sufocante."

Dessa vez é Dean quem revira os olhos. "Diz a garota que voltou para ele de novo."

"Ele me prometeu que seria diferente. E foi. Desgrudou do meu pé e foi *tão* bom para mim depois disso."

Dean não parece convencido, mas não me importo. Não me arrependo de ter voltado para Sean. Depois de dois anos e meio com o cara, sabia que precisávamos lutar pelo nosso relacionamento.

"O que nos traz ao rompimento número quatro." Dean inclina a cabeça, curioso. "O que aconteceu?"

Sinto o desconforto apertar meu peito. "Já falei. A gente tava brigando muito."

"Por quê?"

As palavras me saem antes que eu possa evitar. Droga. Ele injetou soro da verdade nesse baseado ou algo assim? "Em geral, por causa da formatura e do que a gente vai fazer depois da faculdade. Meus planos sempre foram mudar para Los Angeles e me concentrar na carreira de atriz."

Ou Nova York... Mas não comento isso com Dean. Ainda não me decidi, e ele é a última pessoa com quem quero discutir decisões profissionais profundas. O sujeito tem a profundidade de uma poça de chuva.

"Quando começamos a namorar, Sean não tinha nenhum problema com isso, mas neste verão, de repente, decidiu que não quer que eu vire atriz. Na verdade, não quer que eu tenha um emprego e ponto." Franzo a testa. "Ele meteu na cabeça que vai trabalhar na empresa de seguros do pai, em Vermont, e que vou ser a dona de casa feliz que prepara o jantar para o marido antes de ele chegar em casa."

Dean dá de ombros. "Nada de errado em ser dona de casa."

"Claro que não, mas não quero ser dona de casa", retruco, frustrada. "Passei quase quatro anos dando duro para me formar nessa faculdade de teatro. E *quero* usar o meu diploma. Quero ser atriz, e não posso continuar com um cara que não me apoia. Ele...", me interrompo, mordendo o lábio.

"Ele o quê?"

"Nada. Esquece." Tomo o baseado da sua mão e inspiro fundo. Fundo demais, porque começo a tossir feito louca ao expirar. Meus olhos se enchem d'água por um momento, e, quando minha visão se normaliza, me deparo com olhos verdes sérios me observando com atenção.

"O que ele fez?", Dean exige saber, em voz baixa. "E qual o tamanho da surra que ele merece? Eu e Garrett damos conta de uma briga sozinhos, mas se você quiser quebrar uns ossos, a gente pode soltar o Logan em cima dele."

"Ninguém vai quebrar os ossos de ninguém, seu idiota. Sean não fez nada demais, e não preciso que você dê uma surra nele. A única coisa que quero que você faça é esconder essa merda desse celular." Enfio o celular nas mãos de Dean. "Mantenha bem longe de mim este fim de semana, tá legal? Só me devolva se meu pai me ligar. Ou a Hannah e a Stella. E a Meg e... quer saber? Eu confiro quem ligou algumas vezes por dia, sob sua supervisão. Assim, você pode me dar um tapa se eu tentar escrever para o Sean."

Dean parece intrigado. "Então, eu sou... o quê, seu vigia de relacionamento? O responsável por te manter na linha?"

"Isso mesmo. Parabéns, finalmente você vai poder fazer alguma coisa de útil com o seu tempo", respondo, sarcástica.

Ele inclina um pouco a cabeça. "E o que eu ganho em troca?"

"A satisfação de saber que tá ajudando alguém além de si próprio?"

"É pouco. Que tal um boquete? Eu topo por um boquete."

Mostro o dedo do meio. "Vai sonhando."

"Tudo bem, um carinho no meu pau então."

"Deixa de ser babaca. Por favor. Não tenho nenhum autocontrole quando se trata de Sean."

Como se tivesse recebido uma deixa, o smartphone vibra na mão de Dean, e meu primeiro instinto é tentar tomá-lo de volta. Ele dá um passo depressa para trás e olha para a tela. "É Sean." Sua boca treme, prendendo o riso. "Está com saudade do sabor dos seus lábios."

Meu coração se comprime, dolorido. "Outra regra: você não pode me dizer o que ele escreveu."

"Você tá me dando responsabilidades demais, gata. Não gosto de responsabilidade."

Que surpresa. "Você é capaz, *gato*. Tenho fé em você."

Dean dá uma última tragada no baseado, em seguida o esmaga no cinzeiro e se dirige para a porta de vidro de correr. Nossa, até seu jeito de andar é arrogante. E ele é uma delícia andando assim. Meu olhar repousa inadvertidamente em sua bunda firme e na forma como o moletom se ajusta a ela. Isso mesmo, estou conferindo a bunda de Dean. Quer dizer, é uma bunda espetacular, e sou uma *mulher* — o que posso fazer?

"Você tá lidando com isso da maneira errada, sabia? O melhor jeito de esquecer alguém é ficando com outra pessoa. E logo."

As palavras me despertam da apreciação da sua bunda. "Ainda não estou pronta para ficar com outra pessoa."

"Claro que está. Sério, arruma logo alguém pra te ajudar a esquecer." Dean ergue o braço. "Eu me voluntario."

Uma risada me escapa. "Sonhar não custa nada."

Mas, lá no fundo, até considero a sugestão. Na verdade, sexo casual para esquecer não é uma ideia de todo má. É tipo cair do cavalo — as pessoas sempre aconselham a subir de volta na mesma hora, não é? Talvez eu devesse fazer exatamente isso, subir de novo na sela. No mínimo vai ser uma boa distração para a minha dor de cotovelo.

Mas definitivamente não vai ser com Dean. Não, prefiro encontrar uma sela que não tenha sido cavalgada por todas as alunas da Briar.

"Vamos dar logo um basta nisso", decide ele.

"Se por um basta você tá querendo dizer esquecer essa ideia idiota, então, sim, vamos dar logo um basta nisso."

Dean para junto à porta e se vira para mim, os olhos verdes me avaliando de forma sedutora da cabeça aos pés. "Na verdade, quanto mais penso nisso, mais gosto da ideia de te ajudar a esquecer." Seu olhar se demora em meus peitos. "Gosto *bastante*."

Abafo um gemido. "O Garrett me prometeu que você não ia dar em cima de mim este fim de semana."

"G. não tem nada que fazer promessas em meu nome", responde Dean com um sorriso. Então me chama com um gesto. "E aí, a gente vai ou não vai ver esse filme?"

Sigo-o para dentro de casa. Minha mente está nublada pela maconha, mas de um jeito bom, e quando Dean para no corredor para ajeitar a calça que está prestes a cair, por algum motivo começo a rir como se fosse a coisa mais engraçada do mundo.

Minha alegria desaparece assim que nos acomodamos no sofá, porque Dean senta do meu lado, passa um braço musculoso em volta dos meus ombros e me puxa para junto de si. Como se fosse totalmente normal.

Franzo a testa para ele. "O que seu braço tá fazendo em volta de mim?"

Sua expressão é a mais inocente. "É assim que assisto a filmes."

"Sério? Então você passa o braço em volta do Garrett quando vê um filme com ele?"

"Claro. E, se ele for legal comigo, às vezes enfio a mão na calça dele." Sua outra mão desliza até o cós da minha calça legging. "Basta ser legal comigo, e prometo que vou ser ainda mais legal em troca."

"Rá. Nem morta." Afasto sua mão, mas não antes de sentir uma centelha de calor entre as pernas. Seu peito nu é glorioso, e Dean está me provocando, implorando por meus dedos em seus músculos rijos. E ele cheira tão bem. Um cheirinho de mar. Não, de coco. Estou aérea demais para identificar o aroma, mas não o suficiente para não notar como estou formigando lá embaixo.

Ah, pelo amor de Deus. Minha vida sexual deve ter ido mesmo pelo ralo, se basta a presença de Dean Di Laurentis para eu ficar toda animada.

"O que mais a gente tem pra fazer?", argumenta ele.

Aponto para a TV. "Ver um filme."

"Preferiria ver você." Ele levanta as sobrancelhas, numa provocação. "Gritando meu nome enquanto faço você gozar."

Desta vez, não sinto arrepios. Só um riso que me escapa aos montes em ondas incontroláveis.

"Nossa. Você acaba com o ego de qualquer um." Ele parece insultado.

Inspiro fundo por entre as gargalhadas. Pois é, estou chapada, relaxada e perdi todos os filtros, o que significa que posso provocar Dean o quanto quiser e depois culpar o baseado.

"Desculpa, mas você às vezes é demais." Não consigo parar de rir. "As meninas realmente caem nessas cantadas?"

Ele solta um suspiro de reprovação. "Coloca logo essa porcaria de filme."

"É pra já." Aperto o controle remoto e sento na outra ponta do sofá, deixando um metro de distância entre nós.

Em sua defesa, Dean permanece em silêncio por quase trinta minutos. Ele mantém os olhos fixos na tela, mas, de canto de olho, não deixo de notar sua inquietação. Ele batuca os dedos compridos nas coxas. Passa uma das mãos pelo cabelo. Suspira, enquanto a personagem principal prepara um omelete em tempo real.

Quando ela senta à bancada e começa a comer o omelete — em *tempo real* —, Dean explode feito um vulcão adormecido.

"Este filme é horrível!" Então geme. Alto. "Pronto. Falei. Que merda de filme *horrível*."

"Eu estou gostando." Mentira. Assistir a este filme é o mesmo que ver tinta secar. Nem a maconha que acabamos de fumar é capaz de tornar a experiência minimamente agradável, mas não quero admitir que fiz a escolha errada. Não se pode dar o braço a torcer para um cara como Dean. Nunca. Ele vai esfregar isso na minha cara até o fim dos tempos.

"Você não pode estar gostando deste filme", desafia ele.

"Estou", insisto.

Ele me encara fixamente por uns bons segundos, mas minhas habilidades teatrais vêm bem a calhar, e consigo transmitir a mais pura inocência.

"Pois eu não. Este filme passou de todos os limites."

Ofereço uma sugestão útil. "Por que você não vai lá em cima bater outra?"

Merda. Coisa errada para se dizer. Na mesma hora, seus olhos verdes assumem um brilho sedutor.

Com um sorriso preguiçoso, ele se aproxima e pergunta, arrastando a voz: "Que tal você fazer isso por mim?".

O sujeito é incorrigível. "Esse assunto de novo? Você não aceita 'não' como resposta?"

"Não estou familiarizado com a palavra. Ninguém nunca me falou isso antes." Ele se aproxima de novo, descansando a mão sobre a almofada entre nós e fazendo um carinho lento no tecido. "Vamos lá, que tal tornar esta festinha mais interessante? Estamos sozinhos em casa... somos os dois bonitos..."

Deixo escapar um riso de desdém.

"Vai ser divertido. Sexo é sempre divertido."

"Passo."

"Tudo bem, nada de sexo. Que tal só oral?"

Finjo pensar na questão. "E eu vou dar ou receber?"

"Receber. E depois dar. Porque é assim que as coisas funcionam." Ele abre um sorriso imenso. "Sabe como é, o ciclo da vida e tudo mais."

Não posso deixar de rir. Podem falar o que quiserem desse cara, mas pelo menos ele é divertido. "Passo", digo de novo.

"Quer dar uns amassos?", pergunta, esperançoso.

"Não."

"Eu beijo bem..." Ele deixa a frase no ar, como que para me seduzir.

"Rá. Depois dessa, tenho certeza que não. Toda vez que um cara diz que beija bem, ele é péssimo."

"Ah, é? Você tem alguma evidência empírica para sustentar isso?"

"Claro." Na verdade, não. E Dean sabe o que é *empírico*? Uau, talvez haja mais do que ar dentro dessa cabecinha bonita.

Ele parece pronto para argumentar, mas somos interrompidos por uma música alta vinda de seu celular. Faço uma careta ao reconhecer a melodia.

Homens. Incapazes de tirar um segundo do seu dia para baixar o assento do vaso, mas têm tempo de programar a música da ESPN como toque de celular?

Dean abre um sorriso ao ver quem está ligando e atende na mesma hora. "Maxwell! Qual é a boa?" Ele escuta, então me lança um olhar esperançoso. "Quer ir a uma festa?"

Faço que não com a cabeça.

A pessoa do outro lado da linha é forçada a suportar o suspiro excessivamente dramático de Dean. "Foi mal, cara. Não posso. Eu tô de babá..."

Dou um tapa em seu braço.

"... e ela não quer ir", termina ele, me lançando um olhar afiado. Então faz mais uma pausa. "Não, já é bem grandinha."

O quê?

"Tô de babá de uma adulta, cara. Amiga da namorada do G." Dean continua como se eu nem estivesse na sala. "A gente tá vendo um filme aqui sobre uma mulher com câncer que é uma merda... é verdade, câncer em geral é uma merda. Quer dizer, todo o meu respeito por quem tem câncer, mas o filme é horrível. É... não, o jogo é na terça... verdade... beleza, claro. A gente se vê no Malone's. Até mais, cara."

Ele desliga e me olha de cara feia. "Eu podia estar numa festa agora."

"Ninguém tá forçando você a ficar comigo", ressalto.

"Tô *tentando* ser legal com você, por causa dessa história de coração partido e tudo mais. Demonstrar um pouquinho de gratidão que é bom? Não. Você não me dá nem um beijinho."

Dou um tapinha em seu ombro. "Ah, gatinho. Tenho certeza que qualquer garota na agenda do seu telefone ficaria feliz em vir e enfiar a língua na sua boca. Eu, por outro lado, tenho critérios."

"Ah, então eu não sou bom o bastante para você?" Ele arregala os olhos. "Pois fique sabendo que a sua amiga Wellsy adorou me beijar."

Perco o ar de tanto rir. "Ah, você tá falando do beijinho que ela te deu para o Garrett não saber o quanto ela tinha gostado do beijo *dele*? Pois é, lindinho, conheço a história. Ela te beijou por desespero." Ainda me dá um nó na cabeça pensar que Hannah tenha beijado esse cara. Dean está *tão* longe de ser o tipo dela.

Verdade seja dita, também nunca imaginei que o astro do hóquei Garrett Graham fosse seu tipo, e olha só para os dois agora. Almas gêmeas.

"Não foi por desespero", reclama Dean.

"Aham. Continue pensando assim."

Ele olha para a televisão. A personagem principal está fazendo comida de novo. Agora é o jantar, e a câmera faz muitos closes desnecessários nas batatas sendo descascadas. Ela come muito nesse filme.

"Alguém me mata, por favor." Ele se recosta no sofá e passa ambas as mãos pela cabeça até estar todo descabelado. "Não vou aguentar mais nem um segundo disso."

Nem eu, mas amarrei meu burro nesse poste e não posso abandoná-lo.

"Quer saber?", anuncia ele. "Que maconha, o quê! Só tem uma coisa capaz de tornar essa porcaria tolerável."

"E o que é?"

Em vez de responder, ele pula do sofá e desaparece na cozinha. Temerosa, escuto armários se abrindo e se fechando e copos tilintando. Logo em seguida ele está de volta, segurando uma garrafa numa das mãos e dois copinhos de shot na outra.

Dean abre um sorriso e anuncia: "Tequila".

# 3

## ALLIE

Tem alguém batucando na minha cabeça. E com um martelo tipo aqueles comicamente grandes que os personagens de desenho animado usam para bater uns nos outros. É horrível. É ensurdecedor.

Ai, Deus. Que ressaca.

Mesmo o mais suave dos gemidos que escapa dos meus lábios é o bastante para produzir uma agonia intensa nas minhas têmporas. E me ajeitar na cama suscita uma onda de náusea que aperta a garganta e faz meus olhos lacrimejarem. Controlo a respiração. Inspira. Expira. Só preciso segurar o mal-estar por tempo o suficiente para chegar ao banheiro e não vomitar nos lençóis limpos de Garrett Graham...

Não estou na cama de Garrett.

Essa percepção me acerta em cheio no exato instante em que registro o som de alguém respirando. E não são os suspiros de "eu-bebi-tequila-demais" que saem da minha boca, mas o barulho suave e regular do cara ressonando ao meu lado.

Dessa vez, quando gemo, o som vem do fundo da minha alma.

As memórias surgem num Technicolor muito vívido. O filme ruim. Os shots de tequila. O... resto.

Dormi com Dean na noite passada.

Duas vezes.

Meu coração dispara enquanto olho para o teto. Estou no quarto de Dean. Tem um pacote aberto de camisinha na cabeceira da cama. E... sim, estou nua.

*Talvez tenha sido só um pesadelo*, me assegura uma voz em minha cabeça.

Inspiro fundo de novo e reúno coragem para virar a cabeça. O que vejo me faz perder o fôlego mais uma vez.

Um Dean bastante nu, deitado de bruços. Sua bunda parece zombar de mim, e não só pela perfeição, mas por causa dos arranhões vermelhos nas nádegas musculosas.

Foram as minhas unhas que deixaram aqueles arranhões. Sem forças, levanto uma das mãos e vejo que a unha do indicador está quebrada. *Quebrei uma unha* agarrando a bunda do Dean. Deve ter sido lá embaixo — lembro dele por cima de mim no sofá, na primeira vez. O chupão roxo em seu ombro esquerdo aconteceu aqui no quarto, na segunda rodada, quando eu estava por cima.

"*Quero ver esse seu quarto misterioso. Quero ser a primeira a batizá-lo.*"

Minhas próprias palavras zumbem em meu cérebro já confuso. Aparentemente, não sou a primeira garota que ele trouxe aqui para cima. Ele mesmo me disse isso. E suas revelações não pararam por aí. Pois é, estou agora em posse da informação que Hannah tem tentado descobrir há mais de um ano: por que Dean gosta de transar em qualquer lugar que não o seu quarto.

Infelizmente, o conhecimento não termina aí. Sei como Dean é quando está pelado. Sei como é tê-lo dentro de mim. Sei os sons que faz quando está gozando.

Sei coisas demais.

Minha cabeça lateja mais forte.

Droga.

Droga, droga, droga, *droga*.

Como isso foi acontecer? Nunca fiz sexo casual antes. Meu histórico contém um total de três caras — dois na escola, depois um na faculdade, e todos eles foram namorados sérios.

Meu olhar se afasta do corpo alto e musculoso de Dean. Por que fiz isso? Sei muito bem lidar com o álcool. Não bebi até cair na noite passada. Não estava enrolando as palavras, tropeçando ou agindo feito boba. Sabia exatamente o que estava fazendo quando tomei a iniciativa e beijei Dean.

*Eu* tomei a iniciativa.

Qual é o problema comigo?

Tudo bem. Tudo bem. Não é o fim do mundo. Massageio as têmporas prestes a explodir com a ponta dos dedos e me forço a ignorar o homem dormindo ao meu lado. Não tem problema nenhum. Foi só uma noitada. Ninguém morreu. Talvez eu me arrependa — terrivelmente —, mas arrependimento é coisa de gente fraca, como meu pai gosta de dizer. Hora de aprender com os erros e seguir em frente.

E é justamente isso que preciso fazer. Seguir em frente. Ou melhor, *sair daqui*. Sumir dessa cama, tomar um bom banho e fingir que a noite passada nunca aconteceu.

Armada com um plano, deslizo cautelosamente para fora do lençol jogado em cima da parte inferior do meu corpo. A cama range, e, imóvel, lanço um olhar de pânico na direção de Dean.

Ainda está morto para o mundo.

Certo. Tomo outro fôlego e passo as pernas para fora da cama. Quando meus pés tocam o chão, Dean se mexe. Ele solta um meio gemido, meio suspiro. Então gira e, *ai, meu Deus*, vejo seu pênis.

Um calor inunda meu rosto diante da visão. Mesmo sem estar duro, é impressionante. Ele tinha razão — é um pau e tanto.

E, a menos que minha memória esteja falhando, acredito que o elogiei em alto e bom som, muitas e muitas vezes, na noite passada.

O calor no meu rosto aumenta à medida que me lembro de tudo o que falei para ele. Tudo o que fiz com ele.

Um gemido silencioso se forma em minha garganta. Tá bom, já chega de relembrar o que aconteceu. Preciso sair daqui. Não, primeiro preciso encontrar meu celular.

Dou uma olhada ao redor e vejo o moletom de Dean. Ele o vestiu depois da nossa farra no sofá, e tenho certeza de que meu celular está no bolso.

Já as minhas roupas, não tenho ideia de onde estão — na última vez que as vi, estavam numa pilha no chão da sala. O que só me deixa ainda mais em pânico, porque isso significa que Tucker deve ter visto quando chegou em casa, ontem à noite. Merda. E deve ter ouvido a gente, porque Deus sabe que eu não me contive quando Dean passou a língua na...

*Não, não pense nisso.*

Vasculho os bolsos em busca do meu telefone. Achei. Graças a Deus.

Digito a senha. A culpa me atinge de todas as direções assim que vejo as mensagens não lidas de Sean.

Deus. Se ele soubesse o que eu estava fazendo enquanto ele me mandava todas essas mensagens apaixonadas... Não que eu deva alguma explicação. Estamos terminados. E vamos continuar terminados. Mas ainda me sinto péssima de saber que dormi com outro enquanto Sean estava em casa, tentando desesperadamente me reconquistar.

E não foi com qualquer um. Foi com *Dean*. O cara prestes a fazer um ménage antes de eu aparecer. O cara que transa com qualquer uma. O cara que...

"Passa pra cá, gata."

O susto me faz soltar um gritinho. Olho para a cama e vejo Dean se sentando, enquanto corre uma das mãos pelo cabelo de quem acabou de acordar. Ele não parece nem um pouco grogue. Os olhos verdes estão alertas, e o corpo nu está... se transformando.

Sinto o rosto corar diante da visão de seu membro cada vez mais duro, então fito meus próprios pés descalços. "Quer fazer o favor de se cobrir?"

"Não foi isso que você disse ontem à noite..."

O tom zombeteiro me irrita. "Não quero falar da noite passada. Nunca."

Ele parece ainda mais divertido. "Ei, relaxa. Foi só sexo." E não faz um movimento sequer para se cobrir. Em vez disso, estica os dois braços acima da cabeça, chamando minha atenção para os músculos flexionados. E os pulsos. Ele está com marcas vermelhas em torno dos pulsos...

*Porque eu o amarrei à cama ontem.*

Mãe do céu.

Quando percebe para onde estou olhando, seus lábios se torcem num sorriso. "Confesso que a noite foi bem mais devassa do que imaginei que seria", continua ele com uma piscadela. "Mas não tô reclamando."

Alguém me mata. Por favor.

Com outra onda de humilhação me inundando, pego a peça de roupa mais próxima que consigo encontrar — uma camiseta preta de gola V — e passo por cima da cabeça. Um cheiro familiar satura os meus sentidos. Algo forte e masculino. O mesmo cheiro que senti ontem quando meus lábios estavam brincando sobre o peito nu de Dean. E quando meu rosto estava enterrado em seu pescoço, enquanto eu chupava sua pele como se fosse um doce. E, sim, ele está com outro chupão no pescoço. Eu realmente fiz a festa com esse cara.

"Não quero falar disso", digo, com os dentes cerrados. "Aconteceu, foi bom, e ninguém nunca mais vai tocar no assunto de novo."

"Foi *bom*?" Com um risinho convencido, Dean desliza uma das mãos por sobre o peito, os dedos compridos descansando bem em cima da cabeça de sua ereção. "Foi mais que bom, e você sabe disso."

"Por favor, você pode se vestir?", imploro.

"Não. Você tá com a minha camiseta." Ele arqueia uma das sobrancelhas. "Por que não tira e joga pra cá?"

Até parece. Esse cara nunca mais vai ver meu corpo nu de novo.

Como me recuso a tirar a camiseta, opto pela segunda melhor opção e dou as costas para ele, enquanto verifico meu celular. Ignoro as mensagens de Sean e leio as dos meus amigos. Uma de Hannah, perguntando como passei a noite, e outra de Megan, me chamando para tomar café da manhã.

Respondo para Meg depressa com um sonoro SIM e peço para ela me pegar na casa de Garrett. Assim que vejo na tela o balão cinza que indica que ela está digitando uma resposta, o aparelho é arrancado da minha mão.

"Ei!" Levo um susto ao ver Dean atrás de mim. Nossa. O cara é ninja.

"Isso aqui é minha responsabilidade, lembra?" Está zombando de mim de novo, mantendo o celular fora do meu alcance. "Como seu vigia, devo aconselhá-la a ignorar...", ele olha para o celular, "as nove mensagens do seu ex. Ler isso não vai te fazer nenhum bem."

Ele está certo. Mas, depois do que aconteceu entre nós na noite passada, não tem nenhuma chance de Dean continuar como meu vigia de relacionamento.

"Não tem problema", murmuro. "Não preciso da sua ajuda."

Ele repete a provocação de antes. "Não foi isso que você disse ontem à noite. O celular fica comigo este fim de semana, Allie-Cat. Sem discussão."

Allie-Cat? Senhor, dai-me forças. Ele me deu um apelido.

"Vou encontrar uma amiga", digo, com firmeza. "Então preciso do meu celular, tá legal? Além do mais, suas obrigações como vigia estão oficialmente encerradas. Vou voltar pro alojamento depois do café."

Ele franze a testa. "Não, você vai passar o fim de semana aqui."

"Não mais."

Tento pegar o celular de volta. Ele se esquiva de novo. "Só porque a gente transou ontem?"

Minhas bochechas estão queimando. "Que parte de *não quero mais falar disso* você não entendeu?"

"Palhaçada. Você não pode ir embora só porque a gente encheu a cara e transou umas duas vezes. Você tá exagerando."

Respiro fundo. "A gente pode não falar disso?"

"Gata, você acha que gosto de falar dessas coisas? Prefiro rolar em cacos de vidro a lidar com toda essa porcaria de dia seguinte. Se você fosse qualquer outra garota, eu diria pra esquecer, mas você é a melhor amiga da Wellsy, o que significa que a gente tem que discutir a situação." Ele solta um palavrão de repente. "Ai, merda. A Wellsy vai me matar."

*Ai, merda* mesmo. Tenho certeza de que vou receber um sermão de Hannah se ela descobrir que dormi com Dean. Talvez em alguns dias, uma semana — ou uma década —, eu seja capaz de contar para ela o que aconteceu ontem, mas, neste instante, quero esquecer. O que significa manter segredo da minha melhor amiga pelo máximo que puder.

"Ela não vai te matar, porque não vamos contar pra ela", digo com firmeza. "Sério, isso tem que ficar entre nós."

"Fechado."

"E você não pode nunca mais tocar no assunto. No que diz respeito a mim, isso nunca aconteceu."

Ele me oferece um sorriso arrogante. "Não se engane, gata. Depois de ter experimentado isto aqui, você nunca mais vai conseguir parar de pensar em mim." Para reforçar isso, ele segura o pau semiduro e faz um carinho.

Uma onda de calor desce por meu torso.

Argh. Maldito Dean e seu maldito pau.

"Já esqueci", minto. Mas, na minha cabeça, mais memórias surgem, me fazendo querer gritar de frustração.

*"Gosto de você assim..."*

*"Rá. Então você* admite *que gosta de mim", murmura ele.*

*Sorrio para os seus pulsos imobilizados. "Eu disse que gosto de você assim." Minha boca se aproxima lentamente de seu pênis ereto. "Completamente entregue a mim..."*

Minha nossa. Minhas bochechas estão pegando fogo de novo. Sean nem sempre ficava à vontade com a minha natureza aventureira quando o assunto era sexo. Era eu quem tinha que o persuadir a tentar as novas ideias pervertidas que despertavam meu interesse.

Dean nem titubeou diante das nossas façanhas sexuais.

"Você precisa que eu te lembre como foi bom?" Ele inclina a cabeça com ironia, a mão ainda segurando o pau.

"Não, eu preciso que você aja feito um adulto", explodo. Estou perdendo a paciência com ele e brava demais comigo mesma para controlar meu temperamento. "Eu tô de ressaca e morrendo de vergonha, e você tá tornando as coisas ainda piores, jogando a noite passada na minha cara desse jeito, tá legal?"

Sua expressão vacila. "Merda." Ele limpa a garganta e solta o pau, em seguida pega a calça de moletom às pressas. "Desculpa. Não queria te deixar desconfortável." Então veste a calça. "E você não tem motivo nenhum pra ficar com vergonha. Somos dois adultos. Nos divertimos e fizemos um ao outro gozar um monte de vezes. Nada demais, tá legal? Mas, se você realmente não quiser tocar no assunto, eu fico na minha."

Solto uma respiração trêmula. "Obrigada."

Dean estuda o meu rosto. "Tudo bem entre a gente?"

Consigo apenas assentir de leve. Minha cabeça ainda está latejando, mas não é a ressaca que está fazendo com que eu meu sinta fraca e vacilante neste momento. É o fato de que fiz algo tão pouco parecido comigo. A consciência terrível de que dormi com outra pessoa meras vinte e quatro horas depois de terminar com Sean. Isso não sou *eu*, droga.

"Tem certeza?", insiste ele.

Eu me forço a falar. "Tá tudo bem, Dean." Meu celular vibra e vejo uma mensagem de Meg dizendo que está a cinco minutos de distância. "Preciso me vestir. Megan vai chegar daqui a pouco." E mordo o lábio inferior assim que algo me ocorre. "Droga. Minhas roupas estão lá embaixo. Tucker..."

Deixo a frase morrer, enquanto Dean caminha até a janela e espreita por entre as cortinas. "Ele não tá aqui... A picape do Logan não tá lá embaixo. Acho que Tucker não voltou para casa ontem."

O alívio me invade, mas também uma explosão de irritação. Onde estava Tucker ontem, quando eu precisava dele? Se estivesse em casa, eu provavelmente não teria acabado na cama com Dean. Ou talvez tivesse acabado na cama com Tucker, que, diga-se de passagem, é o ruivo mais gostoso que já conheci. É também muito mais quieto do que os colegas de república e não fala muito de si próprio, mas, pelo que pude perceber, é inteligente, articulado e definitivamente um colírio para os olhos.

Analisando bem, Tuck teria sido um *ótimo* candidato para curar minha dor de cotovelo.

"Vou lá embaixo correndo pegar minhas roupas", murmuro, sem jeito.

Ele me chama. "O que você vai falar pra Wellsy sobre voltar para o alojamento no meio do fim de semana? Você sabe que ela vai fazer perguntas."

Droga. Ele tem razão. "Vou dizer que decidi dar uma de gente grande e lidar com o término em casa."

Estou a meio caminho da porta quando sua voz me faz parar mais uma vez. "Allie."

"O que foi?" Eu me viro.

Seus olhos verdes piscam, infelizes. "Tem certeza que você tá bem?"

Não, não tenho certeza de nada. "Tenho", minto, e então sumo do seu quarto.

Para uma caminhada da vergonha, esta até que não é tão ruim, porque pelo menos não tem ninguém por perto para testemunhar.

# 4

## DEAN

Sempre fui popular. Não importa o quanto eu volte em minha memória, sempre me vejo cercado de amigos. E de meninas. Muitas e muitas meninas. As tímidas da escola primária, que me passavam bilhetinhos perguntando *Você gosta de mim???* quando a professora estava de frente para o quadro. As do ensino médio, que brigavam pela minha atenção e faziam fila para me beijar no campo de lacrosse depois da aula.

E na faculdade? Nem sei por onde começar. Achava que sabia o significado do que é ser ímã de mulher antes de vir para a Briar, mas os últimos três anos ultrapassaram todas as expectativas sobre a minha atratividade. Quanto mais velho fico, mais as mulheres me desejam.

Então, não, não estou surpreso que Allie tenha se jogado em mim na noite passada. Isso era inevitável desde o instante em que ela anunciou que tenho "mamilos perfeitos".

Mas o puro desgosto em seu rosto hoje de manhã, quando acordamos juntos na mesma cama, é novidade para mim.

"O maldito do Corsen não consegue parar nem um disco vindo a três quilômetros por hora em linha reta na direção dele."

A queixa do meu colega de time me desperta dos meus pensamentos e me obriga a sufocar um gemido. Parece que o jovem Hunter não sabe nada de etiqueta de bar. Não é o melhor lugar para reclamar de uma partida de hóquei. É um lugar para se dar bem. Ponto-final.

Mas o garoto tem só dezoito anos. Um dia vai aprender.

"Cara, o jogo foi há dois dias", digo ao calouro. "Esquece isso."

Procuro por Tucker, mas meu colega de república não apareceu ainda. O bar hoje é território praticamente só da galera do hóquei. Vários dos meus colegas de time, um monte de torcedores e uma penca de marias-patins seminuas. Vários olhares femininos apreciativos disparam em nossa direção, mas Hunter não parece notar nenhum deles.

Está com as feições marcadas e mal tocou na bebida. "Isso é culpa sua, sabia?", dispara, com um tom de acusação. "Eu nem queria jogar este ano, mas você *tinha* que me convencer a entrar pro time. Eu podia ter terminado a carreira como a estrela do ataque da escola em primeiro lugar no ranking do país. E agora sou um ala esquerda que não vale nada, num time que está indo ladeira abaixo."

Saboreio minha cerveja. "Alguém já te falou que você não sabe perder?"

"Ah, nem vem. Até parece que *você* gosta de perder."

"Claro que não gosto. Mas também sei que ganhar não é tudo. Ah, e por falar nisso, telhado de vidro, atirar pedras etc., etc."

"O que você quer dizer com isso?"

"Que, em vez de culpar Corsen por entregar três gols, você devia estar se concentrando no fato de que não marcou nenhum. Isso aqui não é a escola, sr. Estrela do Time. Não é fácil driblar a defesa de times universitários."

É duro, mas é verdade. E Hunter Davenport precisa ouvir. O treinador tem pegado leve com ele no treino, porque, tirando Garrett, Hunter é o único jogador do time capaz de crescer. Mas, ao contrário de Garrett, ele tem uma grande fraqueza: excesso de confiança. O garoto pensa que é o próximo Sidney Crosby.

"Você tá dizendo que não sou bom o suficiente para jogar nesse nível?" Mas, em vez de raiva, a expressão em seu rosto transmite angústia, o que só ressalta a sua grande *qualidade*: Hunter está sempre se esforçando para melhorar.

"Tô dizendo que você precisa de trabalho. Você cometeu alguns erros amadores anteontem. Como quando Fitzy estava em desvantagem numérica por causa da punição e você foi lá ajudar. Esse não é seu trabalho, cara. Você não pode entrar na ala do seu colega. Tem que confiar que os jogadores de centro vão ajudar o cara."

Hunter dá um gole apressado na cerveja.

"E às vezes você é péssimo em antecipar as jogadas. Lembra quando o cara da defesa do Eastwood fez aquele passe que criou um contra-ataque? Você deveria ter previsto para quem ele ia passar, mas interpretou tudo errado."

"Eu estava olhando pro disco o tempo todo", protesta ele.

"Esquece o disco. Olha pro *jogador*, cara. Presta atenção em quem ele tá olhando, pra onde os seus colegas de time estão indo. Entenda pra quem ele vai dar o passe e, em seguida, roube o disco."

Hunter fica em silêncio. Quando fala de novo, soa impressionado, ainda que a contragosto. "Você sabe um bocado do que tá falando, né?"

Dou de ombros. Sei que tenho uma reputação de não levar o hóquei tão a sério quanto meus colegas de time, e talvez haja alguma verdade nisso, mas não significa que não entendo a mecânica e as nuances do jogo.

O hóquei faz parte da minha vida desde sempre. Cresci jogando. Lacrosse também, mas funcionava mais como um jeito de passar a primavera até a temporada de hóquei começar de novo. Tanto meu pai como meu irmão mais velho jogaram hóquei em Harvard. Eu também poderia ter ido para lá, mas escolhi a Briar. Sempre seguia os passos deles, mas acho que só quis ser diferente ou algo assim.

Não me levem a mal, não jogo hóquei só porque eles jogavam. Amo o jogo. Só não sinto a mesma emoção que Garrett e Logan parecem experimentar toda vez que pisam no gelo.

Na verdade, me divirto mais nos treinos. Gosto das séries e dos treinos coletivos, de ter a oportunidade de melhorar e de ajudar meus colegas a melhorar. Não estou interessado em virar profissional depois da formatura, o que em muito agrada à minha família, porque os Heyward-Di Laurentis não viram atletas profissionais. Viram advogados. No outono que vem, vou para a faculdade de direito de Harvard, como todos os membros da família. Por mim, tudo bem, não tenho dúvidas de que vou ser bom. O carisma Di Laurentis que herdei do meu pai praticamente garante que vou sair convencendo juízes a torto e a direito.

"O que mais tô fazendo de errado?" Hunter soa mais curioso do que irritado.

Sorrio para ele. "Quer saber, que tal umas sessões só nós dois esta semana? Vou ver se o treinador libera um tempo extra de gelo."

"Sério? Poxa, valeu mesmo. Obrigado..."

Eu o interrompo. “Mas só se você parar de falar de hóquei por hoje.” E gesticulo para o bar lotado. “Olhe à sua volta. Isto aqui é um banquete de mulher gostosa. É só escolher e se esbaldar, seu idiota.”

Hunter ri, mas seus olhos escuros se acendem à medida que ele começa a assimilar a vista. Várias garotas respondem com sorrisos de “me coma”, mas, em vez de chamá-las, ele olha para mim — ou melhor, para o meu pescoço — e solta uma risada. “Na verdade, talvez você devesse me apresentar à fera que te pegou na noite passada. A srta. Chupão parece divertida.”

Fico paralisado. De jeito nenhum vou deixar esse cara chegar perto de Allie. Ele pode ser novo, mas está bem encaminhado para se tornar um pegador ainda maior do que eu.

Mas, até aí, talvez eu devesse me preocupar mesmo é com o Hunter, já que, depois do desempenho da última noite, Allie Hayes provou que é plenamente capaz de deixar marcas num homem. Nossa. A menina transa *muito*.

Droga, e agora meu pau está ficando duro. Isso aconteceu o dia todo hoje, toda vez que penso em Allie. Foi a melhor transa que tive em muito tempo. Que merda, meus pulsos ainda estão doloridos de ter sido amarrados à cama, mas é o tipo de dor que só me faz querer mais.

Repetir uma transa em geral não faz meu estilo, mas, neste momento, meu pau está sedento para entrar naquela safada da Allie de novo.

“Desculpa, sr. Estrela. Mas não vai rolar”, digo a ele. “Encontre sua própria fera.”

“Tudo bem.” Sorrindo, ele dá mais uma olhada à sua volta. “Pronto. Acho que sei com quem vou pra casa hoje.”

Sigo seu olhar até o bar comprido de madeira, onde uma morena alta de costas para nós se debruça para pedir uma bebida. Está de saia preta curta e salto alto, os longos cabelos castanhos caindo pelas costas em ondas. O barman está praticamente babando, os olhos famintos encarando seu decote, o que me diz que ela deve ter uns peitos lindos. Daqui só vejo a bunda, e é uma visão e tanto.

Em geral, ficaria louco pela morena, mas hoje não estou no clima. Minha mente fica voltando para Allie. A boceta de Allie. Os peitos dela. Cara, que peitos. Um encaixe perfeito na mão, com mamilos rosa-claro que ficaram mais duros que gelo quando os chupei.

Suspiro e ajeito a calça na região da virilha. Nossa, tenho que parar de pensar na noite de ontem. Allie já deixou claro que está fazendo de tudo para esquecer.

"O que você acha?", Hunter me pergunta.

Desvio os olhos da morena. "Pode ser um pouco demais para você."

"Sou um jogador de hóquei. Ninguém é demais pra mim."

"Verdade." Rio. Foi a primeira coisa que ensinei a Hunter quando o abriguei debaixo da minha asa, no início da temporada. Ainda assim, a morena tem o corpo mais sensual que já vi. Uma mulher assim pode pegar qualquer um neste bar, e não sei se o calouro Hunter está entre suas principais opções, mesmo que esteja usando a jaqueta do time de hóquei da Briar.

Do outro lado da sala, a garota que estamos admirando se vira de repente. De uma hora para a outra, minha admiração se transforma em desgosto. "Ai, merda, não. Fica longe dessa mulher. Ela é tóxica."

"Não parece tóxica pra mim", comenta Hunter.

Que otário. Já eu sou mais experiente. Sabrina James é inegavelmente linda, mas prefiro jogar cera quente no saco antes de ficar com ela. Quer dizer, antes de ficar com ela *de novo*.

Pois é. Conhecimento de causa.

Alguém esbarra nas minhas costas, e, quando me viro, vejo Tucker chegando, a jaqueta preta e prata tão encharcada quanto o cabelo.

"Mano, tá caindo o mundo lá fora." Ele agita o corpo inteiro feito um cachorro que acabou de sair de um lago.

"Ei, Totó, vai se secar em outro lugar", reclamo, ao levar um banho de água gelada no rosto e nos olhos.

Hunter nem percebe que Tucker está molhando nossos sapatos. Está ocupado demais admirando Sabrina.

Tuck acompanha o olhar do calouro. "Delícia", comenta, então sorri para mim. "E aí? Já decidiu que a presa é sua e ninguém tasca?"

Fico branco. "Tô fora. Essa aí é a Sabrina, cara. Já me enche o saco todo dia na aula. Não preciso dela me aporrinhando fora da faculdade."

Sabrina e eu somos alunos de ciência política, o curso preparatório para a faculdade de direito, então somos colegas de sala em matérias demais para o meu gosto. Nós dois nos inscrevemos para a faculdade de direito de Harvard, o que não me deixa particularmente feliz. A ideia de passar mais dois anos fazendo as mesmas aulas que ela torna a opção do suicídio muito atraente.

"Espera aí, essa é a Sabrina?", pergunta Tucker, surpreso. "Vejo essa menina no campus o tempo todo, mas não sabia que era dela que você sempre reclamava."

"A própria."

Seu sotaque arrastado do sul ganha força. "Que pena. Sem dúvida é uma gostosa."

"Qual é o problema de vocês?", se intromete Hunter. "Ela é sua ex?"

Estremeço de novo. "Nossa, não."

"Então não tem problema nenhum se eu quiser tentar a minha sorte?"

"Você quer tentar a sorte? Disponha. Mas tô avisando, essa maluca vai te comer vivo."

Sabrina vira a cabeça bruscamente na nossa direção. Deve ter algum tipo de radar interno que dispara toda vez que alguém a chama de maluca. Aposto que dispara o tempo todo.

Quando nossos olhares se encontram, ela abre um risinho para mim e me mostra o dedo médio antes de voltar a conversar com a amiga.

Hunter solta um gemido. "Já era. Ela não vai nem querer saber de mim agora que viu a gente junto. O que você fez pra ela, afinal?"

"Absolutamente nada", respondo, sombrio.

"Mentira. Mulher nenhuma fuzila o cara com os olhos daquele jeito a menos que ele tenha feito uma merda bem grande. Você pegou?"

Tucker deixa o riso escapar. "O que você acha? Quer dizer, *olha* pra ela."

"As aparências enganam", murmuro.

Meu colega de república inclina a cabeça, desafiador. "Então você não transou com ela?"

Solto um suspiro. "Ah, transei. Mas faz muito tempo. E acho que essas coisas têm data de validade. Tipo, depois de três anos não conta mais."

Eles riem. "Deixa eu adivinhar", começa Tucker. "Você não ligou pra ela depois."

"Não", admito. "Mas, em minha defesa, é difícil ligar para uma garota quando, um, ela não te dá o número do telefone, e dois, quando você não lembra que pegou ela."

Hunter fica boquiaberto. "Como você pode não lembrar *dela*?" Está praticamente salivando ao secar Sabrina de novo.

"Estávamos os dois chapados. Vai por mim, ela também não lembrava muita coisa."

"Então é por isso que ela te odeia?", insiste Hunter.

Dispenso a pergunta com um gesto da mão. "Na real... O problema foi por outra coisa. E agora vou mudar de assunto, porque, cacete, é sábado à noite e a gente devia estar se divertindo."

Tucker ri. "Vou pegar uma cerveja. Alguém quer mais uma?"

"Tô de boa", diz Hunter.

Enquanto Tuck caminha em direção ao bar, pego o celular e vejo as horas. Nove e meia. Dou uma olhada na minha lista de contatos, e Hunter volta a falar de hóquei. Acho que ainda tenho o celular de Allie, de quando ela estava organizando o aniversário da Hannah, na primavera. Ela me mandou um monte de mensagens de grupo, detalhando todos os pormenores da festa.

Sim, ainda tenho seu contato. Está em *Amiga loura da Wellsy*. Talvez eu devesse mudar para *Garota sadomasô*.

Digito uma mensagem rápida.

Eu: *Chegou no alojamento direitinho?*

É uma pergunta idiota, porque Allie saiu da minha casa hoje de manhã, então é claro que chegou direitinho. Ainda assim, fico surpreso que ela me responda imediatamente.

Ela: *Cheguei. Tô aqui agr.*

Eu: *Merda d tempo hj. Mandou bem d ficar em casa.*

Ela não responde. Fico olhando frustrado para a tela, então me pergunto por que estou tão incomodado. Sou o rei das noitadas casuais. Raramente quero um repeteco depois que durmo com uma menina, e se tem uma menina com quem não deveria fazer um repeteco é Allie.

Poucas coisas neste mundo me fazem me borrar de medo, mas a namorada de Garrett definitivamente está entre os três primeiros itens da lista. Wellsy não vai ficar feliz se descobrir que dormi com sua melhor amiga, e se Wellsy não está feliz, Garrett não está feliz, o que significa que vou ter que lidar com um G. reclamão e completamente decepcionado comigo. Logan vai imitar o amigo, e aí Grace vai engrossar o movimento "Dean é um babaca", e, quando menos se espera, vou estar levando porrada de todos os lados. O que é motivo suficiente para ficar na minha, mas meu corpo sedento está teimando em dar uma de idiota.

Quero essa mulher de novo.

Uma vez só não vai fazer mal a ninguém, né? Merda, quem sabe duas vezes? Não sei de quantas vezes vou precisar para tirá-la da minha cabeça. Tudo o que sei é que sempre que penso nela, meu pau fica incrivelmente duro.

Ao meu lado, Hunter transferiu sua atenção para um grupo de meninas numa mesa próxima, e não consigo conter o orgulho quando, com um mísero aceno de cabeça, ele consegue que o trio venha até nós. O garoto é bom.

"Qual de vocês vai comprar uma rodada pra gente?", provoca uma delas. É alta e loura e está com um vestidinho que bate no meio da coxa.

Assim que Hunter abre a boca para responder, todas as luzes do bar piscam ameaçadoramente.

Franzo a testa e me viro para Tucker, que acabou de se juntar ao grupo. "É o apocalipse lá fora ou algo assim?"

"Tá chovendo feio", admite ele.

O pisca-pisca para. E tomo isso como uma deixa para ir embora, porque, se estamos lidando com uma possível queda de energia, prefiro estar em casa quando isso acontecer, e não na estrada. Além do mais, apesar de toda a minha conversa fiada sobre aproveitar a noite, realmente não estou no clima hoje.

"Bom, vou cair fora." Dou um tapa no ombro do meu colega de república. "Vejo você em casa." Não deixo de notar os beicinhos decepcionados das meninas, mas tenho certeza de que elas vão me esquecer assim que Hunter e Tuck exibirem seus encantos.

Um minuto depois, saio do bar e vejo que Tuck não estava de brincadeira. Nos dez segundos que levo para chegar ao carro, fico encharcado até os ossos, molhando todo o couro do revestimento interno da BMW. Os raios cruzando o céu são tão brilhantes que tornam meus faróis quase dispensáveis. Acho que dava para simplesmente deixar os flashes de luz branca iluminarem o caminho de casa.

Pego o celular de novo.

Eu: *O tempo tá pior do q pensava. Fica c/ uma lanterna por perto, pro caso d faltar luz.*

Ah, pelo amor de Deus. É como se eu estivesse escrevendo um guia de sobrevivência ruim. E por que estou mandando mensagens pra ela?

Allie responde com um *Vlw pela dica*, e depois: *Sério, para d se preocupar cmg. Tô lendo no sofá. Debaixo do cobertor. Feito pinto no ninho.*

Eu: *No lixo.*

Ela: *??*

Eu: *Pinto no lixo. É assim q se fala.*

Passam-se cinco segundos inteiros de silêncio, até que o celular toca na minha mão. Atendo a chamada com um sorriso na cara.

"O que o pinto tá fazendo no lixo?", pergunta ela.

Dou risada. "Sei lá, só sei que a expressão é assim."

"Bom, prefiro a minha versão. No ninho pelo menos ele tá aconchegado."

Sou distraído momentaneamente pelo martelar da chuva no para-brisa. Está mais forte agora, e, um segundo depois, as luzes do estacionamento se apagam.

Xingo baixinho quando a escuridão envolve meu carro. "Merda. Acabou de cair a luz do Malone's", digo a Allie. "Melhor ficar em casa, viu? Nada de sair vagando pelos corredores da Bristol House se faltar luz."

"Por quê? Você acha que vai aparecer um *serial killer* no alojamento e vir atrás de mim?" Ela fica quieta por um instante. "E mesmo que isso acontecesse, eu provavelmente daria conta."

Solto um riso de desdém. "Aham. Claro."

"Ei, sou *valente*, tá!", insiste ela. "Meu pai e eu fizemos um intensivão de defesa pessoal para pais e filhas quando eu tinha catorze anos."

"Defesa pessoal para pais e filhas? Isso existe?"

"Não, mas a gente inventou. Ele viajava muito quando eu era criança, então, sempre que estava em casa, inventava um monte de atividades comigo. Mas como ele é o próprio sr. Machão, a gente só podia fazer coisa de menino. Tipo pescar, andar de bicicleta na lama ou aprender a descer a porrada um no outro. Bom, tenho que ir agora. Quero terminar de ler esta peça." Ela faz uma pausa. "Dirija com cuidado."

"Espera", exclamo, antes que ela desligue.

"O que foi?"

Fico olhando para a chuva escorrendo pelo para-brisa e perguntando qual é o meu problema.

Então umedeço os lábios que ficaram secos de uma hora para a outra e digo: "Quero transar com você de novo".

Do outro lado da linha, ouço Allie suspirar.

Meu corpo se enrijece de ansiedade. Penso na curva linda da sua bunda enchendo as minhas mãos. A forma como os mamilos se contraíram quando passei a língua neles. Sua boceta apertando meu pau.

Um gemido silencioso estremece meu peito. Meu Deus. Estou louco por essa garota. E agora estou prendendo o fôlego, esperando sua resposta.

Após uma longa pausa, com a voz irritada, Allie me diz: "Tchau, Dean".

A chamada se encerra, e eu rosno de frustração.

# 5

## ALLIE

É com o coração aos pulos que desligo a chamada. Não esperava que ele dissesse isso. Nem um pouco.

"*Quero transar com você de novo.*"

Bem, é claro que ele quer. Sou incrível na cama.

Mas de jeito nenhum vou dormir com esse cara de novo, não depois de ter passado o dia me sentindo a própria Hester Prynne. Só que a autocrítica com que estou me atacando é bem mais contundente do que qualquer coisa que a pobre sofreu na mão dos puritanos.

Nossa, não fui feita para sexo casual. Me sinto... profanada. O que é ridículo, porque se alguém foi profanado ontem foi Dean. Não só o seduzi, como o amarrei e montei em cima dele como se fosse meu próprio parque de diversões.

Sou uma piranha.

*Você não é uma piranha.*

Tá, talvez eu não seja. Talvez seja só uma mulher de vinte e dois anos que se divertiu sem compromisso uma vez na vida.

O único problema é que gosto de compromisso. Sexo e relacionamento andam de mãos dadas para mim. Adoro ficar abraçadinha, ter piadas internas e ficar até tarde conversando. Sou membro de carteirinha do Clube do Namoro e, depois de ontem, posso dizer com sinceridade que o Clube do Sexo Casual é uma merda. A noite foi incrível, mas a vergonha não vale os orgasmos.

Suspirando, jogo o telefone na almofada do sofá e pego o roteiro que estava lendo antes de Dean me interromper. A peça escrita por outro aluno vai ser meu trabalho de conclusão de curso na Briar. Sou uma das duas protagonistas femininas e, embora o material seja um pouco melodramático para o meu gosto, estou ansiosa para os ensaios. Desde a minha estreia no teatro em Boston, neste verão, fiquei com comichão para atuar na frente de uma plateia ao vivo de novo.

O que é só mais um fator para contribuir com o meu estresse neste momento. Minha carreira está numa encruzilhada, e não tenho ideia de qual caminho seguir.

Quando entrei na faculdade, pedi ao meu agente para se concentrar em só encontrar projetos de verão para mim. Seria muita tentação largar a graduação caso aparecesse um papel atraente, e eu queria o meu diploma. Agora que estou perto de me formar, tudo pode acontecer. A temporada de projetos-piloto começa em janeiro, e Ira já me mandou um monte de roteiros de seriados e novelinhas ao estilo *Glee*, além de várias comédias românticas que em geral me fariam salivar.

Sempre achei que estava destinada a papéis cômicos. Comecei a atuar ainda no ensino médio, e todos os papéis que fiz foram leves e divertidos, destacando minha persona de garota comum e engraçada. Sonhava em ser uma queridinha das comédias românticas. A próxima Sandra Bullock ou Kate Hudson ou Emma Stone.

Até que, no último verão, saiu uma convocação para uma peça superséria, supertriste, dirigida por Brett Cavanaugh, vencedor do Oscar e lenda viva. Não sei como, mas meu agente conseguiu que eu fizesse um teste para Cavanaugh, e, para meu espanto completo, ganhei o papel — a irmã mais nova e viciada em heroína da atriz principal. O espetáculo durou só dois meses, mas foi um sucesso estrondoso. Desde então, recebi uma tonelada de ofertas para testes em papéis mais dramáticos, tanto para o teatro como para a TV.

E alguém me falou que Cavanaugh está num projeto novo para os palcos, dessa vez, num teatro pequeno de Nova York...

Merda. Por que estou tão tentada a desviar o curso que estabeleci para mim mesma? Cogitar papéis dramáticos é uma coisa, mas *teatro*?

Hollywood dá muito mais dinheiro. Mais reconhecimento. Oscar, Globo de Ouro, farras de compras na Rodeo Drive.

Encaro a pilha de roteiros na mesinha de centro. E se for chamada para um desses pilotos que o Ira mandou e o seriado deslanchar? Ou se conseguir um papel num desses filmes? Eu poderia estourar. Então por que estou fantasiando sobre teatro?

Ainda estou perdida em pensamentos quando o telefone toca. Dou uma olhada na tela e, por um segundo, acho que é Dean, até ler com mais cuidado e perceber que é um S, e não um D. Ai. Meu ex-namorado e meu caso de uma noite só estão literalmente a uma letra de distância. Será que isso significa alguma coisa?

*Sean está te ligando, sua idiota.*

É, talvez lidar com isso seja mais importante agora.

Meu peito se enche de ansiedade. Não deveria atender. Não mesmo.

Atendo.

"Você tá bem?" são as primeiras palavras que ouço.

Sean parece tão nervoso que decido tranquilizá-lo depressa. "Tô. Por que não estaria?"

"Passei no alojamento depois da aula ontem e você não estava. E mandei mensagens a noite toda."

"Eu sei." Engulo em seco. "Dormi na casa de uma amiga. Eu..." Engulo de novo. "Eu disse que não queria ver você."

"Queria que você mudasse de ideia." Não tem como não notar o tormento em sua voz. "Cacete, amor. Sinto sua falta. Sei que só faz dois dias, mas estou morrendo de saudade."

Meu coração se parte em dois.

"Eu errei, tá legal? Já entendi tudo agora. Não devia ter dado um ultimato e definitivamente não devia ter dito que a sua carreira de atriz não vai dar em nada. Estava chateado e descontei em você, e você não merecia isso. Quando fui na sua estreia, em Boston, fiquei bobo. É sério. Você é muito talentosa, amor. Sou um imbecil de dizer aquelas merdas todas para você. Não quis dizer nada daquilo."

Ele está praticamente implorando, e outro pedaço do meu coração se quebra.

"Sean..."

"Você é a pessoa mais importante da minha vida", interrompe ele, a voz embargada pela emoção. "Você significa o mundo para mim, e quero me enforcar por ter afastado você de mim. Por favor, linda, me dá mais uma chance."

"Sean..."

"*Sei* que posso consertar tudo. Só uma chance, e..."

"*Sean!*"

Ele para. "Amor?", pergunta, incerto.

Minha garganta está incrivelmente apertada, quase como se estivesse tentando me impedir de dizer as próximas palavras. Mas a culpa está me ruindo por dentro. Não posso simplesmente sentar aqui e ficar ouvindo Sean implorar, não quando estou me sentindo desse jeito. Engulo de novo e forço minhas cordas vocais a funcionarem.

"Dormi com outra pessoa ontem à noite."

A resposta é um silêncio ensurdecedor que parece se arrastar por toda a eternidade. A cada segundo que passa, meu estômago se revira mais.

"Você ouviu o que eu falei?", sussurro.

Ouço um ruído abafado. "Ouvi."

Nós dois ficamos quietos. A dor e a culpa continuam a apunhalar minhas entranhas. Involuntariamente, retorno ao dia em que conheci Sean. Foi durante a apresentação dos calouros, e lembro de ter pensado que ele era o garoto mais fofo que eu já tinha visto, com o cabelo castanho bagunçado, que hoje ele usa bem curto, olhos brilhantes cor de avelã e a bunda mais bonita do planeta. Sendo a linguaruda esquisita que sempre fui, comentei sobre a fofura da dita bunda, e as bochechas dele ficaram mais vermelhas que a camisa do Red Sox.

Naquela noite, jantamos juntos num dos refeitórios.

Uma semana depois, éramos um casal.

Mas agora, três anos depois, estamos separados, e acabo de confessar que dormi com outro. Onde foi que a gente errou?

"Com quem?"

O questionamento me assusta. "O quê?"

"Quero saber com quem foi", repete Sean, categórico.

O desconforto aperta o meu peito. "Não importa. Não vai acontecer de novo. Foi..." Respiro fundo. "Foi um erro estúpido. Mas achei que você deveria saber."

Ele não responde.

"Sean?"

A respiração irregular ecoa através da linha. "Obrigado por me contar", resmunga.

Em seguida, desliga.

Levo um tempo para afastar o telefone do rosto. Corro os dedos pelo cabelo, e minha mão treme incontrolavelmente.

Nossa. Isso foi... brutal. Uma parte de mim se pergunta por que eu fui falar. Não pulei a cerca nem nada disso. Eu não tinha obrigação nenhuma de contar para ele. Na verdade, se tivesse ficado de boca fechada, podia ter poupado a dor que ele deve estar sentindo agora. Mas sempre fui honesta com Sean, e uma parte burra e culpada de mim insistiu que ele merecia saber.

Um gemido angustiado escapa da minha boca. Meu coração está doendo de novo. A culpa agora é ainda pior, um nó bem apertado esmagando meu estômago.

Em vez de voltar para o roteiro, pego o iPod e coloco os fones de ouvido. Então puxo o cobertor até o pescoço e ponho "Wrecking Ball", da Miley Cyrus, no repeat, porque a música resume muito bem como estou me sentindo agora.

Destruída.

## DEAN

"Ah, olha só pra ele, G., é tão bonitinho dormindo."

"Como um anjo."

"Um anjo bem pervertido."

"Espera aí, anjo faz sexo? E se faz, orgasmos celestiais são um milhão de vezes melhores do que orgasmos terrestres? Aposto que são."

"Dã. De onde você acha que vem o arco-íris? Sempre que você vê um arco-íris, significa que um anjo acabou de gozar."

"Ah. Faz sentido. Tipo quando toca um sino, que significa que um anjo ganhou asas."

"Isso aí."

Abro um olho de leve e me volto para a porta. "Tô ouvindo, sabia?"

Minha voz irritada põe fim à conversa mais bizarra que já ouvi. "Ah, que bom, você tá acordado", comenta Logan.

"Claro que tô", resmungo, esfregando os olhos. "Como é que vou dormir com vocês dois idiotas tagarelando no meu ouvido sobre anjo gozando?"

Garrett dá uma risada. "Como se eu fosse o primeiro a pensar no assunto."

"Vai por mim, você é. Quando vocês chegaram?"

Logan recosta o ombro imenso no batente da minha porta. "Faz uma hora. Gracie precisava voltar mais cedo porque tem que fazer um programa hoje."

Faço que sim com a cabeça. A namorada de Logan trabalha como produtora na rádio universitária. O que me lembra... "Você vai ligar e professar o seu amor de novo?", pergunto, ironicamente.

Ele suspira. "Você nunca vai me deixar esquecer isso, né?"

"Não." Embora preferisse que alguém tivesse gravado o programa, para eu poder usar uns trechos como instrumento de tortura. Depois de estragar tudo e quase perder Grace no fim de semana passado, Logan a ganhou de volta ligando para o programa de conselhos amorosos que ela produz e dizendo as merdas mais piegas que se pode imaginar. Às vezes, me preocupo com ele.

Afasto as cobertas e pulo da cama como vim ao mundo. Meus colegas de república continuam a me espreitar da porta.

Pego uma cueca limpa e visto. "Juro por Deus, se vocês disserem que estão me olhando dormir há uma hora, vou chamar a polícia."

"O treinador ligou", anuncia Garrett. "Disse que passou a manhã ligando pro seu celular, mas que você não atendeu. Quer que você apareça na arena daqui a uma hora."

"Por quê?", pergunto, cauteloso.

Garrett dá de ombros. "E eu que sei? Talvez tenha descoberto que você encheu a cara esse fim de semana — imagino que foi isso que você fez, né? — e quer dar um esporro."

"E como é que ele sabe? Que eu saiba ele não tem espiões."

"Cara, o treinador é tipo o espião mestre do *Game of Thrones*. Suas fontes são infinitas."

Merda. Espero que o treinador Jensen não esteja preparando um daqueles sermões infinitos sobre manter a linha. Estamos proibidos de beber ou usar drogas durante a temporada, o que não impede nenhum de nós de encher a cara ou de fumar um baseado de vez em quando. Mas nunca falhei num teste de urina nem manchei a fama do time com meus excessos, então não sei por que o treinador está constantemente no meu pé com isso.

"Hannah ainda tá aqui?", pergunto a Garrett enquanto procuro pelas minhas calças.

"Não... foi pra casa. Vai ter um dia de mulherzinha com Allie."

Ainda bem que estou de costas, porque, no momento em que ele diz o nome de Allie, meu pau vai a meio mastro. Maravilha. Fico com tesão só com o *som* do nome dela agora?

"Você não fez nada de idiota quando ela estava aqui, fez?" O tom de Garrett é permeado pela suspeita.

*Transei com ela duas vezes. Então... fiz?*

Mordo a língua e visto uma camiseta e um moletom azul-marinho da Briar. "Fui um perfeito cavalheiro."

Logan ri com desdém. "Tem uma primeira vez pra tudo."

"Vai se foder, tá legal? Acontece que sou especialista na arte da *cavalheirice*."

"Isso não é uma arte. Não é nem uma palavra." Logan revira os olhos e some do quarto, mas Garrett fica para trás.

Ele estuda meu rosto por tanto tempo que me deixa desconfortável. "O quê?", murmuro.

"Nada", responde, mas ainda está com uma expressão desconfiada ao deixar meu quarto.

Quando entro no banheiro para escovar os dentes, percebo que o chupão no meu pescoço ainda está muito, muito visível. Será que Garrett notou?

E daí se tiver notado? Qualquer uma poderia ter chupado o meu pescoço este fim de semana. Não tem nenhuma razão para ele suspeitar de Allie.

Maldita Allie. Contei que queria transar de novo, e ela desligou *na minha cara*. Isso não acontece comigo — nunca. Eu sou Dean Di Laurentis, caramba. Basta estalar os dedos, e uma dúzia de garotas aparece, implorando para subir no meu colo. Na última vez que fui à cafeteria do campus a barista gostosa me deu um café de graça e ainda ofereceu um boquete no estoque.

Então qual é o problema de Allie? Passei tempo demais na noite passada perguntando se ela está fazendo jogo duro. Quer dizer, não que ela não tenha gostado do sexo. Nunca ninguém elogiou tanto o meu pau.

*"Ai, meu Deus, quero casar com o seu pau!"*

*"Melhor. Pau. Da. História."*

*"Dean, você tá me fazendo gozar..."*

Minha mente repassa os gritos guturais num looping que só aumenta o meu tesão, e me agarro ao porta-toalhas com uma das mãos, enquanto um gemido me escapa. A escova de dentes cai da minha boca. A ereção na minha calça cutuca a louça da pia, desesperada para fazer contato com alguma coisa, qualquer coisa.

Será que o treinador vai ficar muito bravo se eu me atrasar porque estava me masturbando?

Provavelmente.

Trinta minutos depois, passo minha carteirinha de estudante no leitor da arena de hóquei, bebendo o café que peguei no caminho. O corredor largo está deserto, e a sola do meu tênis faz um barulhinho contra o piso lustroso à medida que caminho até os fundos do edifício. Passo pelas salas de aula e de projeção, a cozinha e o salão de musculação, por fim atravesso o imenso salão de equipamentos.

A arena é de última geração. Chad Jensen podia ter escolhido entre meia dúzia de escritórios grandes e confortáveis, mas por algum motivo ele preferiu uma sala modesta e escondida perto da lavanderia.

Bato à porta e só abro depois de ouvir o treinador gritar: "Entra". O último jogador que entrou sem bater levou uma bronca que deu para ouvir lá dos chuveiros. Gosto de pensar que o treinador usa seu escritório para bater punheta e que é por isso que insiste tanto em privacidade. Logan tem uma teoria de que ele abriga uma família secreta na sala que só pode sair nas altas horas da madrugada.

Logan é um idiota.

"Oi, treinador. Você queria me ver..." Paro assim que percebo que não estamos sozinhos.

Não costumo me surpreender com facilidade. Sou o tipo de cara que nada com a maré, o que significa que é preciso muito *mesmo* para me assustar.

Neste momento, a única maré com a qual estou nadando é a onda de ansiedade se espalhando pelo meu sangue e infiltrando meus ossos.

Frank O'Shea se levanta da cadeira de visitas e lança seu olhar gélido sobre mim. Desde o último ano do ensino médio que não o vejo, mas ele não mudou nada. O cabelo raspado e escuro, o corpo atarracado, a boca severa.

"Di Laurentis", diz, com um breve aceno de cabeça.

Aceno de volta. "Treinador O'Shea."

Jensen olha de mim para ele e vai direto ao que interessa. "Dean, Frank está entrando na equipe como nosso novo coordenador defensivo. Ele me repassou o histórico de vocês na Escola Preparatória Greenwich." O treinador faz uma pausa. "Achei melhor vocês resolverem seus problemas antes do treino de amanhã."

Nem imagino o que O'Shea tenha dito sobre o nosso "histórico". O que quer que tenha sido, sei que, além de ser mentira, foi desfavorável para mim, porque a versão de O'Shea da história é tão distorcida que faz as matérias do *National Enquirer* parecerem trabalhos acadêmicos muito bem pesquisados.

O treinador Jensen caminha até a porta. "Fiquem à vontade."

Droga, ele está deixando a gente sozinho? Seria bom ter uma testemunha caso O'Shea tente alguma coisa. Afinal, o cara deu um murro num dos próprios jogadores no estacionamento vazio de uma escola secundária. Eu tinha dezoito anos na época. Não denunciei, porque entendi os motivos dele, mas isso não significa que esqueci. Ou que perdoei.

O'Shea não fala nada até a porta se fechar atrás do treinador. "Então. Tem algum problema aqui?"

Ergo o queixo. "Me diz você." E me forço para acrescentar: "Senhor".

Os olhos escuros brilham. "Estou vendo que ainda é o mesmo espertinho insolente de quando treinava comigo."

"Com todo o respeito, senhor, faz cinco segundos que entrei aqui. Não acho que o senhor possa fazer esse julgamento." Meu tom é educado, mas, por dentro, estou fervendo. Odeio esse homem, o que é uma ironia e tanto, porque teve uma época em que eu o adorava.

"Problema nenhum do meu lado", diz ele, como se eu não tivesse falado. "O que passou, passou. Estou disposto a começar do zero, se isso puder contribuir para um ambiente de treino mais propício."

Quanta generosidade.

"Tudo o que peço é que você me trate com respeito e me escute quando estivermos no gelo. Não vou tolerar insubordinação." Ele franze a boca numa careta. "E não vou tolerar palhaçada. Jensen disse que você tem fama de festeiro. O que não me surpreende...", ele emite um barulho feio, "... mas, se quiser continuar no time, trate de se comportar. Nada de álcool, nada de drogas, nada de brigas. Entendido?"

Faço que sim com a cabeça.

"Quanto à nossa história, isso não está em discussão." O'Shea me lança outro olhar gélido. "Nem entre nós, nem entre você e seus colegas de time. O que passou, passou", repete ele.

Enfio as mãos nos bolsos. "Posso ir agora?"

"Ainda não." Ele caminha até a mesa e pega uma pasta fina. Estou imaginando coisas ou os olhos dele exibem um brilho de soberba? "Mais duas coisas. E saiba que o treinador Jensen já concordou com isso."

Uma inquietação pinica meu estômago.

"Primeiro, você vai passar para a segunda linha, com Brodowski..."

"O quê?", protesto.

O'Shea levanta a mão. "Me deixa terminar."

Fecho a boca, lutando para controlar a raiva crescente. Não estou mais fervendo. Estou enfurecido.

"Problema nenhum do lado dele" uma ova. Sempre joguei na primeira linha com Logan. Somos os dois melhores defensores do time. Uma dupla dinâmica, porra. Brodowski é um aluno do terceiro ano, e precisa de tanto treino que nem sei como ainda está no time.

"Jensen confia em mim para trabalhar a defesa e tomar as decisões que achar melhor", meu velho treinador late para mim. "A segunda linha está fraca. Kelvin e Brodowski não estão se entendendo, e os dois vão se beneficiar de fazer parte de uma dupla com jogadores do seu calibre e do John Logan."

"O treinador falou que já tentou isso nos amistosos?", não consigo me conter, e meu sarcasmo é o suficiente para fazê-lo franzir a testa. "Fiz dupla com Kelvin no jogo contra o St. Anthony. Foi um desastre."

"Bem, dessa vez você não vai estar com o Kelvin, não é?", argumenta ele no mesmo tom. "Estou botando você com Brodowski. E minha decisão está tomada. É pelo bem do time."

Mentira. Ele está fazendo isso para me punir, e nós dois sabemos disso.

"E qual é a segunda coisa?"

Ele pisca. "O quê?"

"Você disse que tinha duas coisas." Preciso de todas as minhas forças para manter a voz calma. "Você tá mudando as linhas — é a primeira coisa. Qual é a segunda?"

Ele inclina a cabeça como se tentasse se decidir se estou sendo insolente de novo. O sujeito não tem ideia do quanto quero esmurrar a cara dele agora. Preciso de toda a força de vontade possível para me segurar.

O'Shea abre a pasta e tira uma folha de papel. O brilho de satisfação retorna aos seus olhos assim que a entrega para mim.

Dou uma lida por alto. É uma cópia do que parece ser uma rotina de treino e jogos, mas não é do nosso time. "O que é isso?", murmuro.

"A partir desta semana, você vai ser voluntário no Hastings Hurricanes..."

"Onde?"

"Hastings Hurricanes. O time de hóquei da escola primária de Hastings. Liga juvenil, sétimo e oitavo anos. A Briar tem um programa de apoio à comunidade em que alunos atletas se voluntariam como treinadores ou assistentes técnicos de times locais. A aluna do último ano que trabalha com o Hurricanes — ala esquerda do time feminino da Briar — está com mononucleose, então a gente precisa substituí-la. Jensen e eu achamos que você seria o candidato perfeito."

Tento esconder meu horror. Mas acho que não sou muito bem-sucedido, porque O'Shea está sorrindo abertamente para mim agora.

"São dois treinos à tarde por semana, e os jogos são nas sextas-feiras, às seis. Já dei uma olhada na sua grade de horários, e ela não interfere com a agenda do Hurricanes. Então está tudo certo." Ele inclina a cabeça. "A menos que você tenha uma objeção..."

Claro que tenho. Não quero passar três dias por semana treinando um monte de garotos. É meu último ano de faculdade, cacete. Minha carga de estudo é enorme. E já passo seis dias por semana treinando com meu próprio time e jogando meus próprios jogos, o que não deixa muito tempo livre.

Mas, se eu me opuser, sem dúvida O'Shea vai tornar a minha vida um inferno. Igualzinho nos tempos de colégio.

"Não, parece divertido", me obrigo a dizer, contendo a tentação de lhe mostrar o dedo médio.

Ele assente. "Olha só pra isso. Talvez você tenha *mesmo* mudado. O Dean Di Laurentis que eu conheci só se preocupava com uma pessoa — ele próprio."

O golpe dói mais do que deveria. Claro que sou um idiota de um egoísta às vezes, mas não fiz nada de errado naquela época. Miranda e eu estávamos na mesma vibe... até que, de repente, não estávamos mais.

Mas acho que não importa quem estava errado, né? Porque está mais do que claro que Frank O'Shca nunca vai me perdoar pelo que aconteceu entre mim e a filha dele.

# 6

## DEAN

A primeira coisa que faço assim que saio da arena é ligar para o meu irmão mais velho. É domingo, então tento o celular dele primeiro, embora haja uma boa chance de Nick estar no escritório. Ele trabalha muito, inclusive na maioria dos fins de semana. Acho que está tentando impressionar nosso pai com sua dedicação ao direito, e, cá entre nós, acho que tem dado certo.

No entanto, a voz animada que ouço do outro lado da linha não pertence a Nick.

"Dicky! Eba! Faz anos que não falo com você!"

Quando a gente era criança, o apelido não me incomodava, mas agora que viramos adultos é mortificante. Por mim, desde que a minha irmãzinha aprendeu a pronunciar *Dean*, nossos pais deveriam tê-la feito parar de me chamar de Dicky. Mas, verdade seja dita, dar uma ordem a Summer é o mesmo que garantir que ela faça exatamente o oposto. Minha irmã é uma teimosa mimada.

"Por que você tá atendendo o celular do Nick?", pergunto, desconfiado.

"Porque vi seu nome e queria falar com você primeiro. Você não me liga mais."

Posso até ver seu beicinho, o que me traz um sorriso aos lábios. "Você também não me liga mais", argumento.

Summer fica em silêncio por um segundo. Então solta um suspiro colossal. "Tem razão. Não tenho ligado. Sou uma irmã terrível."

"Relaxa, você provavelmente só tá tão ocupada quanto eu." Sigo pelo caminho de paralelepípedos em direção ao estacionamento.

"É, tenho andado ocupada", concorda ela.

Ouço uma gargalhada alta do outro lado. "O que foi isso?", pergunto.

"Nada. Só o Nicky sendo um idiota. Passou o fim de semana todo me enlouquecendo. Ele sempre foi assim tão careta ou só depois que virou *advogado*?"

Ela fala "advogado" como se fosse um palavrão. E, para Summer, provavelmente é. Desde os doze anos que minha irmã declarou que direito é "um porre" e, oito anos depois, sua opinião continua a mesma. Ela só concordou em entrar para uma universidade da Ivy League para acalmar nossos pais, mas, na última vez que nos falamos, disse que cursaria design de interiores depois da formatura.

"Comparado a você, todo mundo é careta", digo para minha irmã. "O que não quer dizer que aprovo todas as loucuras que você faz." Summer é dois anos mais nova que eu, mas me deixa no chinelo quando se trata de curtir a vida, aproveitar o dia e por aí vai. Estou surpreso que nossos pais não a tenham deserdado ainda. E então algo me vem à cabeça. "O que você tá fazendo em Manhattan? Não deveria estar na faculdade?"

"Fiquei com saudade do meu irmão mais velho."

Seu tom é inocente demais para o meu gosto. "Mentira."

"Verdade", protesta Summer. "Queria ver Nicky. E quero ver você também, então não se surpreenda se eu aparecer na sua porta em breve." Ela faz uma pausa. "Na verdade, estou pensando em pedir transferência para a Briar."

Um alarme dispara dentro de mim. "Por quê? Pensei que você estivesse satisfeita na Brown."

"Eu tô. Mas... é... bem." Summer suspira de novo. "Estou de sobreaviso."

Paro no meio da passada. "O que você fez?", exijo saber.

"Por que você acha que fiz alguma coisa?" Ela funga do outro lado da linha.

"Guarda essa ceninha de inocente para os nossos pais." Deixo escapar um riso de escárnio. "Não que ainda funcione. Agora conta o que aconteceu."

"Vamos dizer apenas que houve um incidente na casa da irmandade. Envolvendo togas."

Engulo uma risada. "Você pode ser mais específica?"

"Não."

Solto um gemido, exasperado. "Summer..."

"Quando a gente se encontrar eu conto", cantarola ela. "Nicky quer falar com você agora."

"Summer..."

Mas ela já foi. Um segundo depois, ouço a voz grave do meu irmão.

"Alô", diz ele.

"O que ela fez?", pergunto.

Nick dá uma gargalhada. "Não vou estragar a surpresa. Só o que posso dizer é que foi a cara da Summer, sem tirar nem pôr."

Merda. Nem sei mais se ainda quero saber. "Nossos pais sabem?"

"Sabem. Não estão muito felizes, mas ela não foi expulsa nem nada disso. São só dois meses de sobreaviso e vinte horas de serviço comunitário."

A última parte me distrai dos problemas de Summer. "Falando em serviço comunitário..." E explico depressa a posição nova de O'Shea na Briar.

"Que droga", diz Nick assim que termino. "Ele falou da Miranda?"

"Não, mas é óbvio que ainda me culpa pelo que aconteceu." Uma amargura fecha minha garganta. "Parte de mim tá tentada a descobrir por onde ela anda. Aí tento ver se ela abre a cabeça e resolve conversar com o pai."

"Ela não deu a mínima para isso na época", observa Nick. "Por que faria isso agora?"

Bom ponto. "Eu sei, mas..." Chego ao meu carro e aperto com força o botão na chave para destravar a porta. Ainda estou irritado com a reaparição inesperada de O'Shea na minha vida e só quero sumir da arena. "De qualquer forma", digo, sombrio, "acho que tô delirando de imaginar que Miranda me ajudaria em qualquer coisa. Sou o monstro que partiu o coração dela, né?"

"Quer um conselho? Mantenha a cabeça baixa. Vá aos treinos, faça o que O'Shea mandar e não se envolva em problemas. Logo a primavera tá aí, você vai se formar e nunca mais vai ter que ver aquele filho da mãe de novo."

"Tem razão", admito. "Não vale a pena se estressar com isso. Já estou quase saindo daqui, né?"

"É. Mas, se ele te criar mais algum problema, me avise, hein? Vou dar um jeito de colocar um processo judicial nas costas dele."

Rio. "Você não é da área cível."

"Por você, irmãozinho, abro uma exceção."

Estou me sentindo muito melhor depois que desligamos. Meus amigos gostam de zombar de mim por ser o garoto rico de Connecticut. Tenho certeza que acham que meus pais são esnobes e que meus irmãos são mimados, mas, verdade seja dita, minha família é o máximo.

Tanto meu pai como minha mãe são advogados importantes, mas são as pessoas mais pé no chão que já conheci. Não me levem a mal, meus irmãos e eu definitivamente tivemos uma infância lotada de vantagens. Tínhamos babá e governanta. Estudamos em escolas particulares e ganhávamos uma mesada generosa. Mas também ajudávamos nas tarefas domésticas e tínhamos que fazer o dever de casa todo para ver um centavo que fosse dessa mesada. Se nossas notas caíssem, ficávamos de castigo na mesma hora. E se fizéssemos um showzinho do tipo "Me dá o que eu tô pedindo porque a gente tá nadando em dinheiro", éramos devidamente punidos. Na única vez que exigi dinheiro do meu pai, ele doou toda a minha poupança de faculdade para uma instituição de caridade. E depois me colocou para trabalhar na recepção da empresa dele o verão inteiro para ganhar o dinheiro de volta.

"O que o treinador queria?", pergunta Garrett quando apareço na sala de casa, quinze minutos depois.

"Me apresentar ao novo coordenador defensivo." Eu me deixo cair na poltrona e olho para a televisão. G. e Logan estão disputando uma partida de *Ice Pro*, e, pelo placar na tela, Logan está levando uma surra.

"A gente tem um novo coordenador defensivo?" Na mesma hora Logan pausa o jogo. "E por que você precisa de uma apresentação particular?"

Escolho minhas palavras com cuidado. "O nome dele é Frank O'Shea. E foi meu treinador no ensino médio, então Jensen achou que talvez a gente quisesse botar o papo em dia, antes de O'Shea ser apresentado oficialmente pro time."

Logan franze a testa. "Certo. Mas por que ele só chegou agora? A temporada já começou. Parece estranho trazer um coordenador depois que já jogamos a primeira partida."

"E que já perdemos a primeira partida", murmura Garrett.

"Foi só o primeiro jogo", insiste Logan. "A gente não tá tão mal a ponto de precisar de um treinador novo para resolver as coisas. Parece desespero." Franzindo a testa, ele se volta para mim de novo. "Como ele é? Gente fina?"

*O próprio diabo*. "É decente", minto. Em seguida, mudo de assunto: "Cadê o Tuck?".

"Não sei. Acho que não voltou pra casa ontem." Logan continua o jogo e volta sua atenção para a tela.

Franzo a testa. Tucker também não passou a noite de sexta em casa. Será que está saindo com alguém novo? Porque em geral ele não dorme fora duas noites seguidas.

Como meus colegas de república estão distraídos com o video game, subo até meu quarto e me forço a retomar as leituras do curso que andam atrasadas. Passo o restante do dia me alternando entre ler e cochilar, só desço para roubar algumas fatias da pizza que Garrett e Logan pedem à noite. Não sei por que estou me sentindo tão antissocial. Talvez ainda esteja irritado com a aparição de O'Shea na Briar. Ou talvez seja porque todas as vezes que fechei os olhos hoje, imaginei a boca sexy de Allie envolvendo meu pau. As curvas macias e bronzeadas me apertando. Os seios enchendo minhas mãos.

Por que não consigo tirar essa menina da cabeça? Tá, o sexo foi fenomenal. Tá, ela é atraente. Mas sexo fenomenal e garotas atraentes não são exatamente uma raridade na minha vida.

*Esquece isso*, ordeno a meu pau, quando mais uma vez ele endurece só de pensar em Allie.

Ele se contrai em resposta. Está me provocando.

"Droga", rosno. Pego meu celular na cama e busco o último registro de chamada de ontem à noite.

Allie atende depois do quarto toque, a voz cheia de suspeita soando em meu ouvido. "Oi. Tudo bem?"

Deixo escapar uma respiração irregular. "Quero transar com você de novo."

"Isso vai virar rotina agora? Você vai me ligar todas as noites pra dizer isso?"

"Talvez." Merda. Estou irritado, com tesão e tão confuso quanto ela. "Diz que sim, gata. Só diz que sim para acabar com o meu sofrimento."

"Já falei, foi uma coisa de uma noite só. Não sou de fazer sexo casual. Foi divertido, claro, mas... Merda, tenho que ir. Liga pra uma das suas marias-patins, tenho certeza que elas vão cuidar de você, tá legal?"

Pela segunda vez em dois dias, Allie desliga na minha cara.

## ALLIE

"Quem era?"

Pulo quase meio metro ao som da voz de Hannah. Desliguei a chamada assim que ouvi os passos dela no corredor, mas não achei que minha amiga fosse aparecer na porta do meu quarto tão depressa.

"Hmm, ninguém." Brilhante resposta.

Ela arqueia uma das sobrancelhas escuras. "Ninguém?"

"Telemarketing", corrijo. "Que é o mesmo que ninguém."

Ela resmunga de irritação ao se aproximar da minha cama. "Como é que eles arrumam o número dos nossos celulares? Quando assinei o contrato com a minha operadora, o documento tinha uma seção inteira sobre como eles nunca, jamais repassam o seu telefone para outras empresas. Bem, para mim isso é balela, porque na real todo dia recebo ligação de companhias aéreas, lojas de roupa e um monte de empresas me contando das vendas impressionantes deles e dizendo que ganhei algum prêmio falso. Ai, meu Deus, e sabe qual foi a pior? Uma promoção idiota de um cruzeiro que começava com um apito ensurdecedor de navio! *Horrível.*"

Hannah reclama por vários minutos, e fico grata por isso, porque significa que está irritada demais para perceber que acabei de mentir. E está tão envolvida em sua ladainha que nem percebe quando verifico discretamente a mensagem de texto que aparece no meu celular.

Dean: *Vc precisa parar d desligar na minha cara.*

Eu: *Vc precisa parar c/ essas propostas indecentes. Sei q sou boa d cama, mas tá na hr d partir pra outra.*

Ele: *Não consigo. Vai por mim, já tentei.*

Eu: *Tenta d novo.*

Ele: *Qual é, gata. Só mais 1 vez. Pensa em como vai ser bom...*

Claro que vai ser bom. Ele é um deus do sexo. Mas isso não muda o fato de que não me sinto à vontade com sexo casual.

Eu: *Me esquece. Tô botando o papo em dia c/ Hannah.*

Ele: *Me escreve qd terminarem e eu passo no seu alojamento. Wellsy nem vai saber q tô aí.*

Fico surpresa ao sentir uma pontada entre as pernas. A ideia de Dean vindo aqui para transar enquanto Hannah dorme no quarto ao lado sem saber de nada me provoca um tesão inesperado.

Ignoro a reação não desejada e digito: *Boa noite, Dean.*

Então ergo o olhar para Hannah e pergunto: "Já terminamos de falar mal dos operadores de telemarketing? Porque este roteiro não vai se ler sozinho, amiga".

"Desculpa. É mais forte que eu — ouço a palavra 'telemarketing' e viro bicho." Ela senta de pernas cruzadas no meio da minha cama e pega o roteiro que lanço em sua direção.

Continuo de pé. A cena de abertura requer que minha personagem caminhe, e quero sentir como falar e andar de um lado para o outro vai afetar minha respiração.

Hannah folheia as páginas de abertura. "Certo. Quem sou eu? Jeannette ou Caroline?"

"Caroline. Suas características principais são egoísmo e insensibilidade."

Minha melhor amiga abre um sorriso imenso. "Então sou a megera? Legal."

Para ser sincera, *eu* queria ser a megera. Minha personagem é uma jovem viúva que perdeu o marido no Afeganistão, ou seja, o papel mais desgastante emocionalmente. E, depois do término com Sean, meu reservatório emocional está muito perto do fim, então tenho medo de não ser capaz de dar conta e fazer justiça ao roteiro.

Meu medo não é infundado. Cinco páginas depois, já estou exausta e peço uma pausa rápida.

"Uau", exclama Hannah, folheando as cenas seguintes. "Que peça intensa. A plateia vai desidratar de tanto chorar."

Desmorono ao seu lado e deito de costas. "*Eu* vou desidratar de tanto chorar." Literalmente, porque minha personagem chora cena sim, cena não.

Hannah se recosta nos cotovelos, e um silêncio confortável cai sobre nós. Gosto disso, porque não é uma coisa que tenho com muitas pessoas. Mesmo com Megan e Stella, que considero amigas próximas, uma de nós está sempre tentando preencher o silêncio. Acho que é preciso um certo nível de confiança para ficar junto de alguém e não sentir o desejo premente de tagarelar.

Meu pai me disse uma vez que a forma como uma pessoa responde ao silêncio revela muito sobre ela. Sempre achei que ele estivesse viajando, porque meu pai tem o hábito de inventar frases bonitas e insistir que elas carregam muita sabedoria, quando metade do tempo sei que está só de palhaçada.

Mas, agora, acho que consigo ver a verdade das suas palavras. Quando penso nos silêncios que compartilhei com meus outros amigos, percebo que são mesmo incrivelmente reveladores.

Meg quebra o silêncio com piadas, fazendo o possível para preenchê-lo com risos. Desde que a conheço, sempre recorreu ao humor quando o assunto ficava sério demais para ela.

Stella enche você de perguntas sobre a sua vida. Desde que a conheço, ela foge de falar da própria vida sempre que pode evitar. Acho que foi por isso que fiquei surpresa quando ela começou a namorar Justin Kohl, o jogador de futebol por quem Hannah tinha uma queda antes de se apaixonar por Garrett. Stella já admitiu abertamente, mais de uma vez, que tem medo de intimidade.

A lembrança de Justin me leva de volta a Hannah. "Ei, Garrett já se desculpou com você por ter se enganado a respeito de Justin?"

Ela franze a testa. "De onde veio isso?"

Sorrio. "Desculpa. Pensei em Stella, aí lembrei de como Garrett estava convencido de que Justin tinha segundas intenções. Ele não insistiu que Justin era meio falso?"

"Pois é." Ela senta na cama, rindo. "A gente conversou sobre isso um tempo atrás. Eu falei que era ciúme inconsciente."

"Rá. Aposto que ele *adorou* isso."

“Mas é a única coisa que explica. Justin é um dos caras mais legais que já conheci. Mas Garrett insiste que só interpretou o cara mal.”

“Bem, de qualquer forma, fico feliz que Justin tenha se revelado um cara gente boa. Stella merece ser feliz.” Ouço o tom de melancolia na minha voz e torço para que Hannah não tenha notado.

Ela notou. “Você também merece ser feliz. Sabe disso, né?”

“Sei.” Engulo o nó que surge em minha garganta.

Seus olhos verdes assumem um brilho hesitante. “Allie... Você se arrepende de ter terminado com Sean?”

O caroço aumenta, dificultando a respiração, principalmente quando me lembro da agonia na voz de Sean quando me perguntou com quem dormi.

“Não”, digo, por fim. “Sei que foi a decisão certa. Queríamos coisas completamente diferentes pro nosso futuro e ninguém se dispôs a ceder, não sem um ficar ressentido com o outro.”

Hannah parece pensativa. “Você acha que tá pronta pra começar a namorar de novo?”

Estremeço com um suspiro. “Não, nem perto.” Mas na verdade eu adoraria uma distração. Estou cansada de ficar triste. Cansada de me perguntar como Sean está e lutando contra a vontade de ligar pra ele. Posso não querer voltar para ele, mas odeio saber que machuquei alguém de quem gosto. Tenho esse hábito terrível de querer deixar todo mundo feliz, mesmo que isso signifique sacrificar minha própria felicidade. Meu pai insiste que é uma qualidade admirável, mas às vezes queria ser mais egoísta.

E acho que fui egoísta na noite de sexta. Meu sexo casual com Dean foi puramente uma questão de satisfazer meus próprios impulsos básicos, e, por mais culpada e envergonhada que tenha me sentido depois, não posso negar que foi mais que satisfatório.

Merda. Talvez Dean tenha razão. Talvez a gente *devesse* ficar de novo.

“Talvez eu esteja precisando de um casinho”, digo em voz alta, só para testar a ideia.

A resposta de Hannah é rápida e direta. “Você já tentou isso, lembra? Depois das primeiras vezes que terminou com Sean. Você odiou.”

É verdade. Odiei. “Mas não cheguei nem a dormir com ninguém”, pondero. “Tudo o que fiz foi ir a uns encontros medíocres e ficar com uns babacas. Talvez esse tenha sido o meu erro... marcar *encontros*. Quem sabe desta vez eu não deva pegar um cara bem gostoso e transar com ele por umas semanas até não aguentar mais. Só sexo, sem expectativas."

Ela solta um riso irônico. "Boa sorte com isso. Nós duas sabemos que você é incapaz de beijar alguém sem pensar em namoro."

Totalmente verdade.

E por que continuo a alimentar a ideia? Se é assim que Hannah reage à perspectiva de eu ter um casinho, não consigo nem imaginar o que diria se eu admitisse que esse cara pode ser *Dean*. Ele é um jogador típico. Além de não fazer o tipo namorado, duvido que se comprometeria com alguma coisa, mesmo que fosse casual. Não consigo imaginá-lo sendo fiel a mim, o que é absolutamente inegociável, porque de jeito nenhum dormiria com alguém que também estivesse dormindo com outras.

Pois é... Preciso cortar essa ideia de Dean pela raiz. Não sei por que ele está tão ansioso para ir para a cama comigo de novo, mas estou confiante de que vai acabar superando isso. Ele tem o poder de concentração de uma ameba e a efusividade de um filhotinho, e dedica sua devoção sexual a qualquer uma que estiver com ele no momento. E "uma", na verdade, quer dizer "vagina".

Recobro os sentidos e mudo de assunto. "Ei, o que você vai fazer no feriado de Ação de Graças?"

"Garrett e eu vamos para a casa dos meus tios, na Filadélfia. Meus pais vão nos encontrar lá."

"Legal. Parece divertido."

"Você vai para o Brooklyn, né?"

Faço que sim com a cabeça. Passo todos os feriados no Brooklyn, com meu pai. Sempre fico ansiosa para encontrá-lo, mas este ano estou um pouco preocupada, porque na última vez que nos falamos ele insistiu que queria fazer o jantar de Ação de Graças.

Em geral, eu ficaria exultante com o anúncio, porque meu pai é o melhor cozinheiro do planeta. Mas, desde que ele foi diagnosticado com esclerose múltipla, há cinco anos, tenho feito o possível para me certificar de que ele não está se esforçando demais. O único motivo que me fez recusar uma bolsa integral no programa de teatro da UCLA foi porque ficaria longe demais dele. Ele é um homem teimoso e insiste que não precisa de ajuda, que pode se virar sozinho, mas não me senti bem com a ideia de me mudar para a outra ponta do país logo quando seus intervalos de remissão se tornaram mais raros e distantes entre si.

Agora estou ainda mais aliviada de ter ficado na Costa Leste, porque a condição do meu pai piorou progressivamente no ano passado.

Como a maioria das pessoas que sofrem da doença, primeiro ele foi diagnosticado com esclerose múltipla recidivante remitente, mas agora passou para o tipo secundário-progressivo, o que significa que as recidivas são mais frequentes e mais graves do que costumavam ser. Quando o visitei no verão, fiquei chocada com a mudança. Do nada, estava com dificuldade para caminhar, e antes tinha só uma perda ocasional de equilíbrio e uma dormência leve nos membros. Teve dois ataques de vertigem enquanto eu estava lá e, quando o pressionei, admitiu que a dor estava piorando e que às vezes tinha problema de visão.

Como me sinto diante de tudo isso? Apavorada. Já perdi minha mãe para o câncer quando tinha treze anos. Meu pai é tudo o que me resta. Me recuso a perdê-lo também, mesmo que isso signifique amarrá-lo à cadeira do apartamento no Brooklyn e forçá-lo a ver futebol enquanto preparo o jantar.

"Certo, chega de descanso." Mais uma vez, preciso de algo que me distraia dos meus pensamentos sombrios. Gemendo, sento e abro o roteiro na parte em que paramos. "Caroline está prestes a gritar com Jeannette mais uma vez."

Hannah passa uma mecha do cabelo escuro por trás da orelha. "Que fique bem claro: se algum dia você perder o marido, nunca a chamaria de bebê chorona e falaria para 'virar a página'." Sua expressão se torna mais grave. "Em outras palavras, pode ficar borocoxô por causa do Sean o tempo que precisar. Prometo que não vou julgar você por isso."

A emoção empoça em minha garganta, mas consigo espremer uma palavrinha para fora dela. "Obrigada."

# 7

## DEAN

Apesar de toda aquela baboseira de "o que passou, passou", está na cara que meu ex-treinador está determinado a tornar a minha vida um inferno. O primeiro treino com o novo coordenador defensivo atrasou uma hora — mas só para os defensores. Enquanto todos os outros iam para o vestiário para tomar banho, trocar de roupa e voltar para casa, O'Shea obrigou a defesa inteira a ficar para mais umas séries, isso depois de anunciar que somos os piores jogadores de hóquei que ele já viu.

Quando enfim nos dispensou, eu e meus colegas de time patinamos para fora do gelo, xingando e reclamando o tempo todo. No vestiário agora vazio, tiramos o equipamento, todos pingando de suor, a cabeça pegando fogo e o humor deplorável.

"Decente, é?", pergunta Logan, cheio de sarcasmo, repetindo a descrição que fiz ontem.

"Ele só estava mostrando que tem o pau maior que o nosso", murmuro. "Deve ser o jeito dele de impor respeito."

Não, é o jeito dele de me punir por magoar sua filha, mas mantenho a informação para mim mesmo. Não porque O'Shea me mandou não discutir a questão com meus colegas de time, mas porque prefiro não ter que pensar na merda toda que aconteceu com Miranda.

Ironicamente, minha relação com Miranda O'Shea não só afetou minha vida escolar como também minha vida universitária. Ela é a razão pela qual hoje deixo bem claras todas as minhas intenções — ou a ausência delas — antes de qualquer envolvimento. Tudo bem que, na época, também achei que tinha deixado tudo às claras, mas é óbvio que não fui tão explícito quanto deveria ter sido. Hoje em dia, faço questão de que as mulheres saibam exatamente em que pé estamos antes que suas cabecinhas se encham de fantasias sobre finais felizes.

"Vai fazer alguma coisa no jantar?", pergunta Logan quando chegamos ao vestiário. "Grace vai pegar comida chinesa na cidade e me encontrar lá em casa. Acho que vai levar comida pra todo mundo."

"Ah, valeu pelo convite, mas vou sair com Maxwell. Não sei que horas chego em casa."

A conversa termina assim que entramos em nossos respectivos boxes. Mal termino de ensaboar o saco, e Logan já desliga o seu chuveiro. Nossa. O cara tomou banho como se alguém tivesse apostado um milhão de dólares se ele era capaz de passar sabão e se enxaguar em menos de trinta segundos.

"Até mais", diz, passando uma toalha pela cintura.

Sei que está ansioso para ver Grace, e, por algum motivo, isso provoca uma sensação estranha em meu peito. Não é bem ciúme. Nem ressentimento. Decepção, talvez?

Eu sei. Meus melhores amigos estão apaixonados. Preferem ficar abraçadinhos e dar beijinhos em suas mulheres do que sair com os meninos, e não fico chateado com eles por isso, nem um pouco. A questão é que parece o começo do fim para nós.

Depois que meu irmão mais velho se formou em Harvard, perdeu contato com os amigos de faculdade em poucos meses. Agora mal fala com os colegas de time que achou que levaria para a vida toda. E, com os amigos da faculdade de direito, troca e-mails no máximo uma vez por mês.

Entendo que amigos se afastam depois da faculdade. As pessoas se casam. Se mudam. Fazem novos amigos e desenvolvem outros interesses. Mas odeio a ideia de não ter Garrett ou Logan ou Tuck na minha vida. Também odeio a parte cínica do meu cérebro que aponta para a inevitabilidade disso.

Ano que vem, vou para a faculdade de direito. Não vou ter tempo nem de dormir, quanto mais de rever os amigos. Garrett provavelmente vai mudar de cidade e jogar para algum time da Liga Nacional de Hóquei. Logan também, se der certo com o Providence Bruins, a equipe de base que já declarou interesse em contratá-lo depois da formatura. É só uma questão de tempo até ele ser chamado para um time profissional e se afastar também. E quem sabe o que Tucker pretende fazer depois da formatura? Até onde sei, pode voltar para o Texas.

Merda. Por que estou tão filósofo hoje? Talvez porque tem três dias que não faço sexo. Infelizmente, isso é muito tempo para mim, e meu saco não gosta. Culpa da Allie, claro.

"Dean!"

Uma voz familiar me chama assim que deixo a arena. Vejo Kelly se pavoneando na minha direção, parecendo saída das páginas de um catálogo de roupas da Nova Inglaterra. Um cachecol vermelho e grosso envolve seu pescoço, e ela está de botas de couro marrom e um sobretudo cinza comprido. O cabelo louro está preso num coque bagunçado, com longas mechas emoldurando o rosto.

Está gostosa pra cacete, mas, sinceramente, não penso nela nem em Michelle desde que dormi com Allie. Ainda assim, não me sinto culpado de não ter ligado nem mandado uma mensagem, e Kelly não me censura por isso ao me cumprimentar com um abraço caloroso. Como disse, hoje em dia as mulheres sabem em que pé estou. E, ironicamente, quando Kelly e Michelle se aproximaram de mim no Malone's, vieram com o discurso do "sem compromisso" antes mesmo que eu abrisse a boca. Me disseram na lata que só queriam o meu pau, e fiquei muito feliz em satisfazê-las.

"Como foi o fim de semana?", pergunta.

Dou de ombros. "Poderia ter sido melhor." Se um certo alguém não tivesse ficado me dispensando.

"Ah, isso não é bom." Ela sorri. "Mas tenho algo pra te animar. Minha irmã tá na cidade. Contei pra ela de você, e ela ficou doida pra te conhecer. Vai ficar lá em casa, comigo e com a Michelle..."

Nem tem como não pescar a indireta. "Ah. Bem..." Não sei como responder.

"Falei que somos gêmeas?"

Puta merda.

"Ah, e a Michelle tá lá em casa também..." Kelly pisca para mim. "As pessoas sempre dizem que três é o número mágico, mas acho que quatro é melhor ainda."

Espero meu pau reagir. Merda, *mando* ele reagir. Uma meia-bomba, uma coceirinha, uma contração que seja. *Qualquer coisa*, droga. Mas nada acontece ao sul do Equador. É como se meu equipamento tivesse parado de funcionar.

*Vamos lá, Míni Dean, me ajuda*, imploro, em silêncio. *Estamos falando de sexo a quatro aqui.*

Continua mole. Ao que parece, Míni Dean não vai cooperar a menos que eu lhe dê o que ele quer. E, infelizmente, o que ele quer não é Kelly, nem Michelle, nem a irmã gêmea de Kelly.

É Allie Hayes.

"A ideia parece... genial. Sério. Mas tenho que passar. Combinei de sair com um amigo hoje", digo, triste.

"Alguém que eu conheço?"

"Hmm, talvez. Beau Maxwell. Ele é..."

"O quarterback do time de futebol americano", completa ela. Um brilho sedutor ilumina seus olhos. "Chama ele também. Cinco pode ser tão divertido quanto quatro..."

Ai, caralho.

Quero ficar com tesão. Rezo para que aconteça. Mas Míni Dean não está nem aí.

Com a frustração formando um nó no meu intestino, murmuro uma desculpa, peço para deixar para a próxima e disparo em direção ao meu carro, xingando meu pau o tempo todo.

Chego ao Malone's vinte minutos depois. "Desculpa a demora", digo a Beau. "O treino atrasou uma hora."

O quarterback titular da Briar encolhe os ombros imensos. "Relaxa. Acabei de chegar." Para meu alívio, o copo de chope escuro na frente dele está quase intacto.

Tiro a jaqueta do time e jogo ao meu lado no banco, e uma garçonete morena bonita se aproxima para anotar meu pedido.

"Então, o que você tem feito?", pergunta Beau, assim que ela se afasta. "Não vejo você desde o final das provas."

"Eu sei, cara. Nossa rotina de treino tá brutal. Perdemos todos os amistosos da pré-temporada, e o treinador Jensen tá tocando o terror."

"Porra, sei como é. Deluca também tá tocando o terror", admite ele, referindo-se ao seu treinador. "A gente não tem a menor chance de chegar às finais. Que merda, não sei nem se a gente chega a passar para a segunda fase do campeonato." Nunca o vi tão abatido, mas eu sequer posso contradizê-lo.

O time de futebol americano já está com três derrotas nas costas. Uma ou duas, e talvez eles dessem a volta por cima. Mas três derrotas praticamente eliminam as chances de classificação nesta temporada.

Os olhos azuis de Beau se escurecem à medida que ele dá um longo gole no chope e vira quase metade do copo. Entendo sua frustração. Sei o que é ser um jogador acima da média num time abaixo da média. Tudo bem que a temporada de hóquei acabou de começar e que os jogos da pré-temporada não contam para classificação, mas o nosso esquema ineficaz e os treinos desajeitados não prometem tempos bons.

Por outro lado, somos tricampeões nacionais, então, se a gente não chegar às finais este ano, não vou perder meu tempo chorando na cama o dia inteiro. Talvez a gente esteja destinado a uma temporada ruim. Pode ser o jeito de os deuses do hóquei nos manterem humildes.

Mas a situação de Beau é diferente. A Briar o recrutou depois do colégio, e o cara deixou todo mundo de boca aberta no primeiro ano. Os treinadores chegaram até a colocar o quarterback do último ano no banco e escalaram Beau como titular. Ele conseguiu uma campanha invicta para o time e os levou até a final. Eles perderam, claro, mas chegar à final depois de um jejum de mais de uma década foi uma grande conquista.

No ano seguinte, deu tudo errado. Quase todos os jogadores principais se formaram ou foram convocados mais cedo para o *draft*, e Beau ficou com uma linha ofensiva fraca e uma equipe de receptores ainda mais fraca. Desde então, o time só vem acumulando derrotas, o que é muito desanimador, mais ainda porque Beau é um baita de um quarterback. Infelizmente para ele, não tem as armas necessárias para vencer ao seu dispor.

"Você podia ter pedido transferência no segundo ano", lembro a ele. "A Universidade do Estado da Louisiana praticamente chupou sua pica pra te convencer."

Ele faz uma cara feia. "Tá, e abandonar meu time? Que tipo de babaca faz isso?"

Minha vontade é responder *O tipo de babaca que quer jogar para a Liga Nacional de Futebol Americano*, mas dispenso o comentário. Graças ao desempenho recente do time de futebol, as chances de Beau de pegar uma posição boa no *draft* — ou de sequer entrar para ele — são bem pequenas. Mas acho que sua lealdade à Briar é admirável. O que definitivamente diz muito sobre seu caráter.

"Vamos mudar de assunto", exige Beau. "Agora, antes que eu comece a chorar na minha breja."

Como se tivesse recebido uma deixa, a garçonete volta, trazendo a minha cerveja, uma Coors Light. Pedi uma long neck em vez de chope, e ela faz uma cena para abrir a tampinha e me passar a garrafa, curvando-se o bastante para eu ter uma visão perfeita do seu decote.

"Me avisem se precisarem de mais alguma coisa", murmura ela. "Estou a um grito de distância."

Ela se vira, e nós dois secamos sua bunda. Nem fico constrangido, porque, rebolando desse jeito, ela está praticamente convidando nossos olhares elogiosos. A saia preta curta me faz lembrar de outra bunda gostosa que vi este fim de semana. Uma que Beau, apesar das minhas mais veementes advertências, conhece muito bem.

"Vi Sabrina aqui na sexta-feira", digo a ele.

Ele afasta o olhar da garçonete. "Ah, é?"

Faço que sim. "Ainda está saindo com ela?" E por "saindo" quero dizer fazendo sexo sem compromisso, porque Beau e eu somos almas gêmeas. Ele também não topa relacionamentos.

"Nada. Morreu", confessa ele. "É ocupada demais."

"Ocupada com o quê?" Até onde sei, Sabrina nem trabalha.

"Não tenho ideia. Mora em Boston, então acho que a viagem de casa para a faculdade atrapalha. Mas chegamos a um ponto em que ela só vinha me ver uma, duas vezes por mês. E aí desaparecia nos fins de semana. Simplesmente... *puf*, sumia totalmente." Ele dá de ombros. "No começo achei que era jogo duro, mas agora não duvido nada que leve uma vida dupla." Ele faz uma pausa. "Você acha que ela trabalha para a CIA?"

Avalio a hipótese. "Sem consciência, sem coração... é, faz sentido."

Ele solta uma risada. "Ah, vai à merda. A garota é difícil de interpretar, mas é legal."

"Se por legal você quer dizer 'megera reclamona', então tudo bem." É a minha vez de mudar de assunto. "Ei, falei com o Justin na semana passada, e ele disse que tem um calouro no ataque que pode dar em alguma coisa."

Beau concorda. "Johnson. É rápido, mas ainda tem problema no domínio de bola."

Voltamos a conversar sobre nossos respectivos times por mais dez minutos. Posso ser do hóquei, enquanto Beau é o sr. Futebol Americano, mas somos fãs do esporte um do outro, então o papo flui sem problemas. Depois de uma segunda rodada de cerveja, o assunto retorna para as mulheres, quando comento com Beau, abatido, sobre o convite que Kelly me fez na arena.

"Que porra é essa, cara? Você recusou uma *orgia*? Uma orgia para a qual fui convidado?" Ele balança a cabeça para mim. "Tá doente ou alguma coisa assim?"

Corro os dedos pelo gargalo da garrafa. "Nada. Só não estava no clima."

"Você não estava no clima de uma orgia... com gêmeas." A descrença permeia seu tom. "Quem é você e o que você fez com o Dean?"

Solto um gemido. "Não sei. Tô na merda, cara. Peguei uma mulher na outra noite que agora não consigo tirar da cabeça."

"Tá de brincadeira?"

"Não. A mais pura verdade."

Beau continua a me encarar boquiaberto.

"Você acha que *gosto* disso?", pergunto, na defensiva. "Vai por mim, não preciso dessa dor de cabeça na vida." Dou um gole na cerveja. "Ei. Sabe *Crepúsculo*?"

Ele pisca. "Como é que é?"

"*Crepúsculo*. O livro de vampiros."

Ele avalia meu rosto com olhos desconfiados. "O que é que tem?"

"Tá, então você sabe que o sangue da Bella é especial, né? Deixa o Edward cheio de tesão quando tá perto dela?"

"Você tá de sacanagem com a minha cara?"

Ignoro. "Você acha que isso acontece na vida real? Feromônios e tal. Acha que é só uma teoria que algum depravado inventou para justificar a atração pela mãe ou alguma coisa assim? Ou será que tem mesmo uma razão biológica para sermos atraídos por certas pessoas? Tipo no *Crepúsculo*. Edward quer a mina num nível biológico, né?"

"Você tá analisando *Crepúsculo*?"

Porra, estou. Foi a isso que Allie me reduziu. Um fracassado triste e patético que vai para o bar e obriga o amigo a participar de um clube do livro sobre *Crepúsculo*.

"Não sei se devo te zoar ou te mandar pra um psiquiatra", pondera Beau, solene. "Não conheço nenhum homem que tenha lido esse livro."

"Não li. Minha irmã ficou obcecada pela série quando saiu. Ficava me seguindo pela casa e contando uns trechos contra a minha vontade."

"Aham. Claro. A culpa é da sua irmã." Beau ri e fica sério novamente. "O.k., então você tá com tesão por essa garota. Por que não pega ela de novo?"

"Porque ela não quer", respondo, com os dentes cerrados.

"Impossível. Todo mundo quer ficar com você."

"Pois é!" Levo a garrafa aos lábios. "Então, o que eu faço?"

Beau encolhe os ombros. "Esquece. Parte pra outra."

Só percebi a referência a *Quanto mais idiota melhor* porque Tucker e eu vimos o filme literalmente na semana passada, quando passou na TV. "Boa." Sorrio para ele e acrescento: "Não tenho nem *uma* arma, quanto mais as muitas armas que ia precisar para encher uma estante inteira".

E nós dois recitamos a próxima fala: "O que eu vou fazer... com uma estante de armas?".

Como somos dois idiotas, desatamos a rir e a comemorar a piada, até que Beau aborda o tema em questão. "Mas falando sério." Ele gesticula para o bar à nossa volta. "Este lugar tá cheio de mulher que daria tudo pra ir pra casa com você. É só escolher uma e transar até tirar essa outra da cabeça."

"Meu pau não deixa", murmuro.

Beau solta um risinho. "Como é que é?"

"Ele não tá contribuindo", explico, irritado. "Tentei me masturbar com um pornô ontem, e, juro por Deus, o troço não levantou. Aí foi só pensar na All... nessa menina", me corrijo, porque prometi a Allie não contar a ninguém sobre nossa noite juntos, "... e *bum*", estalo os dedos, "duro como pedra."

Beau me encara, pensativo. "Sabe o que eu acho? Isso não é um lance de sangue mágico da Bella, não."

"Não?"

"Não. Acho que você sofreu uma 'chave de boceta'."

Ouço uma tosse contida atrás de mim e viro bem a tempo de ver a garçonete passando pela nossa mesa. Suas bochechas estão vermelhas, os lábios se contraindo como se estivesse contendo uma gargalhada.

Volto a olhar para Beau. "Como assim?"

"É o seguinte: você tá passando por um dilema igual ao Jacob. Você sofreu uma chave de boceta dessa mulher, e agora só pensa nela. Você existe única e exclusivamente por *essa* boceta. Que nem o Jacob e aquela bebê mutante esquisita."

"Seu babaca. Certeza que você leu esses livros."

"Cala a boca", protesta Beau. E me lança um sorriso tímido. "Vi os filmes."

Decido guardar a provocação para depois, porque tenho assuntos mais urgentes com que me preocupar. "Então, qual é a cura, dr. Maxwell? Sair transando a torto e a direito e torcer para a chave de boceta perder o efeito? Ou continuar jogando charme e torcer para ela mudar de ideia?"

Meu amigo bufa alto. "Como é que vou saber?" Ele levanta o copo de cerveja. "Tô bêbado, cara. Ninguém deveria me ouvir quando tô bêbado." Ele vira o copo e pede outro chope para a garçonete. "Pra falar a verdade, ninguém deveria me ouvir quando tô *sóbrio*."

# 8

## DEAN

O segundo jogo da temporada é um desastre absoluto. Não. Melhor dizendo, é um banho de sangue.

Seguimos em fila até o vestiário no mais absoluto silêncio, a humilhação da derrota nos seguindo feito uma nuvem negra. Foi o mesmo que baixar as calças, mostrar a bunda e pedir uma surra. Demos o jogo de bandeja para o outro time. Não, demos uma *goleada* de bandeja.

Tiro a camisa, repetindo mentalmente cada segundo do jogo. Os erros que cometemos esta noite estão todos gravados na minha mente. Perder é uma merda. Perder em casa é pior ainda.

Droga, vai ter muito torcedor chateado no Malone's hoje. Não estou ansioso para ver ninguém, e sei que meus colegas de time estão no mesmo clima. Nenhum deles mais do que Hunter, que arranca o uniforme às pressas, como se estivesse coberto de formigas assassinas.

"Você fez bons disparos ao gol hoje", digo a ele, e é verdade. Perdemos de zero, mas não foi por falta de tentativa. Jogamos duro. Só que o outro time jogou mais forte.

"Teria sido melhor se um deles tivesse entrado", resmunga ele.

Abafo um suspiro. "O goleiro estava uma muralha hoje. Nem o G. conseguiu dobrar o cara."

Nesse momento, Garrett se aproxima do armário e é rápido em tranquilizar o calouro de cara amarrada. "Não esquenta. Ainda falta muito hóquei para jogar nesta temporada. Vamos recuperar."

"É. Claro." Hunter não está convencido. Mas o nosso momento motivacional não dura muito, porque o treinador Jensen entra no vestiário a passos largos, seguido por Frank O'Shea.

O treinador não perde tempo em oferecer um dos seus breves discursos pós-jogo. Como de costume, é como se tivesse uma lista de itens a cumprir.

"Perdemos. É uma merda. Não deixem isso afetar vocês. Só significa que temos que trabalhar mais nos treinos e jogar com mais garra na próxima partida." Ele acena para todos e vai embora.

Eu poderia até imaginar que está com raiva da gente, não fosse pelo fato de que seus discursos depois de uma vitória seguem praticamente a mesma linha: *Ganhamos. É muito bom. Não deixem isso afetar vocês. Vamos continuar trabalhando pesado nos treinos e ganhar mais partidas.* Se algum dos calouros estava esperando que ele fizesse discursos motivacionais épicos no estilo Kurt Russell em *Desafio no gelo*, vai ficar muito decepcionado.

O'Shea permanece no vestiário. Meus ombros se tensionam instintivamente quando o homem se arrasta na minha direção, mas ele me surpreende ao dizer: "Boa cobertura na zona defensiva hoje. Você foi uma parede no segundo período".

"Obrigado." Ainda estou desconfiado com o elogio inesperado, mas ele já seguiu em frente e foi elogiar Logan por ter controlado bem a desvantagem numérica do terceiro período.

Jogo meu equipamento numa das enormes caixas de lavanderia, então sigo para os chuveiros para expurgar o fedor de derrota do corpo. Odeio perder, mas não me permito chafurdar na questão por mais que dez minutos. Meu pai me ensinou o truque quando eu tinha oito anos, depois de uma derrota particularmente desmoralizante numa partida de lacrosse.

"Você tem dez minutos", avisou ele. "Dez minutos para pensar no que fez de errado e em como está se sentindo agora. Pronto?"

Com um relógio na mão, ele apertou um botão e me cronometrou, e, por dez minutos, meditei e fiquei emburrado, remoendo a humilhação. Lembrei dos erros que cometi em campo e os corrigi na minha cabeça. Me imaginei socando cada um dos jogadores adversários na boca. E aí meu pai me disse que meu tempo tinha acabado.

"Pronto. Acabou", anunciou ele. "Agora você vai olhar para a frente e descobrir como pode melhorar."

Cara, amo meu pai.

Ao sair do chuveiro, a amargura da derrota já havia sumido, escondida num arquivo interno, numa pasta chamada "Coisas ruins".

Acho que Garrett usa a mesma técnica, porque está praticamente saltitante quando nos encontramos com Hannah no estacionamento. Ele a puxa para os seus braços e lhe dá um beijo na boca. "Oi, gata."

"Oi." Ela se aconchega junto a ele. "Tá ficando tão frio! Aposto que pode começar a nevar a qualquer momento."

Ela não falou nenhuma mentira. Está um gelo aqui fora, e cada respiração nossa sai numa nuvem branca.

"Vamos pro bar ou pra casa?", pergunta Logan, se aproximando dos nossos carros.

"Bar", anuncia Garrett. "Não tô no clima de convidar ninguém lá pra casa hoje. O que vocês acham?"

Depois de um jogo, a gente vai ou para o Malone's ou chama os outros jogadores e os amigos lá para casa, mas é óbvio que ninguém está na vibe de uma festa hoje.

"Bar", repete Logan, e concordo com a cabeça.

"Vamos esperar o Tucker?" Dou uma olhada ao redor, mas não vejo nosso colega de república em lugar nenhum. "E a Grace?"

"Tuck já saiu com Fitzy", responde Logan. "E a Grace não vem hoje. Tá trabalhando na rádio."

Fingindo indiferença, olho para Hannah. "E a sua cara-metade?"

"Tô bem aqui", responde Garrett, presunçoso.

"Quero dizer a outra cara-metade." Sorrio para Hannah. "A loirinha dramática que tá sempre com você."

"Não quis sair hoje. Tá ocupada demais sofrendo."

"Sofrendo com o quê?" Mas já sei a resposta. O ex-namorado, claro.

Hannah confirma meus pensamentos. "Sean. Ele ligou pra ela hoje de manhã, e não sei o que disse, mas ela ficou muito quieta depois e tá toda chorosa desde então. Eu teria ficado em casa hoje, mas não quis perder o jogo."

Garrett se inclina para beijar sua bochecha avermelhada pelo frio. "Que bom que você veio. Agradecemos a torcida, amor."

"Tô tão chateada que vocês perderam", comenta ela, mas estou mais preocupado com a ideia de Allie sozinha no alojamento, deprimida. No mínimo está entupindo os ovários com sorvete e ouvindo Mumford & Sons.

"Tem certeza que você não deveria ir pra casa fazer tranças no cabelo dela ou algo assim?", pergunto a Hannah. "É isso que as garotas fazem pra dar apoio moral, não é?"

"É, Dean. É exatamente isso. Penteamos o cabelo uma da outra, e depois fazemos uma guerra de travesseiro peladas e terminamos com treino de beijo."

"Posso participar?", Logan e eu deixamos escapar em uníssono.

"Vai sonhando. E não, não vou pra casa agora. Mandei uma mensagem pra Allie no terceiro período, e ela insistiu que tá tudo bem. Fez umas margaritas e tá vendo uma série horrível. Sério, horrível *mesmo*. Não voltaria pra lá agora nem por um decreto."

"Que série?", pergunta Garrett, curioso.

"A pior coisa que já aconteceu na história da televisão", é tudo o que ela diz, e todos riem.

Logan dá um tapa no capô da minha BMW. "Vamos?"

Hesito. "Na verdade, você se incomoda de ir com o G. e a Wellsy? Preciso fazer umas coisas primeiro. Encontro vocês lá."

"Claro", responde ele, sem titubear. Então se afasta do meu carro e segue na direção do Jeep de Garrett.

Me ajeito atrás do volante e ligo o motor, mas espero até o Jeep desaparecer do estacionamento antes de tirar o carro da vaga. Só tenho uma coisa a fazer, e não quero que nenhum dos meus amigos saibam do que se trata.

## ALLIE

Quando ouço a batida na porta, meu primeiro pensamento é que é o Sean. Então torço para que não seja, porque depois da conversa bizarra e perturbadora que tivemos hoje de manhã não estou pronta para vê-lo.

*"Eu te perdoo."*

Ele jogou as três palavras para cima de mim no instante em que atendi o telefone. E eu tive que me conter para não cuspir algo desagradável em resposta, porque o perdão implica que cometi um erro ao dormir com outra pessoa, o que não foi o caso. Não o traí. Não menti para ele. Claro que não me orgulho de ter transado com Dean logo depois de terminar com Sean, mas não sou a primeira garota a tentar esquecer um relacionamento dormindo com outro, e sem dúvida não vou ser a última.

Ainda assim, apesar do ressentimento que o "perdão" provocou em mim, lá no fundo me deixou aliviada. Estou me sentindo superculpada pela noite com Dean, então talvez a absolvição seja exatamente o que eu procurava quando confessei meu pecado a Sean no outro dia.

O que não significa que eu esteja pronta para vê-lo cara a cara. Ele perguntou se a gente podia se encontrar para um café, alegando que tinha mais a dizer, mas que não queria fazer isso pelo telefone. Falei que ia pensar no assunto. Agora, depois da segunda batida na porta, espero mesmo que ele não tenha decidido forçar a barra.

Eu me preparo para um confronto e abro a porta. Mas não é Sean. É Dean.

"E aí, gata?" Ele me oferece um sorriso e abre caminho para dentro da sala. "A Wellsy disse que você estava de mau humor, então resolvi dar uma passada aqui e colocar um sorriso nesse rostinho."

"Não tô de mau humor", resmungo.

"Melhor ainda. Me poupa o trabalho." Ele abre a jaqueta e joga no braço do sofá. Então tira a camiseta, o que o deixa com nada além da calça jeans desbotada.

Olho para ele, incrédula. "Você tem mesmo que tirar a camiseta?"

"Tenho. Não gosto de camisetas."

Ele não gosta de camisetas.

Esse cara... droga, não sei o que pensar.

Ele se vira para o sofá, e o movimento da bunda musculosa na calça justa me faz lembrar de como era forte quando a apertei. Em seguida, ele se acomoda nas almofadas, o que faz com que o jeans estique na parte da frente, e agora estou lembrando do jeito como minha boca salivou quando o pau de Dean estava dentro dela.

"*Isso, gata. Chupa com vontade.*"

A ordem rouca ecoou na minha mente. Meus lábios começam a formigar, porque, nossa, eu chupei *mesmo*. Como se fosse um pirulito, um sorvete de casquinha e todas as outras gostosuras imagináveis, todas num só pau duro.

Merda, acho que posso estar corando, o que confirmo no instante em que Dean pisca para mim. Será que sabe que estou pensando em fazer um boquete nele?

Onde estou com a cabeça? Claro que ele sabe. Um cara como Dean provavelmente acha que todo mundo está o tempo inteiro pensando em fazer um boquete nele.

Ele estende um braço ao longo do encosto do sofá e me chama com o outro. "E aí, não vai sentar?"

"Estou bem em pé, obrigada."

"Ah, sério? Eu não mordo."

"Morde sim."

Seus olhos verdes se iluminam. "Tem razão. Mordo sim."

Ele parece confortável demais no meu sofá. Um Adônis louro com o peito bronzeado, os músculos esculpidos e o rosto perfeitamente desenhado. Se esse negócio de hóquei não der certo, ele deveria considerar a carreira de modelo. Dean Di Laurentis exala sexualidade. Esse rosto numa marca de laxante faria todas as mulheres do mundo rezarem por uma constipação só para terem uma desculpa para comprar o remédio.

"Sério, Allie-Cat, senta logo. Assim parece que eu não sou bem-vindo."

"Você *não é* bem-vindo", exclamo. "Eu estava tendo uma noite perfeitamente agradável até você aparecer."

Ele parece magoado, mas não sei se é genuíno ou se está fazendo cena. Suspeito que seja o segundo caso. "Você não gosta mesmo de mim, né?"

Sinto uma pontada de culpa. Droga. Talvez *seja* genuíno. "Não é isso. Gosto de você. Mas não estava brincando quando disse que não gosto de sexo casual, tá legal? Toda vez que penso no que a gente fez no fim de semana, me sinto..."

"Com tesão?", sugere ele.

É. "Uma piranha."

Não esperava a irritação que vejo em seus olhos. "Quer um conselho, gata? Apaga essa palavra do seu vocabulário."

De repente, me sinto culpada de novo, mas não sei por quê. Com muita relutância, sento ao seu lado no sofá, mantendo uma distância entre nós.

"Falando sério", continua ele. "Para com essa história de ficar se culpando por causa do sexo. E foda-se a palavra 'piranha'. As pessoas têm o direito de transar quando bem entenderem, com quem elas quiserem e com quantas pessoas tiverem vontade. Ninguém tem que carregar na testa essa merda de rótulo de piranha."

Ele tem razão, mas... "O rótulo tá aí, quer a gente queira, quer não", argumento.

"Sim, e foi criado por uma gente careta, que gosta de falar mal dos outros e fica se remoendo de inveja por dentro porque não transa com ninguém." Dean balança a cabeça. "Você precisa parar de achar que tem alguma coisa de errado no que a gente fez. A gente se divertiu. Fizemos sexo seguro. Ninguém se machucou. O que você ou qualquer pessoa faz dentro de quatro paredes não é da conta de ninguém, entendeu?"

Curiosamente, suas palavras suavizam um pouco da vergonha entalada dentro de mim desde sexta-feira. Mas não por completo. "Contei para o Sean", confesso.

Dean faz uma careta.

"Não de você", acrescento, às pressas. "Só falei que dormi com outra pessoa."

"Por que você fez isso?"

"Não sei." Solto um gemido. "Achei que devia a ele dizer a verdade, o que é uma maluquice, né? Quer dizer, a gente não tá mais junto." Outro gemido desliza para fora da minha boca, desta vez, mais angustiado do que o primeiro. "Mas passamos tanto tempo juntos. Tô tão acostumada a contar tudo pra ele."

Dean acaricia distraidamente a almofada atrás da minha cabeça. O movimento me chama a atenção para o seu bíceps, o flexionar delicioso de músculos tonalizados por anos de atividade física. "Fala a verdade", diz, por fim. "Você quer voltar com ele?"

Nego com a cabeça em um gesto lento.

"Tem certeza disso?"

"Tenho." Penso nas brigas infinitas que tivemos desde o verão e me sinto ainda mais segura da decisão de acabar com tudo. Todos os comentários maldosos que ele jogou na minha cara... a forma como zombou dos meus sonhos... os ultimatos sobre o futuro...

Sean pode ter me perdoado pelo que fiz depois da nossa separação, mas, para falar a verdade, não tenho certeza se o perdoei pelo que ele fez *antes* dela.

"A gente não era mais bom um para o outro." Engulo a dor na garganta. "Se fosse possível ficar na faculdade para sempre, então sim, Sean e eu provavelmente estaríamos juntos. Mas tá na hora de crescer, e queremos coisas completamente diferentes para o futuro. Ou pelo menos é o que acho. Essa separação tá dando um nó na minha cabeça. Nem sei mais o que pensar."

"Esse é o seu problema. Você pensa demais."

Não consigo conter o riso. "Puxa, esse é o seu conselho? Parar de pensar?"

"Parar de se obcecar." Dean dá de ombros. "Você terminou com o cara por um motivo — um motivo muito bom, se quer saber a minha opinião —, e agora tem que seguir em frente com essa decisão. Parar de falar com o sujeito e de duvidar de si mesma."

"Tem razão", digo, a contragosto.

"Claro que tenho. Eu sempre tenho razão." Com um sorriso arrogante, ele se aproxima e descansa a mão no meu joelho. "Certo, o plano pra hoje é o seguinte: primeiro, a gente dá umazinha, para diminuir a tensão. Depois, pede uma pizza e recupera as energias, e aí começamos a segunda rodada. O que você acha?"

A exasperação cresce dentro de mim. Toda vez que acho que Dean é mais do que um pervertido obcecado por sexo, ele vai e prova que estou errada. Ou melhor, prova que estou *certa*.

"Já pensou em falar com um psiquiatra sobre esses delírios?", pergunto, com educação. "Porque, cá entre nós, gatinho, não tem a menor chance de a gente transar hoje."

"Certo. E que tal se a gente só fizesse um pouco de oral?"

"Que tal se você fosse embora?"

"Contraproposta: eu fico, e a gente dá uns amassos."

Nossa, o cara é incorrigível. "Contraproposta: você fica, mas não tem permissão pra falar."

Ele rebate com: "Eu fico, você me deixa falar, mas não dou em cima de você".

Penso por um instante. "Você fica, não dá em cima de mim e ainda tem que assistir à minha série sem reclamar."

Um largo sorriso se abre, ocupando todo o seu rosto. "Aceito os seus termos, senhora."

# 9

## ALLIE

"Então, que série é essa?" O sr. Não-Gosto-de-Camiseta olha para a televisão. A imagem está pausada nos créditos de abertura do episódio que eu estava prestes a assistir antes de Dean aparecer.

"*Solange*", respondo.

Ele franze o nariz. "O que é *Solange*?"

"É uma série francesa que tô vendo para aprender a língua."

Dean solta uma risada. "Você sabe que a faculdade tem um departamento de francês, né? Com aulas a que você pode assistir?"

"É, onde tudo o que eles ensinam é conjugar verbos, pedir informações e perguntar onde fica o banheiro. Meu lance é a imersão. Ouvir as pessoas falando francês vai me fazer aprender muito mais rápido."

Ele levanta as sobrancelhas. "E tá dando certo?"

"Não muito..." Ele ri de novo. "Mas ainda tô na primeira temporada", protesto. "Tenho certeza de que, com o tempo, vou ser fluente."

Dean olha para a tela e, em seguida, volta-se para mim. Sei que está se perguntando se cometeu um erro terrível ao aparecer aqui hoje. Mas ele me surpreende, dizendo: "Beleza. Sobre o que é a história? Me atualiza aí sobre o que já aconteceu".

"Jura que você tá falando sério?"

"Pela minha mãe mortinha."

"Não brinca."

Sorrio para ele, porque é a primeira vez que alguém se oferece para assistir a essa série comigo. Minhas amigas se recusam. Verdade seja dita, Hannah aguentou o piloto até o final. Depois me disse que preferia ter os olhos bicados por corvos a assistir ao episódio seguinte. Pra falar a verdade, não a culpo. A série é bem ruim. Eu sei. Mas o que começou como um exercício de idioma terminou me deixando viciada. É tipo crack para mim agora.

"Certo, essa é a Solange." Aperto play, e uma ruiva deslumbrante de peitos imensos e cintura fina aparece na tela.

"Ah", comenta ele. "A protagonista. Belos peitos."

Suspiro. "Enfim, Solange namora Sebastian..."

"Sebastian? É meu nome do meio." Ele faz uma pausa. "Quer dizer, um deles", se corrige.

Franzo a testa. "Quantos nomes do meio você tem?"

"Dois. Meu nome completo é Dean Sebastian Kendrick Heyward-Di Laurentis."

Balanço a cabeça, estupefata. "Qual o problema dos seus pais? Pra que tanto nome? Eles *queriam* que você fosse zoado na escola?"

Isso o faz rir. "Vai por mim, comparado com alguns dos outros alunos, isso não é nada. Um cara que jogava lacrosse comigo tinha seis nomes do meio."

"Então é coisa de gente rica? Acumular o máximo de sílabas desnecessárias na certidão de nascimento do filho?"

"Não, em geral é pra homenagear os avós ou algum outro parente rico." Ele dá de ombros. "Sebastian é o meu avô por parte de pai, Kendrick é por parte de mãe."

Acho que faz sentido. Mas, nossa, o nome completo dele é praticamente um testamento.

Algo chama a minha atenção, e aponto depressa para a tela. "Tá vendo aquele cara ali, no canto? De bigode? Aquele é o Antoine. Está seguindo a Solange."

Dean inspira o ar de forma exagerada. "A trama vai se formando!"

Mostro o dedo do meio para ele. "*Mas*, no último episódio, descobrimos por que ele tá fazendo isso, e não é para um rala e rola."

"Rala e rola?"

"É, transar com ela."

"Claro." Seus lábios se contorcem, como se estivesse tentando conter o riso. "Então por que ele tá dando uma de psicopata?"

"Porque a mãe dela tá *pagando* para ele fazer isso." Abaixo o tom de voz, como se Solange pudesse me ouvir, e logo me sinto uma idiota. "Ah, e escuta só. No último episódio teve uma grande reviravolta. A colega da Solange na agência de modelos — essa aí." Na tela, uma loura maravilhosa entra no restaurante e caminha até a mesa de Solange. "É a mãe dela", informo a Dean. "A mãe da Solange tá fingindo ser colega de trabalho dela!"

Ele franze a testa. "Como pode? Elas têm a mesma idade."

"Não", digo, radiante. "É aí que entra a empresa de cosméticos."

Dean parece completamente perdido. "Que empresa de cosméticos?"

"Beauté Éternelle. Eu pesquisei, significa 'beleza eterna'. É uma empresa da família da Solange. Ah, e o pai e o tio dela são cirurgiões plásticos renomados. Enfim, Solange acha que a mãe fugiu quando ela era criança. Bem, ela *até* fugiu. Mas, depois que o pai morreu, Marie-Thérèse voltou para a Riviera Francesa e chantageou o tio a fazer uma plástica nela, então agora ela tá completamente diferente. Solange não tem nem ideia de que passou os últimos seis meses trabalhando com a mãe."

"Allie." Dean aproxima o rosto do meu e me fita com um olhar estranhamente sombrio. "Essa série é ridícula."

"Eu sei", digo, timidamente. "Mas é viciante. Vai por mim, um episódio dessa porcaria e você vai ficar viciado."

"Desculpa, gata, mas posso assegurar com toda a certeza que isso não vai acontecer."

## DEAN

Aconteceu.

Alguém me ajuda. Fiquei viciado naquele negócio.

Vim aqui hoje com o único propósito de conquistar Allie e convencê-la a dormir comigo de novo. Em vez disso, estou tomando margarita, já assisti a duas horas da série francesa e agora estou escrevendo para Logan para avisar que não vou ao Malone's. Porque... socorro... Quero saber o que vai acontecer.

Marie-Thérèse e Antoine se pegaram no último episódio, que terminou com uma Marie-Thérèse enlouquecida, ameaçando Antoine com um abridor de cartas junto do pescoço dele — quando não havia nenhuma indicação anterior de que houvesse alguma divergência entre os dois. Ou, vai saber, talvez houvesse, e a gente simplesmente não pescou, porque *não fala uma palavra de francês.*

"Ainda não entendi o problema dela com a Solange", admito, enquanto Allie se debruça sobre a mesa de centro para completar nossas margaritas. O decote largo de sua camiseta se desloca para um dos lados, me proporcionando o vislumbre de um ombro nu e a curva de seu seio esquerdo.

Estou prestes a comentar como a visão sensual é bem-vinda, mas acabo achando melhor me conter. Jurei não dar em cima dela hoje, e, se quebrar a promessa, ela pode me expulsar antes de eu descobrir por que Marie-Thérèse tentou matar Antoine.

Allie desaba no sofá ao meu lado, e comemoro em silêncio, porque, desta vez, não se preocupa em deixar meio metro entre nós. Estamos a poucos centímetros de distância, o que me diz que ela está começando a ficar à vontade comigo.

"Também não. Não entendi a história de fundo direito ainda. Acho que tem a ver com o pai da Solange gostar mais da filha do que da esposa", divaga Allie. "Tiveram alguns flashbacks nos episódios anteriores que deixaram fortemente implícito que ele queria um rala e rola com a filha."

"Pervertido."

Ela ri.

Ficamos em silêncio e assistimos ao episódio seguinte retomar exatamente de onde o anterior parou. Antoine consegue se soltar de Marie-Thérèse, e os dois passam a brigar por dez minutos. Não me pergunte sobre o quê, porque é tudo em francês, mas noto que uma mesma palavra — *héritier* — se repete a todo instante.

"A gente precisa pesquisar o que é isso", digo, incomodado. "Acho que é importante."

Allie pega o celular e destrava a tela. Olho por sobre o seu ombro, enquanto ela abre um aplicativo de tradução. "Como você acha que se escreve?", pergunta.

Erramos a ortografia três vezes até encontrar uma tradução que faça sentido: herdeiro.

"Ah!", exclama ela. "Eles estão falando do testamento do pai."

"Merda, só pode ser. Ela tá brava porque a Solange herdou todas as ações da Beauté Éternelle."

Trocamos um *high-five* por termos descoberto e, no instante em que nossas palmas se tocam, sou tomado por um relance de clareza e percebo com toda a nitidez o que a minha vida se tornou.

Com um grunhido, pego o controle remoto e aperto o pause.

"Ei, ainda não acabou", reclama ela.

"Allie." Inspiro fundo. "A gente tem que parar agora. Antes que minhas bolas desapareçam completamente e minha carteirinha de homem seja revogada."

Ela arqueia uma das sobrancelhas louras. "Revogada por quem?"

"Sei lá. O Conselho dos Homens. Os trabalhadores braçais. Jason Statham. Pode escolher quem você quiser."

"Então você é macho demais para ver série francesa?"

"Sou." Viro a margarita, mas o gostinho salgado é outro lembrete de quão baixo cheguei. "Gente, e tô bebendo *margaritas*. Você é péssima pra minha reputação, gata." Por fim, atiro um olhar de advertência na direção dela. "Ninguém pode saber sobre isso."

"Rá. Vou postar na internet inteira. 'Gente, adivinha só: Dean Sebastian Kendrick Heyward-Di Laurentis tá na minha casa agora assistindo série e bebendo drinque de mulherzinha.'" Ela mostra a língua para mim. "Você nunca mais vai pegar ninguém."

Allie tem razão. "Você pode pelo menos acrescentar que a noite terminou com um boquete?", resmungo. "Porque aí todo mundo ia pensar, *ah, ele só aguentou aquilo tudo pra ganhar uma ensebada no mastro*."

"Uma ensebada no mastro? Que descrição mais *nojenta*." Mas seus olhos estão brilhando, e ela ri ao fazer o comentário.

Nossa, como é linda. E sexy... sexy pra cacete. Por que nunca percebi isso antes? Talvez porque todas as vezes que a vi antes de sexta à noite estava grudada ao namorado.

No momento em que penso no ex de Allie, o telefone vibra. Falando no diabo...

"O que ele quer agora?" Mal consigo esconder a irritação, mas ela está distraída demais com a mensagem para notar.

Allie vira a tela para mim, e minha irritação só aumenta. *E aí? A gnt pode tomar um café? Preciso mto falar c/ vc.*

"Responde que não", aconselho.

Seus dentes estão cravados no lábio inferior. "É... difícil."

"Você não tem problema nenhum em dizer não pra *mim*."

"Não namorei você três anos", ressalta ela.

Tiro o telefone gentilmente da sua mão e pouso sobre a mesa. "Certo. Pronta pra uma conversa séria?"

Ela assente, trêmula.

"Sean não vai parar de escrever pra você. Ele vai mandar e-mails, ligar e fazer tudo que estiver a seu alcance para conquistar você de volta. Quer saber por quê? Porque você é inteligente, engraçada e bonita pra cacete, e ele sabe que é um idiota por ter perdido isso."

A surpresa transparece em seus olhos.

"Ele vai continuar insistindo. O que significa que você precisa aprender a ignorar." Estudo seu rosto. "Quer dizer, se você estiver decidida mesmo a partir pra outra."

Ela assente de novo, resoluta desta vez. "Estou."

"Então parta pra outra, gata. Você não pode correr pra casa do namorado da sua amiga ou ficar se escondendo no alojamento toda noite. Fala pro cara que você não quer conversar e arruma alguma coisa pra te distrair. Posso te ajudar com isso, se quiser."

"Deixa eu adivinhar", diz ela, secamente. "Você se voluntaria como escravo sexual?"

"Não. Pela primeira vez, não tô falando de sexo."

"O que você sugere, então?"

Sorrio. "Acho que você precisa viver a Vida de Dean."

"Hmm. Certo. Então preciso colocar um uniforme de hóquei, ser esmagada por um bando de gigantes contra o vidro do rinque todas as noites e me recompensar com uma sequência interminável de transas casuais. Entendi."

Eu me inclino e puxo uma mecha de seu cabelo. "Deixa de ser besta."

"Perdão." Ela sorri. "Por favor, me conte mais sobre a Vida de Dean."

Minha mão desce por sua bochecha macia para segurar seu queixo. "Olha pra mim, Allie-Cat. Eu tenho cara de quem tem muitos problemas? Você acha que um dia vai me ver deprimido no quarto ou esquentando a cabeça por causa de alguma bobeira?"

"Não", responde ela, lentamente.

"Em geral, sou uma pessoa feliz, não sou?"

Seu olhar suspeito sustenta o meu. "É. Mas como pode? Ninguém é feliz o tempo *todo*."

"É absolutamente possível." Deslizo o polegar sobre seu lábio inferior. Sua boca é tão macia. Estou louco para beijá-la de novo. "Quer saber o meu segredo?"

"Quero." Ela parece distraída. Acaricio seus lábios de novo e fico satisfeito de ver sua respiração falhar.

"Eu faço o que quero, quando quero. E não dou a mínima pro que as outras pessoas pensam de mim."

Isso parece chamar a sua atenção. "Parece bom ser capaz de fazer o que se quer o tempo todo. Mas infelizmente não é assim que a vida funciona."

"Você faz a vida funcionar para *você*, gata." Meus dedos deslizam por seu pescoço esguio e consigo sentir sua pulsação. "O que você quer, Allie? Me fala uma coisa que você morre de vontade de fazer, mas que nunca teve tempo."

Ela pensa no assunto, a testa franzida. "Bem. Tô querendo começar uma nova desintoxicação, mas fico sempre adiando."

"Não tenho ideia do que significa isso."

"Umas duas vezes por ano, faço uma desintoxicação com sucos", explica ela. "É uma merda, porque você fica presa a uma dieta líquida por duas semanas inteiras, mas no final você se sente *tão* melhor."

"Você é doida. Escolhe outra coisa. Algo *normal*."

Ela fica em silêncio, imersa em pensamentos de novo, então seu rosto se ilumina. "Sempre quis aprender a dançar salsa."

Que coisa mais mulherzinha de se dizer. "Então aprende", digo a ela.

Ela morde o lábio de novo. "Não sei... Falei disso com Sean uma vez, mas ele não quis fazer aula comigo, e eu tinha vergonha de ir sozinha. Pesquisei um curso uma vez e descobri que, se você aparecer sozinho, eles te colocam com um parceiro aleatório."

"E daí? É uma oportunidade de fazer novos amigos." Dou de ombros. "Acho que você deve se matricular."

"Tá se oferecendo para fazer aula de salsa comigo?" Sua expressão é esperançosa.

Bufo de rir. "De jeito nenhum. Só faço o que *eu* quero, lembra? E não quero dançar salsa. Mas acho que *você* deve."

"Talvez eu me matricule", diz ela, pensativa.

"Esse é o espírito." Dou um beliscão de leve no seu queixo. "Ouça o que eu digo, e a sua vida vai mudar para melhor. Essa é a garantia Di Laurentis."

Allie solta um suspiro.

"O que foi?", pergunto.

"Não sei se você tá sendo sincero ou se tá tentando se dar bem comigo de novo."

Levanto as sobrancelhas. "Quem falou que não pode ser as duas coisas?" Quando isso provoca outro suspiro, minha voz fica rouca. "Tô sendo sincero."

"Uau. Acho que você tá mesmo falando sério."

Por alguma razão, diante do seu exame minucioso, me ajeito desconfortavelmente no sofá. E, de repente, estou plenamente ciente do fato de que não estou de camiseta. Ela também, porque aqueles grandes olhos azuis baixam, concentrando-se em meu abdome antes de afastar o rosto. O ar entre nós parece crepitar. Allie está com as pupilas dilatadas, e não tem como não notar a vibração acelerada nas artérias do seu pescoço.

Sei identificar excitação quando vejo. Míni Dean também, e ele aumenta prontamente sob meu zíper.

"Allie..." Minha voz sai rouca.

Num piscar de olhos, ela está fora do sofá. "E... tá na hora de você ir embora."

Allie soa animada demais, e sei que está lutando para controlar as mesmas ondas de desejo que estão praticamente me engolindo por inteiro.

Fico sentado, e ela franze a testa profundamente. "Se veste e vaza, Dean."

"Allie." Levanto lentamente. Minha boca está rachando de seca, quando digo: "Quero...".

Ela ergue a mão espalmada. "Nem se atreva a terminar essa frase. Tô falando que é hora de sair daqui."

Quero perguntar por quanto tempo ela vai continuar lutando contra isso, mas, como sei que só vou irritá-la ainda mais, fico de boca fechada e faço o que a moça mandou — vou embora.

Na volta para casa, me resigno com mais uma noite de intimidade com a minha mão direita.

# 10

## DEAN

No dia seguinte, tenho a infelicidade de sair da aula de relações internacionais junto com Sabrina. Enrijeço as costas, esperando a provocação inevitável.

"Você parecia meio perdido na aula, Richie. O professor Burke estava falando rápido demais?"

Exatamente como previsto.

Reviro os olhos. "É, porque sou burro, né? Boa." Nem perco tempo pedindo para não me chamar de *Richie*. Obrigá-la a me chamar pelo nome é tão impossível quanto fazer Summer abandonar meu apelido de infância. Sabrina decidiu que eu era um riquinho mimado e burro no instante em que nos conhecemos.

Claro que isso não a impediu de ir para a cama comigo, não foi?

"Então, que pobre caloura vai escrever seu trabalho de fim de curso?", pergunta ela, docemente. "Você tem um monte delas na agenda do celular, né? Imagino que uma delas tenha feito também a sua prova de admissão para a faculdade de direito."

Paro no degrau mais alto da entrada do prédio. Tolero seus insultos porque acho que não vale a pena ficar me defendendo, mas, de vez em quando, tenho que botar um limite. "Você tá se mordendo porque fiquei dois pontos na sua frente, né?" Vejo suas narinas se expandindo, e sei que acertei em cheio.

Ela se recupera depressa. "De novo, você pode ter pagado alguém pra fazer a prova por você."

"Pode continuar pensando assim, meu bem. Se te ajuda a dormir melhor à noite, né?"

Sabrina joga o cabelo escuro por cima do ombro. “Durmo muito bem, obrigada. Saber que *mereço* minhas notas me dá uma tranquilidade imensa. Você devia tentar um pouco também.”

Desta vez *ela* acerta em cheio. Fecho a cara, mas não mordo a isca, porque é exatamente isso que ela quer que eu faça. Ela bate na mesma tecla desde o segundo ano, e já estou de saco cheio.

“Um bom dia pra você, Sabrina.” Dando de ombros com indiferença, desço os degraus e me pergunto se ela planeja continuar com essa rixa no ano que vem, na faculdade de direito. Cara, espero que não. Essa hostilidade está ficando velha, para não dizer irritante.

Falando em irritante, tenho que estar na escola primária de Hastings em vinte minutos para o primeiro treino com o time infantil. Dá-lhe Hurricanes.

No trajeto de dez minutos de carro até a cidade, xingo O’Shea por me obrigar a trabalhar como voluntário e começo a questionar a legitimidade de bonecos de vodu. Acabo concluindo que não importa se eles funcionam ou não. Ia ser divertido enfiar agulhas numa versão em miniatura de Frank O’Shea. Quando o boneco começasse a se despedaçar, eu poderia usar a cabeça como bola antiestresse.

Parado no sinal vermelho, digito uma mensagem rápida para Fitzy, meu colega de time: *Ei, sabe fazer boneco de vodu?*

Sua resposta só aparece quando já estou chegando à pequena arena do outro lado da rua em relação à escola.

Ele: *Acho q vc tá me zoando, mas a pergunta é tão idiota q parece verdadeira. Não faço ideia d como fazer um boneco de vodu. Acho q vc pode usa qq boneco velho, sei lá. O foda vai ser encontrar uma bruxa de vodu pra ligar o boneco ao alvo.*

Eu: *Faz sentido.*

Ele: *Faz???*

Eu: *Vodu precisa d magia, feitiço etc. Acho q não dá p usar qq boneco. Senão toda boneca seria um boneco de vodu, né?*

Ele: *É.*

Eu: *Mas vlw. Achei q vc soubesse.*

Ele: *E por que *eu* saberia?*

Eu: *Vc curte esses negócios d RPG. Entende d mágica.*

Ele: *Não sou o Harry Potter, cacete.*

Eu: *HP é um nerd. Vc é um nerd. Então vc é bruxo.*

Ele me manda um emoji de dedo médio e depois avisa: *Cerveja d niver hj no Malone's. Tá dentro?*

Eu: *Tô.*

Ele: *Flw*

Enfio o telefone no bolso do casaco e salto do carro. Pelo menos tenho alguma coisa para me motivar. Uma cerveja para comemorar o aniversário de vinte e um anos de Fitzy vai ser a minha recompensa por passar a tarde treinando crianças contra a vontade.

Entro pelas portas duplas e vejo que o rinque está vazio. O ar frio me recebe como um velho amigo e inspiro fundo, passando a mochila para o outro ombro e caminhando na direção do banco do time da casa, onde um homem alto de moletom vermelho e patins de hóquei pretos gastos analisa uma prancheta. O apito em seu pescoço me diz que é o treinador do Hurricanes.

"Di Laurentis?" Faço que sim, e ele estende a mão. "Doug Ellis. Prazer em conhecê-lo, filho. Assisti à final do Frozen Four pela TV, em abril. Você jogou bem."

"Obrigado." Aponto para o gelo vazio. Cheguei dez minutos mais cedo, exatamente como O'Shea mandou. "Cadê as crianças?"

"No vestiário. Daqui a pouco estão aí." Ele pousa a prancheta na prateleira que se estende ao longo do banco. "Chad explicou o que se espera de você?"

"Não." Apesar do que O'Shea falou, não acho que o treinador Jensen tenha a menor ideia de que fui recrutado para trabalhar com o Hurricanes.

"Bem, não é tão complicado. Começamos todos os treinos com trinta minutos de exercícios, depois fazemos um jogo de trinta minutos dividido em três períodos de dez. Os meninos são o sangue. São bons, todos eles. Talentosos, inteligentes, ansiosos para melhorar."

"Bom saber."

"Adoravam a Kayla..." Diante da minha expressão neutra, ele explica: "Sua predecessora." Ah, a garota que pegou mononucleose. "De qualquer forma, ela se concentrava principalmente no ataque. Fez um ótimo trabalho, mas, cá entre nós, estou feliz de ter um cara de defesa conosco.

Alguns dos meninos têm problemas em fechar a defesa. Queria que você trabalhasse isso."

Conversamos por alguns minutos sobre minhas obrigações, e então ele me avisa sobre não falar palavrão perto dos meninos nem ser muito bruto fisicamente com eles.

"Beleza... Nada de boca suja e não tocar nos alunos. Mais alguma coisa?", pergunto.

"Acho que não. Você vai pegando com o tempo."

De forma geral, Ellis parece um bom sujeito, e, quando as crianças surgem correndo do vestiário e o saúdam como se fosse o próprio Cristo encarnado, minha opinião sobre ele se eleva ainda mais. Ele me falou que é o professor de ginástica da escola, mas que, mesmo que perdesse o emprego, nunca abandonaria esse time. Nem o time de vôlei feminino do oitavo ano, do qual aparentemente também é treinador.

Sento no banco e tiro depressa as botas Timberland, trocando-as pelos patins Bauer que coloquei na mochila. Então pulo a grade e patino na direção de Ellis e das crianças. Metade está de uniforme de treino vermelho, e a outra metade está de preto. Ellis me apresenta aos meninos, que soltam muitos suspiros admirados quando ele fala das minhas múltiplas vitórias no Frozen Four. Assim que delineamos a primeira série do treino, todas as crianças no rinque estão implorando pela minha atenção individual.

Não vou mentir — me divirto desde o primeiro segundo. A paixão dos meninos pelo jogo me lembra de quando eu era criança, a empolgação de calçar um par de patins e rasgar o gelo. O entusiasmo deles é absolutamente contagiante.

Quando Ellis apita para sinalizar que está na hora do jogo, acho até que estou lamentando o fim do treino. Na última sequência de disparos, estava dando umas dicas para um aluno do sétimo ano chamado Robbie, e ele encobriu o goleiro lindamente. Queria ver o garoto repetir, mas está na hora de os meninos colocarem as habilidades que acabaram de aprender em prática.

Ellis e eu servimos tanto como juízes quanto como treinadores, marcando penalidades e oferecendo conselhos quando necessário. O jogo de trinta minutos termina rápido demais para o meu gosto. Por mim, poderia ficar aqui para sempre, mas Ellis sinaliza o fim da partida e chama os alunos para junto de si.

Sinto um aperto estranho no peito à medida que ele fala com os meninos, um de cada vez, e ressalta uma coisa que eles acertaram no treino hoje. Rosto após rosto vai se iluminando com seus elogios, e, quando Ellis termina, penso que posso estar apaixonado pelo cara.

Nossa, que treinador.

Por fim, seguimos as crianças até o vestiário e as ajudamos a arrumar os equipamentos nos lugares adequados. É uma turma barulhenta e bagunceira, que ri, brinca e grita uns com os outros enquanto troca de roupa. O corredor lá fora está repleto de máquinas automáticas de comida e pais que esperam os filhos. Robbie, no entanto, fica para trás. Já tirou o uniforme de treino, mas fico preocupado ao vê-lo calçando os patins de novo e colocando a calça jeans para dentro deles.

"O que tá fazendo, cara?"

Robbie parece surpreso ao me encontrar ali de pé. "Ah." Ele cora. "Tenho mais trinta minutos para patinar", explica, meio na defensiva. "O treinador sabe."

Como sei bem que não dá para confiar em tudo que um menino de treze anos diz, vou atrás de Ellis, que está na sala de equipamentos guardando tacos de hóquei na prateleira junto à parede.

"Que história é essa de o Robbie ter mais tempo para patinar?"

Ellis se volta na direção da porta. "Ah. É isso mesmo. Já vou lá ficar de olho nele. Diz que é para não pisar no gelo até eu chegar."

Não consigo disfarçar a testa franzida. "Por que ele tem tempo extra de gelo?"

"Nas terças e quintas, a mãe dele só sai do trabalho às quatro e meia, e a família mora em Munsen, então o ônibus escolar não é uma opção." Ellis emite um som de irritação. "Alguma palhaçada sobre a fronteira da cidade e os ônibus de Hastings não poderem 'servir' outros municípios. A mãe do Robbie conseguiu inscrever o filho aqui porque ele é um trunfo para o nosso programa de hóquei, mas aparentemente a administração escolar não acha importante fornecer transporte seguro para crianças que moram fora do distrito."

"Então o Robbie fica na arena até a mãe chegar?"

Ellis faz que sim. "Combinei isso com a Julia no início da temporada. Eu fico por aqui depois do treino e dou uma olhada nele e na irmã até ela chegar."

Já falei o quanto amo esse homem?

"Vou ficar também", ofereço. "Estava ensinando Robbie a arte dos disparos por cobertura antes do fim do treino. Não me incomodo de continuar."

Sua expressão é um misto de surpresa e respeito. "Aposto que ele iria adorar. Obrigado, filho."

Quando volto para o rinque, Robbie está patinando círculos preguiçosos junto do vidro de proteção. O cabelo louro escuro balança ao vento atrás dele, e decido que ele também pode estar precisando de uma aula sobre cabelos — algo na linha de "corta essa merda antes que vire um *mullet*, ou esqueça suas chances com as garotas".

Estou caminhando pelo corredor de concreto quando uma voz estridente me faz parar de susto.

"Quem é você?"

Viro e vejo uma criaturinha élfica sentada na fileira do meio da arquibancada. Quer dizer, é uma menina, mas podia muito bem ser uma personagem de um filme da Pixar. Olhos azuis enormes ocupam todo o seu rosto, o cabelo é tão claro que é quase branco, e a boca é um pequeno botão de flor cor-de-rosa.

"Quem é *você*?", pergunto de volta, uma das sobrancelhas arqueadas.

"Perguntei primeiro."

Lutando contra um sorriso, subo os degraus até chegar à fileira dela. Um olhar para a pista revela que Robbie está se divertindo ao patinar a esmo. Ellis está no banco, de olho nele, então sento na arquibancada ao lado da fadinha de desenho animado e digo: "Sou Dean. O novo assistente técnico do Hurricanes".

Seus olhos grandes avaliam meu rosto, como se ela estivesse tentando decidir se estou mentindo. "Sou Dakota", diz, enfim. E aponta um dedo magro para o gelo. "Aquele é meu irmão."

"Ah. Então você é a irmã mais nova de Robbie."

"Quem disse que sou mais nova?", desafia ela. "Posso ser mais velha."

"Mocinha, eu ficaria surpreso se você não usasse mais fralda."

"Não uso fralda!" Suas bochechas ficam coradas. "Já tenho *dez* anos", diz, com altivez.

Arquejo. "Por... poxa. Você é praticamente uma velha senhora então."

Isso a faz dar um risinho. "Sou nada. Quantos anos *você* tem?"

"Vinte e dois."

Dakota fica boquiaberta. "*Isso* é ser velho."

"Eu que o diga! Acho melhor começar a planejar meu funeral. Pra quem você acha que eu devo deixar a minha fortuna no meu testamento, a garota dos *Jogos vorazes* ou a do *Divergente*?"

"Elas não existem", comenta ela, francamente.

Finjo inocência. "Tem certeza? Juro que vi a Katniss andando na rua outro dia."

"Mentira."

"É, você me pegou." Aponto para o caderno de espiral cor-de-rosa em seu colo. "O que tá fazendo?"

Ela faz um beicinho. "Dever de casa. A sra. Klein mandou a gente escrever uma página inteira sobre coisas pelas quais devo agradecer neste Dia de Ação de Graças."

"A sra. Klein parece um monstro."

Dakota ri. "Não, ela é legal. Teve uma vez que pediu pizza para a turma *toda*. Foi depois que a gente tirou as notas mais altas na prova de didático."

"Ditado", corrijo.

Ela me dispensa com um gesto da mão. "Tanto faz."

Um amplo sorriso toma conta do meu rosto. "Tá legal, então chega de perder tempo." Abro seu caderno numa página em branco. "Hora de pensar no que você tem pra agradecer."

Seu rosto se ilumina de felicidade. "Você vai me ajudar com meu dever de casa?"

"Claro, por que não? Faltam vinte minutos até a sua mãe chegar. Que mais a gente tem pra fazer?"

## ALLIE

Estou no banco do carona, no carro de Megan, quando Dean me escreve. Não fico surpresa em ver seu nome na tela do telefone. Passei o dia esperando por outro "Quero transar com você", então era só uma questão de tempo até acontecer de novo. Mas, dessa vez, ele me pega de surpresa.

Ele: *Tô c/ uma galera no Malone's, niver do Fitzy. Se quiser, apareça.*

Megan me olha do banco do motorista. "Quem tá mandando mensagem? E, por favor, diga que não é o Sean."

"Não, não é o Sean. É um dos amigos do Garrett", respondo, vagamente. "Tem uma galera do hóquei no Malone's, comemorando o aniversário de alguém. Ele tá chamando a gente."

"A Hannah vai?"

Faço que não com a cabeça. "Tem ensaio hoje." Assim como eu, Hannah também está ocupada com os projetos de conclusão de curso. Ela é aluna de música, então tem que apresentar uma canção original para o festival de inverno do departamento.

Imagino que Megan não ache estranho que eu esteja sendo convidada para sair com a galera do hóquei sem Hannah, porque ela não comenta sobre o assunto. Em vez disso, diz apenas: "Por mim, fechou".

"Sério?" Depois de mais de trinta minutos debatendo uma dúzia de opções para a nossa noite juntas, tínhamos finalmente decidido comer alguma coisa na lanchonete de Hastings. O Malone's é o único bar da cidade, então é óbvio que a ideia surgiu logo no início da conversa, mas foi a própria Meg quem a rejeitou. "Achei que você não quisesse balada hoje."

Ela afasta a franja ruiva dos olhos. "Mudei de ideia. Acho que tô com vontade de ficar rodeada de meninos bonitos."

"Jura?", pergunto, surpresa. "E o namorado novo? Já acabou o encanto?" Megan tem sido muito cautelosa sobre o cara que está namorando, mas presumi que eles estivessem indo bem. Em geral, ela é uma tagarela quando se trata da vida amorosa, mas não dessa vez. Tudo o que sei é que ele mora em Boston e que os dois só se veem nos fins de semana.

"Não, a gente tá bem." Ela faz uma pausa. "Bem, na verdade, não." Outra pausa. "É complicado."

"Sabe, se você me dissesse alguma coisa sobre ele, em vez de ficar pagando de discreta, talvez eu pudesse ajudar..."

Seus olhos verdes mantêm o foco na estrada. Mesmo que não estivesse dirigindo, sei que estaria evitando meu olhar.

"Fala logo. Qual o problema dele?"

"Problema nenhum."

"Mentira. Tem que ter, senão você não estaria escondendo o cara de todo mundo. Então, o que é? Ele gosta de tacar fogo em celeiro pra se divertir? Mata esquilinhos pra fazer chapéu de pele? Ele tem um sinal esquisito que ocupa a cara inteira? Tem..."

"Trinta e sete", interrompe ela. "Ele tem trinta e sete anos."

Arregalo os olhos. "Ah. Uau. Isso é..."

*Velho*, tenho vontade de dizer, mas sempre fui da filosofia de que *idade não passa de um número*. Ou pelo menos *quero* ser esse tipo de pessoa mente aberta. Quer dizer, acho bem nojento um homem de sessenta anos namorando uma menina de dezoito. Mas trinta e sete não chega a ser senil. São só quinze anos a mais que a nossa idade.

"Tá vendo? Foi por isso que não contei pra vocês." Seu tom beira a acusação. "Sabia que ia ficar todo mundo julgando."

Ergo as mãos em sinal de rendição. "Não tô julgando. Só levei um susto."

Suas feições bonitas relaxam.

"Conta mais sobre o Trintão", peço. "Prometo não julgar."

Ela me fornece mais alguns detalhes a contragosto. "O nome dele é Trevor. É cirurgião pediátrico no hospital de Boston."

Tudo bem, estou impressionada.

"É divorciado e tem uma filha de cinco anos."

Hmm. Nem tão impressionada assim. "E você lida bem com isso?", pergunto, com delicadeza. "Você só tem vinte e dois, amiga. Tá pronta pra ser madrasta de alguém?"

"Aí é que tá o problema", geme ela. "Eu nem tinha pensado nisso ainda. A gente se conheceu pela internet. Passamos setembro inteirinho trocando mensagens, mas só nos encontramos pessoalmente há um mês. Ele é gentil. Inteligente, lindo, bom de papo. Mas o namoro tá muito no começo ainda, sabe? Mais casual do que sério." Ela tamborila as unhas feitas contra o volante. "No fim de semana passado, ele me falou que queria me apresentar para a filha."

*Nossa.*

"Nossa", digo em voz alta.

"Pois é! Então agora tô analisando o relacionamento todo. Conhecer a filha dele é um passo gigante. E se ela me odiar? Ou pior, e se ela me *amar*, e depois eu e o pai dela terminarmos, e a pobre menina acabar traumatizada?"

"Ela não vai se apaixonar por você no primeiro encontro", asseguro. "Mas concordo que seja um passo enorme."

Meg para o pequeno Toyota vermelho no cruzamento a um quarteirão do centro de Hastings.

"Não sei... Eu falei pra ele que, na sexta, quando a gente se encontrasse, eu responderia, mas tô muito confusa. Não tenho ideia do que fazer." Ela fica em silêncio por um segundo e, em seguida, solta uma longa expiração. "Se a gente for para o Malone's, você pode dirigir na volta? Acho que preciso de algo mais forte que refrigerante."

"Claro." Não estava mesmo pensando em beber hoje. Tenho ensaio às sete da manhã, e uma ressaca vai dificultar muito chorar em cena. Só na abertura da peça minha personagem berra feito um recém-nascido três vezes. "Mas será que você não prefere ir pra outro bar?", pergunto, esperançosa. "Talvez o de Munsen?"

"Por quê?"

Dou de ombros. "A galera do hóquei às vezes é meio barulhenta."

"Acho que tô precisando de um pouco de barulho", admite ela. "Trevor é ótimo, mas não tá mais em clima de festa. Vai dormir às dez, todo dia. Até nos fins de semana." Ela faz um biquinho. "Talvez esse seja mais um motivo para eu terminar tudo, né?"

"Olha, jamais diria o que você deve fazer", afirmo, com carinho. "E não vou falar que você tem que terminar com o cara só porque ele deixou as noitadas para trás. Mas você tá no último ano da faculdade, amiga. Não deveria estar indo dormir às dez da noite se não quisesse. Deveria estar curtindo este último ano de liberdade, nesse momento estranho em que se é adulto sem ser adulto, entende? Deixa esse negócio de dormir cedo pro ano que vem, quando você tiver entrado no mundo real."

Uma expressão pensativa marca seu rosto. Sei que está absorvendo meu conselho, e espero que chegue a uma decisão que a faça feliz. Eu também tenho lidado com decisões difíceis ultimamente. Terminar com Sean. Descobrir o que quero para a minha carreira de atriz.

Ir a um bar para encontrar, por vontade própria, o cara com quem fiz sexo casual...

Merda, *por que* estou indo a esse bar? Ver Dean de novo não vai ser nada bom. No pior cenário possível, ele vai deixar escapar alguma coisa sem querer, e todo mundo vai saber que a gente dormiu junto. Na melhor das hipóteses, vai flertar descaradamente comigo e ser irritante como sempre.

Como o Malone's é o único lugar da cidade que vende álcool, é o ponto de encontro obrigatório dos moradores locais e dos alunos da Briar em qualquer dia da semana. Se você aparecer depois das nove, não vai mais encontrar lugar para sentar. Meg e eu chegamos às dez e meia, e é como entrar numa sauna cheia de corpos suados. O salão principal está lotado. Mal posso ver o balcão do bar, de tanta gente que tem na frente dele, e todas as mesas dos setores laterais estão ocupadas.

"Vou pegar uma bebida!", grita Megan, por cima da música.

Os alto-falantes estão berrando um rock que não consigo reconhecer. Se Garrett Graham estivesse aqui, provavelmente me diria o nome da música, quem está cantando e em que ano ela foi lançada. O namorado de Hannah é louco por rock clássico. Não ficaria surpresa se descobrisse que ele pede para Hannah se fantasiar na cama de alguma coisa inspirada em Lynyrd Skynyrd.

Estamos prestes a nos dirigir para o bar quando uma voz familiar se eleva acima da música. "Allie-Cat! Aqui!"

Viro a cabeça e vejo Dean acenando para mim de uma mesa grande à minha direita. Não sei como ele me achou nessa multidão. Nem escrevi avisando que vinha, então ou ele tem um Sentido Aranha excepcional ou estava vigiando a porta feito um maníaco.

Megan e eu damos os braços para evitar sermos separadas e abrimos caminho em meio ao mar de corpos. Inspiro uma rajada de perfume de uma loura platinada de saia curta. Resisto ao ataque do cheiro forte apenas para tomar fôlego em meio a uma nuvem de algo ainda mais potente, vindo do cara ao lado dela. Meus olhos começam a lacrimejar, e quase me viro para avisá-lo para pegar leve no Axe, antes que ele mate alguém.

"Olha, Fitzy, *mulheres*!", anuncia Dean quando Megan e eu os alcançamos. No mesmo instante, ele se dirige aos outros. "Rápido, abram espaço pra elas, antes que sumam."

O grupo ri, e noto que a maioria dos jogadores está sorrindo para um cara em particular, que já vi antes em algumas das festas da galera do hóquei para as quais Hannah me arrastou. Acho que seu nome é Colin, mas sempre ouço ser chamado de Fitz ou Fitzy. É um cara grande, de cabelo castanho despenteado, uma barba rala escura e o que parece ser uma tatuagem se insinuando sob a gola da camisa. Acho que é uma tatuagem no peito, porque já o vi de camiseta e lembro que seus braços são inteirinhos cobertos.

Os meninos se ajeitam na mesa para nos acomodar. Megan senta do lado de um cara de cabeça raspada. Ele se apresenta como Hollis. Eu me espremo entre Tucker, que está concentrado no telefone, e Pierre, um dos franco-canadenses do time. Ele me cumprimenta com um sorriso e um par de covinhas lindas. Fechando o grupo, há mais dois jogadores que eu não conhecia. Em seu sotaque pesado, Pierre os apresenta como Wilkes e Ekberg.

Dean, na minha frente, do outro lado de Hollis, pisca para mim quando nossos olhos se encontram. "Você veio. Não achei que viria."

"Estávamos aqui perto", digo, casualmente.

"Ainda bem, porque isso aqui estava virando uma festa da salsicha. Sério, o aniversariante não chamou nenhuma mulher."

"Ele é alérgico", explica Hollis, solícito.

O aniversariante — que, diga-se de passagem, não tem nada de garoto — revira os olhos. "Não sabia que querer comemorar o aniversário com os amigos era um crime."

"E em algum momento você pensou nas consequências?", devolve Dean. "E o tradicional boquete de aniversário, hein? Tá esperando que *a gente* faça as honras?"

"Tenho certeza de que o Pierre topa", sugere Hollis. Quando o franco-canadense responde mostrando o dedo médio, ele sorri, fingindo inocência. "Ué, achei que era o que vocês faziam em Quebec, não? Chupar os amigos sussurrando palavras de amor em francês?"

Pierre bufa uma risada. "Você é de San Francisco. Capital mundial dos chupadores de pica."

O papo continua animado até ser interrompido por uma garçonete sobrecarregada que aparece para anotar nossos pedidos. Meg pede uma vodca com *cranberry*. Já eu, só um copo d'água.

"Água?", Dean zomba de mim, assim que a moça se afasta apressada. "Tem certeza de que não quer nada mais interessante, gata? Quem sabe... hmm... um shot de tequila? Sempre achei que você tinha cara de quem gosta de tequila."

Estreito os olhos para ele. Por sorte, ninguém dá muita bola para o comentário. Por que daria? Ninguém ali sabia que foi por causa da tequila que acabei na cama com Dean. A única pessoa que sabe disso é o próprio Dean, que se comprometeu a manter a boca fechada sobre o assunto.

Mas... o sorriso maroto em seu rosto está me deixando inquieta.

Por que tenho a sensação de que ele está prestes a dar com a língua nos dentes?

# 11

## ALLIE

Ainda estou encarando Dean quando meu telefone vibra na bolsa. Pego-o distraidamente e perco o fôlego ao ler a mensagem.

Ele: *Lembra qdo tomei aquele shot d tequila nos seus peitos?*

Ergo o olhar e me deparo com Dean piscando inocentemente para mim. Mas vejo seu braço movendo sob a mesa. Como era de se esperar, recebo outra mensagem.

*Qdo virei o copo todo nos seus mamilos e lambi cada gota? Hmm. Ficando duro só d pensar.*

Argh. Não acredito que ele está me mandando mensagens de sexo no bar. No meio do aniversário do amigo.

Cerro os dentes e respondo.

Eu: *Guarde a lembrança c/ carinho, meu bem. Pq nunca mais vai acontecer.*

Ele: *Tá dizendo q não gostou qdo chupei seus mamilos?*

Os tais mamilos se enrijecem. Sei que o bojo do sutiã esconde a reação traiçoeira, mas o jeito como o olhar convencido de Dean recai sobre meus seios me diz que ele sabe.

Inspiro e escrevo: *Mais ou menos. Foi razoável.*

Ele escancara mais o sorriso. "Que nada", diz em resposta a algo que Wilkes acabou de perguntar. "Não tô preocupado. O goleiro de Yale não aguenta a tacada do G." Acho que estão falando da partida contra o Yale, no próximo sábado, mas estou ocupada assistindo ao sutil movimento de braço de Dean. Está digitando outra coisa.

Ele: *Hmm. Sei. E qdo te lambi inteira? Foi só razoável também?*

Ignoro a pontada que sinto entre as pernas e faço uma cara feia para ele.

"Allie", exclama Megan, exasperada.

"Desculpa. O quê?"

"Estava perguntando sobre a sua peça. Os ensaios começaram essa semana, não foi? Como tá indo?"

"Muito bem", respondo, distraída. Não consigo ver se Dean ainda está digitando. Espero que não. "O cara que faz meu marido morto é um bom colega de trabalho. E a sua, como vai?"

"Uma merda."

"Ah, que pena, amiga." Sei que Meg não está feliz com o autor com quem está trabalhando, e não a culpo, porque ele é o cara mais metido do departamento de teatro. Só escreve coisas pretensiosas e exageradamente atormentadas. O sujeito acha que é o próprio Arthur Miller reencarnado.

"'Slade' gosta de reescrever cenas inteiras no meio do ensaio." Ela desenha aspas no ar ao falar seu nome, o que faz Fitzy rir.

"Acho que você não sabe usar aspas", ele informa a ela.

"Sei sim. 'Slade' não é o nome dele de verdade. É Joshua Sandeski." Meg ri com desdém. "O cara se acha tanto que não sei como não caga pequenas réplicas marrons dele mesmo."

Os rapazes gargalham diante da imagem repugnante que ela acabou de descrever.

"No primeiro dia de aula, a gente sentou em círculo e se apresentou pros atores colegas." Ela olha para mim. "Lembra disso?"

"Ah, se lembro", digo, secamente.

"Enfim", continua ela para Fitzy, "o babaca se levantou e disse: 'Me chamo Joshua Sandeski, mas meu nome artístico é Slade. Não respondo a nenhum outro nome.' E ele não estava brincando. Toda vez que a professora esquecia e o chamava de Sandeski, ele simplesmente ignorava."

"Essa é a coisa mais babaca que já ouvi", comenta Dean.

Merda, seu braço está se movendo de novo.

"Acho corajoso", discorda Hollis. "Quer saber? Que se dane. Vou dar uma de Slade e escolher um nome artístico pra mim também. A partir de agora, vocês só podem me chamar de 'Thunder'."

Espio discretamente a última mensagem, e minha respiração chega a falhar.

Ele: *Meu pau tá tão duro agr. Tô louco pra entrar em vc.*

Desta vez, não faço sua vontade. Se eu não responder, ele vai acabar parando, não vai?

Não.

As mensagens não param de aparecer, cada uma mais depravada que a anterior.

*Da próxima vez, vou devagar. Saborear cada segundo.*

*Bem devagar, gata. Só entrar e sair...*

*Até você implorar por mais.*

Pego meu copo e engulo um pouco d'água. Posso ouvir a risadinha baixa de Dean mesmo com a música ambiente a todo volume.

*Mas não vou dar o q vc quer. Vou continuar enfiando, centímetro por centímetro.*

*E depois tirar d novo.*

*Toda vez q vc pedir pra eu meter com força, vou entrar mais devagar.*

*Vou t atormentar a noite inteira, gata.*

*A. Noite. Inteira.*

Fico em pé de supetão, como se alguém tivesse tacado fogo no banco em que estou sentada. "Preciso ir ao banheiro", exclamo.

Ignorando o sorriso imenso se expandindo na boca irritantemente sensual de Dean, me afasto da mesa tão depressa quanto minhas botas de salto me permitem.

Puta merda. Estou com tanto tesão que minhas coxas estão praticamente grudadas, e meu medo agora é que minha calça jeans esteja molhada na bunda. Para piorar a situação, Megan nem tocou na bebida, o que significa que não vai embora daqui tão cedo. E isso quer dizer que preciso me recompor e apagar todas as centelhas de desejo que estão queimando feito combustível de avião em meu sangue.

Espero muito que Dean pare com as mensagens quando eu voltar.

Se não, acho que posso acabar gozando na mesa.

Ele continua com as mensagens.

Eu continuo ignorando.

Nossa guerrinha de vontades segue por mais de uma hora, e não posso dizer que não estou impressionada com sua persistência. Para não falar na quantidade absurda de palavras sujas em seu vocabulário.

Quando vejo Dean se contorcendo visivelmente do outro lado da mesa, abro um sorriso insolente na direção dele e, por fim, escrevo uma resposta.

Eu: *Vc tá só se torturando, gatinho. Melhor parar antes q exploda.*

Acrescento um emoji que ilustra bem a situação — um vulcão em erupção.

Dean suspira e se levanta, mas não sem antes fazer uma reorganização estratégica lá embaixo. Acho que sou a única a reparar, e meu sorriso aumenta ainda mais.

"Vou trocar a música", anuncia ao grupo. "Não aguento mais esse Aerosmith mela cueca."

Enquanto ele se afasta, meus olhos me traem, pousando em sua bunda rígida. A calça preta a envolve como uma luva, o que me faz pensar: calças cargo em geral são assim tão apertadas? Não achei que fossem. Talvez Dean tenha um alfaiate que faça calças cargo especiais para exibir a bunda. Ele é tão vaidoso, com certeza seria capaz de uma coisa dessas.

De qualquer maneira, é uma bunda gostosa. Droga, *tudo* nele é gostoso. Não consigo não admirar a forma como seus ombros largos preenchem a camiseta Under Armour de manga comprida, ou como o cabelo louro está desarrumado com perfeição. Então o perco no meio da multidão e sinto uma pontada de alívio, porque, com ele fora de vista, tenho um tempo para acalmar meus hormônios em fúria. O alívio, no entanto, é apenas momentâneo. Dean volta à mesa lindo como sempre, e eu continuo me resumindo a uma pilha de nervos excitados.

Ele se reacomoda no exato instante em que a última música da seleção anterior acaba e a primeira escolhida por ele começa a retumbar nos alto-falantes.

"I Want You To Want Me", de Cheap Trick.

Não consigo conter o ataque de risos, o que me rende um olhar desconfiado de Fitzy. "Perdi a piada?", pergunta.

"Não. Às vezes dou risada sem motivo", digo, animada. "Sou meio estranha."

Megan intervém: "É verdade. Ela é."

Engulo outra gargalhada e evito os olhos de Dean durante a música inteira. Não fico surpresa ao sentir meu telefone vibrar.

Ele: *Podia ter tentado uma coisa mais sutil. Mas pq me enganar? Tô louco por vc, Allie.*

Merda, ele me chamou de Allie. Está falando sério.

Ergo a cabeça, e a intensidade do seu olhar faz meu coração fraquejar e, em seguida, bater desenfreado. Dean já é um cara bonito pra caramba. Mas com tesão? É absolutamente espetacular.

Com os olhos verdes semifechados e baços, os lábios ligeiramente entreabertos, a garganta engolindo em seco, quase posso acreditar que ele *está* mesmo louco por mim. Literalmente enlouquecido de tanto desejo. Mas, pelo amor de Deus, estou falando de Dean. O cara é o tipo pra quem basta uma brisa qualquer na virilha para ficar duro. Sério, basta esbarrar nele, e aquele pau levanta. O cara é obcecado por sexo, e metade das meninas da faculdade está de prova, porque metade das meninas da faculdade já dormiu com ele.

Claro que é uma honra ser o objeto de toda essa energia sexual inebriante. Que mulher não gosta de se sentir desejável? Mas eu seria uma idiota de acreditar, mesmo por um segundo, que sou a *única* mulher para quem Dean Di Laurentis lança esse olhar lascivo. Não, não, sou só mais um furinho no cinto absurdamente comprido de Dean.

A lembrança me faz ficar em pé. "Não tô no clima de Cheap Trick hoje", digo, fazendo charme. "Acho que vou trocar de novo."

Caminho, decidida, até a jukebox do outro lado da sala. Não é uma daquelas máquinas antigas, mas uma moderna, com touchscreen e entrada tanto para dinheiro quanto para cartão. Boto uma nota de um dólar e estudo minhas opções. Nossa. Este troço tem quase todas as músicas que já foram compostas na história.

Sorrio quando o nome de uma cantora em particular salta aos meus olhos. Repasso sua discografia, seleciono a música que estava procurando e coloco na fila. A barra lateral na tela me diz que tem outra faixa na frente da minha, um sucesso da Kesha que arrasta um bando de alunos universitários para a pista. O que na verdade significa que eles começam a dançar no mesmo lugar em que já estão, porque a área na frente do palco de karaokê, que normalmente serve de pista, está tomada por um grupo de hipsters muito ocupados com os próprios celulares.

"Boa escolha", comenta Tucker. Ele também não larga do telefone hoje, então me surpreende que de repente esteja puxando assunto.

"Não fui eu que botei essa", comento.

"O que você escolheu, então?", pergunta Dean, desconfiado.

"Daqui a pouco você descobre, lindinho."

Três minutos depois, a introdução da minha música começa, e um coro de gritinhos femininos ecoa pelo bar.

Dean arregala os olhos para mim.

O que escolhi? "U & UR Hand", da P!nk.

"Boa!" Megan baixa o copo na mesa com força e fica de pé num pulo, estendendo a mão para mim. "Vamos dançar."

Não tenho tempo de dizer não, porque ela já está me arrastando para a multidão. Tudo bem, então. Acho que vamos dançar.

Com o baixo ressoando sob nossos calcanhares, jogamos os braços para o ar, rebolamos o quadril e nos esbaldamos. O cabelo ruivo de Meg acerta meu rosto quando ela rodopia. Também dou uma voltinha, porque assim posso espiar Dean. Ele está com uma expressão resignada, mas identifico também um ar de divertimento.

Quando chegamos à parte da música em que P!nk — que, por sinal, é uma DEUSA! — diz "bye-bye" para o babaca para quem está cantando, abro um sorriso meloso para Dean e dou um tchauzinho na sua direção.

Ele umedece o lábio inferior com a pontinha da língua, um sorriso lento curvando forçadamente a boca. Então responde com um aceno. *Mandou bem*, praticamente posso ouvi-lo dizer.

Meg e eu continuamos a dançar, e nossa dupla atrai cada vez mais atenção, e cada vez mais participantes. De repente, estamos cercadas por meninas curtindo a música tanto quanto nós. É praticamente um hino para toda mulher que já teve que lidar com um babaca nojento dando em cima dela num bar, ou batizando suas bebidas na esperança de conseguir transar, ou simplesmente sendo irritante quando ela está tentando se divertir com as amigas.

Uma menina asiática baixinha cheia de piercings no rosto e cabelo cor-de-rosa espetado bate com a bunda na minha, e logo estamos dançando de costas uma para a outra, batendo os quadris e compartilhando um momento de camaradagem feminina. Estou rindo e sem fôlego de tão animada, e, desta vez, quando procuro por Dean, ele não parece mais estar se divertindo.

Ai, droga.

Está excitado de novo.

Seus olhos sensuais acompanham cada movimento meu. Quando a música acaba, estou ardendo em chamas. Não do suor ou do exercício, mas do olhar de Dean me devorando feito fogo num campo de feno.

Quando Meg e eu voltamos para a mesa, viro o restante da minha água e levanto o cabelo para abanar o pescoço com uma das mãos. Meu telefone está em cima da mesa, e fico instintivamente rígida quando vejo a tela se acender. Um rápido olhar para Dean, e percebo que ele está com a mão embaixo da mesa de novo.

Mordo o lábio inferior e olho para o telefone.

*Não leia*, ordeno a mim mesma.

Eu leio.

Ele: *Da próxima vez q resolver dar um showzinho desses pra mim, melhor estar pelada.*

# 12

## ALLIE

Megan e eu voltamos para o campus um pouco depois da meia-noite. Entro devagarinho no meu alojamento de dois quartos, e o lugar está envolto em sombras. Não há uma luz sequer vindo da porta de Hannah, o que me diz que ela já foi dormir.

Tentando não fazer barulho, pego meu nécessaire e vou até o banheiro que dividimos com as outras meninas do andar. Dez minutos depois, volto ao meu quarto na ponta dos pés e visto o pijama, em seguida, apago a luz e me enfio debaixo das cobertas.

Nunca tive dificuldade em pegar no sono — em geral apago no instante em que minha cabeça bate no travesseiro.

Esta noite, no entanto, o sono me escapa. As mensagens de Dean me deixaram toda excitada e agitada, e passo uma hora virando na cama, tentando encontrar uma posição confortável. Mas *não estou* confortável. Meus peitos doem e posso sentir minha pulsação latejando lá embaixo. Toda vez que viro, meus mamilos esfregam o colchão, e o atrito os faz doer ainda mais.

Culpa de Dean. Por que tinha que escrever aquelas coisas sacanas?

Um gemido me escapa. Viro de novo, tentando me acomodar de lado. Normalmente, gosto de dormir abraçando o cobertor com as coxas. Neste momento, ter algo enfiado lá embaixo é uma provocação insuportável, e meus quadris começam a se mexer involuntariamente contra o edredom.

"Que *droga*!" Minha voz torturada ecoa na escuridão. Viro de costas e levanto um joelho, porque, obviamente, não vou sentir sono até dar um jeito nisso.

"U & UR Hand" foi uma escolha para lá de profética.

Cerro os dentes e enfio a mão dentro da calça xadrez do pijama. Infelizmente, não sou daquelas que esfregam o clitóris algumas vezes e... pronto! Orgasmo! Não, preciso de uma história, uma fantasia maravilhosa que me leve ao limite. Ultimamente, elas têm envolvido uma celebridade por quem tenho uma paixonite: o perfeito do Ryan Gosling. E é Ryan que me salva nesses terríveis momentos de necessidade.

Cada história começa de um jeito. Estou num bar, e a gente dá em cima um do outro. Estou num quarto de hotel, e há uma confusão que nos obriga a dividir uma cama. Estou caminhando na praia em Malibu, e olha só com quem eu esbarro!

Mas elas sempre terminam do mesmo jeito — com Ry me comendo até cansar.

Opto pelo quarto de hotel, uma vez que me possibilita uma infinidade de cenários sexuais possíveis. Hoje à noite, estou dormindo sem roupas, porque o ar-condicionado pifou. Imagino que não precisaria de uma desculpa para dormir nua, mas gosto que minhas fantasias sejam minimamente coerentes com minha vida real, e, como não costumo dormir pelada na vida real, o ar-condicionado está quebrado.

Certo, onde eu estava? Esfrego o indicador no clitóris, me imaginando numa cama king-size. Estou pegando no sono, quando ouço um "bip". Alguém passou um cartão na fechadura da porta. Fico indignada! Será que a recepção decidiu mandar a camareira no meio da noite? Quem poderia estar entrando no meu... olha, vejam só. É Ryan Gosling. Ele adentra o quarto, de peito nu, por algum motivo. O cós da calça jeans é tão baixo que é possível admirar as linhas de seu abdome descendo em direção à virilha.

Ele fica surpreso ao me ver na cama, e concordamos na mesma hora que houve algum erro, e o hotel fez uma reserva dupla. Então engatamos numa conversa de cinco minutos sobre nossas vidas, na qual Ryan revela que Eva Mendes terminou com ele.

Isso aí, minhas fantasias sexuais têm diálogo *e* conversa fiada.

Por fim, acabo saindo da cama e... ah, não! O lençol que cobria meu corpo nu escorrega até o tapete. Ryan arregala os olhos azuis, apreciando a vista. Seu pênis endurece visivelmente sob o zíper da calça.

Ele lambe os lábios e se aproxima.

Provocante, deslizo os dedos por entre os seios. Seus olhos ardem feito safiras líquidas.

Não, esmeraldas. Porque agora seus olhos ficaram verdes. Verdes? Mas por quê?

Na escuridão do quarto, solto baixinho um palavrão. Mas que *merda*.

Por que Dean está invadindo minha fantasia?

Meu dedo fica imóvel em meu clitóris. Que falta de educação. Ryan e eu estávamos prestes a começar. Dean não pode estragar isso.

Fecho os olhos bem apertados e me transporto de volta para a fantasia. Mas já não estou no hotel, e Ryan não está mais comigo. Estou numa arena de hóquei com Dean, e estamos nos beijando no gelo.

Sufocando outro gemido, afasto a cena da cabeça e, mais uma vez, obrigo minha mão a parar de se mexer. Para onde essa porcaria de fantasia vai? Gelo é *frio*. Quem iria querer morrer de frio no meio do sexo? E por que Dean está beijando meu corpo nu? O treino dele vai começar a qualquer minuto. O time inteiro vai entrar aqui e pegar a gente...

*"Gosto da ideia de ser pego no flagra."*

O gemido me escapa antes que eu consiga me conter. A confissão rouca de Dean não faz parte da fantasia — é cem por cento verdadeira.

Na noite em que perguntei por que ele não transa no quarto, suas pálpebras ficaram pesadas, e sua voz exalava sexo puro ao dizer lentamente: "Gosto da ideia de ser pego no flagra".

É isso aí, Dean Di Laurentis fica com tesão de imaginar que alguém pode pegá-lo fazendo sexo.

E a confissão terminou por aí? Claro que não, porque isso significaria que ele *não* teria feito de sua missão na vida me atormentar sexualmente. Não, ele completou a revelação com: "E quando me pegam, gosto que me assistam".

Estou a fim de um exibicionista. Merda, talvez eu seja uma exibicionista também, porque, em vez de parar a fantasia, sigo adiante.

"Melhor gozar logo, gata." Sinto a respiração de Dean fazendo cócegas em minhas coxas. "Senão os caras vão sair daquele vestiário e me ver com a cara enfiada em você."

Minha respiração acelera. Aperto um dos seios, brincando de leve com o mamilo. Com a outra mão acaricio o clitóris em pequenos círculos. Ai, Deus. Estou tão molhada. E meu clitóris está inchado de desejo. Praticamente posso sentir a língua de Dean sobre ele.

"Ah, você gosta da ideia, né?" A ponta do seu dedo roça minha abertura. "Olha como tá molhada."

Ele enfia o dedo em mim.

Não, eu enfio o dedo em mim. Meus seios foram abandonados, e agora estou com ambas as mãos entre as pernas. Esfregando meu clitóris com uma e enfiando o dedo com a outra, me derreto no colchão e imagino Dean me chupando.

"Vou te foder bem aqui no gelo, Allie."

Meus dedos dos pés se retorcem. A pressão dentro de mim é insuportável.

Na fantasia, Dean fica de joelhos. Seu peito reluz sob as luzes brilhantes da arena. Seu pênis é longo e imponente. Ele envolve o punho em torno da base e se inclina para a frente, trazendo-o mais e mais perto de onde o quero.

E então ouço passos. Vozes. Risos. Os jogadores estão saindo do túnel do vestiário. Dean sorri maliciosamente. Então enfia o pau duro dentro de mim...

Gozo tão forte que esqueço de respirar. Fico esparramada na cama, ofegante, tremendo. Com o orgasmo se espalhando pelo meu corpo em ondas quentes e pulsantes, vejo estrelas piscando dentro de minhas pálpebras fechadas.

Ai, meu *Deus*.

Isso foi... foi... Nem tenho palavras para descrever.

E a parte triste? O clímax que me despedaçou não foi nem de perto tão poderoso quanto os que Dean me proporcionou pessoalmente.

Ainda estou tremendo com os efeitos do orgasmo ao procurar, no escuro, pela caixa de lenços de papel na mesinha de cabeceira. Pego dois lenços e me limpo entre as pernas. Não me lembro da última vez em que fiquei tão molhada durante uma sessão solo.

*Pense em como ficaria ainda mais molhada se transasse comigo de novo...*

Argh. Praticamente posso ouvir Dean me provocando. Me seduzindo...

Inspiro fundo. Certo. Sou uma pessoa pragmática. E gabaritei a disciplina de lógica argumentativa que fiz no primeiro ano. Então talvez só precise racionalizar essa situação.

*Premissa I: Dean Di Laurentis é ótimo de cama.*
*Premissa II: Ele quer transar comigo de novo.*
*Premissa III: A ideia de transar com ele me excita.*
*Conclusão: Eu deveria transar com Dean.*

Tá, essa foi fácil. Agora, vem a parte complicada.

*Premissa I: Sexo casual me deixa desconfortável.*
*Premissa II: Acabei de terminar um namoro longo e não estou pronta para começar outro relacionamento.*
*Premissa III: Mesmo que estivesse, não iria querer namorar um pegador como Dean.*
*Conclusão: Hmm...?*

Tento outro raciocínio:

*Premissa I: Não quero começar um relacionamento com Dean.*
*Premissa II: Ele não quer começar um relacionamento comigo.*
*Conclusão: Devemos fazer sexo casual.*

Outra obviedade, só que ainda não resolvi o problema do sexo casual. Mas, pensando bem, a única pessoa aqui fazendo julgamentos sou eu mesma. Ter um caso com Dean vai fazer de mim uma vagabunda? Ele sem dúvida não acha isso. Nem meus amigos, embora eu certamente não esteja planejando contar a eles, caso decida ficar com Dean. O que me leva à pergunta: por que quero manter isso em segredo?

Mastigo a bochecha por dentro, refletindo sobre a questão. A resposta continua a me surpreender, mas a ideia de que todo mundo saiba que estou transando com Dean ainda me causa desconforto. Tudo bem. Vou ter que continuar mantendo isso em segredo. Talvez amanhã eu reflita um pouco mais sobre *por que* me sinto assim.

Ai... merda. Será que acabei de tomar uma decisão?

Já estou pegando o telefone, então... é, acho que sim.

Abro o contato de Dean e digito uma única palavra na caixa de mensagens: *O.k.*

É preciso dar crédito ao sujeito — ele sabe exatamente do que estou falando, pois digita de volta: *Qdo?*

Eu: *Amanhã d noite? Hannah vai dormir na sua casa. Vc pode vir aqui. 20h?*

Ele: *O jogo das crianças começa às 18. Só vou poder às 21.*

Eu: *Jogo das crianças?*

Ele: *Não esquenta. Amanhã eu explico.*

Ele: *Pq vc mudou d ideia?*

Por que mudei de ideia... Maluquice, talvez? Uma obsessão doentia por sexo? O pau maravilhoso dele?

Eu: *Decidi q tava na hora d viver a vida d Dean.*

Ele: *Demorou. Então 21h tá bom?*

Hesito.

Eu: *Tá.*

Deus, o que estou fazendo? Talvez *tenha* enlouquecido.

Há uma longa demora até sua próxima mensagem chegar. E, assim que a leio, uma gargalhada histérica salta de minha boca.

Ele: *Eu levo a corda.*

# 13

## ALLIE

Conheci meu agente, Ira Goldstein, através de um amigo do meu pai. Ele me representa desde que eu tinha doze anos, e o primeiro trabalho que arrumou para mim foi um comercial de cereal. Eu tinha uma única fala, que lembro até hoje:

*"Como uma coisa TÃO GOSTOSA pode fazer TÃO BEM para você? HMM!"*

Posso apostar que meu pai ainda tem um DVD do comercial guardado em algum lugar em casa. Espero que esteja no cofre em que ele guarda as armas, porque, caramba, não quero nunca que esse vídeo vaze para o mundo.

Ira se divide entre os escritórios da agência em Manhattan e em Los Angeles, então a maioria das nossas interações ocorre por telefone. Hoje ele está me ligando de Los Angeles.

"Bom dia!", me saúda, na voz retumbante e jovial que aprendi a amar.

"Boa tarde", corrijo. O ensaio terminou neste instante, e estou equilibrando o telefone no ombro enquanto visto o casaco na saída do auditório. "São duas horas na Costa Leste."

"Ah, certo. Merda de fuso horário. Está me deixando senil. Nunca sei onde estou ou que horas são."

Dou risada.

"Já conseguiu ler o piloto da Fox que mandei pra você?" Ira é o tipo de profissional que adoro, focado no trabalho e sem tempo para besteiras. É um tubarão, mas agentes têm que ser tubarões, e gosto dele mesmo quando está tentando me vender projetos que sei que só escolheu pelo dinheiro.

"Olhei por alto. Parece ter potencial."

"Bem, olha de novo, e com atenção dessa vez. Falei com um dos produtores ontem à noite. Eles querem muito que você venha aqui fazer um teste para o papel."

"Para qual personagem mesmo? Era Bonnie? Ou Sarah?"

"Espera aí. Deixa eu ver." Ouço o barulho de papéis do outro lado da linha. Poucos segundos depois, ele está de volta. "Bonnie."

Engulo a decepção. Droga. Queria que fosse Sarah. O piloto é uma comédia de trinta minutos sobre três meninas que se odiavam na escola, mas que são forçadas a dividir um quarto na faculdade. O seriado passa então a acompanhar o primeiro ano das três, à medida que elas vão aprendendo sobre o amor, a vida e a amizade e se envolvendo em todo tipo de confusão. O papel foi descrito para Ira e para mim como parte do elenco principal, mas uma atriz de televisão famosa já se comprometeu a fazer Zoey, então está na cara que eles estão planejando mantê-la como estrela. As outras duas posições estão em aberto, mas eu teria preferido fazer um teste para o papel de Sarah, a puritana que precisa aprender a se soltar. Acho que poderia me divertir com isso.

Bonnie, por outro lado, é a cabeça-oca do trio. Tem algumas falas engraçadas, mas é mais burra que um jumento. A personalidade excêntrica e o QI de um dígito são suficientes para fazerem as mulheres regredirem uns mil anos na história.

Mas talvez eu esteja me preocupando à toa. Talvez os escritores tenham planejado uma trajetória substancial para Bonnie. Não faz sentido ter três personagens femininas principais, mas só desenvolver duas delas, faz?

"O papel é perfeito para você, querida." Ira se empolga. "Você é capaz de fazer o tipo aéreo e bonitinho com o pé nas costas."

Pois é. Sou. Mas não sei se quero. Todos os papéis que fiz foram o tipo aéreo e bonitinho. Seria bom ampliar meus horizontes, exercitar um pouco minhas capacidades como atriz.

Só que... estamos falando de um *seriado de TV*! Tenho uma chance de coestrelar um piloto que, a julgar pelo bafafá que já está gerando, sem dúvida vai render pelo menos uma temporada inteira.

"Vou ler de novo hoje à noite", prometo. Então tento invocar um mínimo de entusiasmo sobre a possibilidade de fazer o papel de Bonnie, mas não estou me sentindo nem um pouquinho animada.

Aliás, já faz um tempo desde que li uma coisa que me empolgou. O último projeto que me deixou assim foi a peça que fiz para Brett Cavanaugh, no verão.

"A seleção começa em fevereiro", me avisa Ira.

Franzo a testa. "Isso é daqui a quase três meses. Por que eles fecharam o papel de Zoey tão cedo?"

"Queriam garantir Kate Ashby antes que outra emissora a fisgasse. Os produtores estão encerrando a última temporada do outro seriado deles e depois vão começar a tocar este projeto. Querem que você pegue um voo no dia seis de fevereiro."

Sinto um peso no estômago. "Não posso. *Viúva* estreia no dia oito. Nessa semana vamos fazer os ensaios gerais."

"*Viúva?*"

"A peça que estou fazendo na faculdade."

Ira suspira. "Alguma chance de eles liberarem você dos ensaios gerais?"

"De jeito nenhum."

"Merda."

Segue-se um silêncio. Ira faz isso com frequência, pensar profundamente por longos minutos. Acho que se esquece de que estamos no telefone, e não na mesma sala.

"Ira?", pergunto.

"Desculpa, querida. Pensando..." Depois de outra pausa, sua voz energética retorna. "Tudo bem, deixa eu ligar para Virgil, meu assistente. Vou ver o que a gente pode fazer."

Ele desliga sem se despedir, outro mau hábito seu. Insiste que não tem tempo para "essa porcaria".

Dez minutos depois, estou caminhando pela calçada da Bristol House e passando minha carteirinha na roleta da entrada. Provavelmente não vou ter uma resposta de Ira hoje, e parte de mim está torcendo para que os produtores digam: *Sinto muito. Se ela não puder fazer o teste no dia que a gente quer, vamos dar o papel para outra pessoa.*

O que é uma maluquice, porque, mais uma vez... Seriado. De. TV.

Qual é o meu problema?

Muitos, aparentemente, porque não só estou considerando faltar em um teste que poderia alavancar minha carreira, como também estou pensando em transar com Dean Di Laurentis hoje à noite.

Pois é, nosso encontro continua tão de pé quanto a Torre Eiffel. Não mudei de ideia. Na verdade, estou — Deus tenha piedade da minha alma — ansiosa. Até deixei de ir à academia para me preparar.

Depois de engolir um sanduíche de queijo quente no almoço, chamo um táxi e sigo para o salão de beleza de Hastings.

Tanya, minha guru da manicure/ pedicure/ depilação, já está esperando por mim quando chego. Há muito tempo concluí que ela é uma sádica, porque seu entusiasmo por torturar minhas regiões baixas é assustador. Primeiro fazemos a depilação, porque não gosto de ficar me preocupando com uma iminente sessão de tortura com cera quente enquanto faço as unhas.

Uma vez que estou lisinha feito um bebê, Tanya passa um óleo calmante sobre a área sensível e sai da sala, enquanto visto a calcinha e a legging de novo. Em geral, minha pele leva algumas horas para perder a vermelhidão, mas Dean só vai chegar às nove, então tenho tempo o suficiente para me recuperar lá embaixo e estar pronta para a festa.

Deixo a sala de depilação e me junto a Tanya no salão das manicures. Uma hora depois, vou embora exibindo um esmalte vermelho vivo nas unhas dos pés e das mãos, porque acho que Dean vai gostar de ver minhas unhas vermelhas reluzentes alisando seu tanquinho. Pedi a Tanya para lixá-las um pouco mais curtas e redondas desta vez, para não deixá-lo todo arranhado de novo.

No táxi de volta para o alojamento, tento descobrir se estou animada ou decepcionada comigo mesma. Ainda não acredito que cedi à masculinidade potente de Dean, mas não posso negar que estou ansiosa por rever aquele pênis mágico.

A menos que... e se ele tiver perdido o charme? Quer dizer, quantas vezes dá para esfregar uma lâmpada mágica até que o gênio esgote seus poderes? Ou será que a lâmpada tem um número infinito de desejos?

*Allison Jane Hayes e seus pensamentos de altíssimo nível.*

Hmm. Talvez *esse* devesse ser o meu programa de televisão.

Quando enfim o relógio bate nove horas, estou pronta para mandar ver, como dizem.

Me embelezei dos pés à cabeça. Fiz depilação, as unhas, tomei banho e me perfumei, passei até uma prancha no cabelo depois de usar o secador, em vez de deixá-lo em seu estado natural semiondulado.

Parece um desperdício se dar todo esse trabalho em termos de beleza e depois não colocar um vestidinho preto ou uma lingerie sexy, mas acho que o safado do Dean vai rasgar minhas roupas no instante em que chegar aqui, por isso vesti uma calça de ginástica e uma camiseta. Sem sutiã (afinal de contas, pra quê?), mas estou de calcinha, porque não gosto de não usar nada lá embaixo, a menos que esteja me sentindo especialmente devassa. Às vezes, fazia isso quando Sean e eu íamos a um restaurante chique. Ele ficava louco de saber que estava sem nada...

*Você não tem permissão para pensar em Sean quando está a minutos de dormir com outro homem!*

Tarde demais. Sean está na minha cabeça agora. Ainda não concordei em encontrá-lo pessoalmente, mas sei que deveria dar logo uma resposta, antes que ele tente resolver o problema com sua sutileza de elefante. Sean faz muito isso.

Por exemplo: quando veio ao meu alojamento sem ser convidado.

O que me fez fugir para a segurança da casa de Garrett.

O que me levou para a cama de Dean.

Tá aí uma lição de moral que ele deveria aprender: *Pressione a sua ex-namorada demais, e ela vai acabar dormindo com um pegador.*

Ou talvez fosse melhor se ele ignorasse essa lição em particular. Além do mais, estou sendo injusta, porque não dormi com Dean por culpa de Sean. A decisão foi minha.

E estou prestes a tomar a mesma decisão de novo.

Dean está cinco minutos atrasado. Eu me ajeito impaciente no sofá, esperando por ele, incapaz de me concentrar no episódio de *Solange* que está passando na TV. Desde a noite em que Dean esteve aqui não vi outro episódio, e fico assustada ao perceber que, sem ele, a série não tem a mesma graça. Meio que gostei dos seus comentários e de como pausava o seriado de cinco em cinco minutos para dizer: "Allie-Cat, não tô entendendo porra nenhuma do que tá acontecendo!".

Foi... fofo.

Minha nossa. Acabei mesmo de usar a palavra *fofo* para descrever Dean? Faço uma nota mental para nunca dizer isso em voz alta. Ele provavelmente vai me acusar de ter uma queda por ele.

Ouço passos pesados no corredor, o que faz a ansiedade subir em meu peito. Meu coração dá uma pirueta boba e indesejada diante das duas batidas fortes contra a minha porta. É um "*bum*" viril, e, quando abro a porta, Dean está de pé na minha frente. Está de calça jeans desbotada com um rasgo no joelho, um suéter verde-escuro de tricô por baixo da jaqueta da Briar e um gorro de lã preto.

"Oi." De repente, me sinto desconfortável com toda esta situação.

"Oi." Ele tira o gorro ao passar pela porta. Noto que está com o cabelo molhado, como se tivesse acabado de sair do chuveiro. Seu olhar recai sobre a televisão. "Ai, merda, o que eu perdi? Marie-Thérèse encontrou uma cópia do testamento do Claude?"

"Não sei. Comecei o episódio uns três minutos antes de você aparecer."

"Ah, tá. Bem, se você assistir de novo sem mim, me escreve para me avisar o que aconteceu." Ele joga o gorro e a jaqueta no sofá.

Pego os dois depressa. "Não, isso vem com a gente. As botas também", acrescento, apontando para as Timberlands pretas que ele está descalçando.

"Para onde estamos indo?"

"Para o meu quarto. Não quero nenhuma evidência da sua presença nesta sala, caso você esqueça alguma coisa. Esta é uma operação secreta."

"Você é quem manda, senhora Bond."

No meu quarto, largo as coisas dele na cadeira. Então o clima fica estranho de novo, porque Dean está logo ali. A um metro e meio de distância. Sorrindo para mim.

"O que foi?", murmuro, na defensiva.

Ele dá de ombros. "Nada." Mas continua não fazendo um único movimento na minha direção.

"Você vai ficar aí parado? Vem aqui e faz alguma coisa, droga."

Seus lábios se curvam num sorriso. "Fazer o quê?"

Fico ainda mais desconfortável. "Sei lá. Me dá um beijo. Tira a minha camisa. Qualquer coisa."

Dean cruza os braços sobre o peito largo. "Nada disso. Se você me quer, vem pegar."

Sinto a irritação subindo pela coluna. "Então vamos fazer joguinhos agora?"

"Joguinho coisa nenhuma." Ele ergue uma sobrancelha loura-escura. "É só que ainda não tô convencido de que você não tá me sacaneando ou algo assim."

"O quê? Acha que te chamei aqui pra zoar com você?" Abro um sorriso atrevido. "Gato, te chamei aqui para *você* me foder. Ponto."

Ele dá uma risada, e o som profundo e rouco me atinge em cheio. Ah, que se dane. Se ele quer que eu tome a iniciativa, eu tomo a iniciativa. Nós dois queremos a mesma coisa.

Sem dizer palavra, percorro a distância entre nós e deslizo a palma da mão sobre sua bochecha.

Dean inspira de leve. Está com a barba feita, e me vejo com saudade dos pelos grossos por fazer. Gostei da sensação deles contra a minha pele na outra noite.

Mas, ao contrário da outra noite, estou completamente sóbria. Não posso usar o álcool como desculpa para o que estou fazendo agora.

Escorrego a mão até a parte de trás de sua cabeça e corro os dedos pelo cabelo úmido. Quando nossos olhos se encontram, puxo sua cabeça para baixo, e nossos lábios se tocam num beijo recatado. Sem língua. Sem urgência. É um estudo exploratório, como se nossas bocas estivessem matando a saudade. Por fim, me afasto e olho para ele.

Caramba. Seu olhar transmite um calor tão visceral e palpável que me faz ofegar. Quando me dou conta, a boca de Dean está sobre a minha de novo, e não tem nada de exploratório *neste* beijo.

É pura fome.

Sua língua invade os meus lábios num carinho profundo, punitivo. Ouço meu gemido, mas Dean engole o som desesperado com outro beijo ávido, as mãos quentes apertando meus quadris enquanto me beija até eu ficar sem fôlego.

Meu coração está aos pulos. Nossa, estou incrivelmente excitada. Ele também — sinto a prova disso quando ele agarra a minha bunda e me puxa contra ele, esfregando nossos corpos um contra o outro.

"Você me deixa tão duro", rosna ele.

Ele gira os quadris, curvando-se de leve para encaixar o membro no encontro das minhas coxas. Então se move para a frente, e sua ereção esfrega o meu clitóris, provocando uma onda de prazer que percorre toda a minha espinha.

"Tira a roupa", digo, ofegante. "Agora."

Com outra risada, ele ignora o pedido frenético e me beija de novo. Seus lábios se mostram tão gananciosos quanto antes, profundamente dominantes, e bem quando concluo que este beijo frenético e apaixonado não pode ficar mais quente, Dean diminui o ritmo de repente. Sua língua faz cócegas em meu lábio inferior. Os dentes perfeitos dão uma mordidinha de leve. E ele enterra o rosto no meu pescoço e me enche de beijos suaves, com a boca aberta, que deixam arrepios em seu rastro.

Como ele não parece ter a menor pressa para tirar as roupas, decido fazer isso por ele. Seguro a bainha de seu suéter e ergo o tecido pesado. Quando alcanço sua clavícula, ele afasta a cabeça para me ajudar. No momento em que seu suéter se vai, corro, ansiosa, as palmas das mãos por sua pele quente e nua.

Ele faz um barulhinho rouco e enfia os dedos no meu cabelo, me observando com olhos famintos enquanto acaricio seu peito.

O cara é *sarado*. Estou praticamente ronronando de felicidade ao explorar as superfícies rígidas de seu peito. Percorro os peitorais esculpidos com o dedo indicador; em seguida, alcanço um dos mamilos e o aperto para baixo. Ele se contrai, a respiração ficando mais acelerada. Levo o mesmo dedo ao longo da linha de pelos louro-escuros que desce por sua cintura, então achato a palma da mão e acaricio o abdome definido.

Os lábios de Dean encontram meu pescoço novamente. Com dedos hábeis, ele puxa minha camisa para cima e a tira por minha cabeça.

Então inspira fundo. "Sem sutiã?"

"Parecia redundante."

Dean envolve meus seios com as mãos, e sinto um prazer inflamar dentro de mim. Ele passa os polegares sobre os mamilos, e gemo baixinho. "Você não sabe o quanto quis brincar com esses peitos de novo."

Minha cabeça deita de lado, e ele aproveita e lambe um caminho do meu pescoço até a minha orelha. Chupa de leve o lóbulo, e desabo contra o seu peito quente, me entregando à sensação. Dean continua a provocar meus mamilos, mas só com a ponta dos dedos. Mal está fazendo contato, e eles se enrijecem, doloridos, toda vez que seus dedos passam por eles.

"Encaixam certinho na minha mão." Ele aperta ambos os seios, os polegares alisam a base de cada um. "E esses mamilos, gata. Porra."

Ele abaixa a cabeça, e grito ao sentir sua língua sobre o meu mamilo direito. Depois da tortura daquela atenção superficial, a lambida firme e determinada é como um choque elétrico varando o meu corpo.

"Isso aí", geme ele. "Acho que posso passar a noite toda chupando esses peitos."

E ele segue adiante. Chupando, digo. Envolve o mamilo rígido com os lábios e suga com a boca quente, molhada.

"Ai, merda." Solto um suspiro.

"Você gosta?" Sua respiração faz cócegas em meus seios à medida que ele beija um caminho até o outro mamilo.

"Aham."

"Está ficando molhada?"

Murmuro algo ininteligível, porque ele está lambendo círculos provocantes ao redor do mamilo, e não lembro mais como formar palavras com a boca.

"O quê?", provoca ele.

Solto mais disparates. "Mmrrmblerg."

Dean ri. "Tá bom. Acho que vou ter que descobrir sozinho." Ele enfia as duas mãos sob o elástico na minha cintura e baixa minha calça e a calcinha. Depois que as chuto para longe, ele não perde tempo em levar a mão entre minhas pernas.

Não estava esperando os dois dedos que ele enfia dentro de mim. "Ai, meu Deus", gemo. A onda de prazer quase me derruba.

"Cacete. Você *tá* molhada. Pingando, gata." Um grunhido escapa de sua boca. Seus olhos estão selvagens, cintilantes. "Se não lamber essa boceta agora, vou ficar louco."

Achei que fosse me empurrar para cima da cama. Mas ele me surpreende me apoiando contra a porta. Ele fica de joelhos e abre minhas pernas, e tremo só de vê-lo olhando para mim, a luxúria escurecendo seu olhar. Ele lambe os lábios, e quase gozo ali mesmo.

Dean sorri com malícia ao ver minha expressão. "Quer minha boca em você? Minha língua?"

Faço que sim, trêmula.

Quando sua boca se aproxima de meu corpo, solto um som estrangulado.

Quando sua língua toca o meu clitóris, outra pessoa emite um som.

Não fui eu, nem Dean, e com a voz alegre de Hannah ecoando no corredor, nós dois ficamos imóveis. Eu, de pé, Dean, de joelhos, como se estivéssemos encenando uma pintura viva para uma plateia.

"Oi!", grita Hannah. "Vim só pegar minha partitura. Esqueci de levar comigo para a casa do Garrett."

Dean levanta ligeiramente a cabeça, mas seus lábios ainda estão a centímetros de mim. Quando os passos de Hannah se aproximam ameaçadoramente da porta do meu quarto, sou tomada pelo pânico.

"Allie?"

Aperto os lábios. Se não disser nada, talvez ela pense que saí.

Mas não. Não tem como ela não ver a luz debaixo da minha porta. E ela deve ter notado meu casaco, os sapatos e a bolsa na nossa área comum.

"Allie?" Ela bate à porta.

Completamente impotente, fito Dean. O brilho maligno em seus olhos me faz estreitar os meus. Não sei o que ele está planejando, mas eu... ai, Deus. Ele arrasta a ponta da língua sobre o meu clitóris, e agora meus olhos estão arregalados de horror, porque tenho certeza de que acabei de gemer.

"Estou ouvindo você aí", acusa Hannah.

Sim, porque eu gemi.

Limpo a garganta. "Ah, é, tô aqui. Desculpe, eu estava..."

Dean vai beijando para cima e para baixo em minha abertura. Esqueço mais uma vez como falar. "Eu... ai, Deus", arfo. "Não te ouvi antes."

Há uma pausa. Uma pausa longa e preocupante.

"Allie...", começa Hannah, então tosse e, por fim, continua: "Tô interrompendo você, hmm... numa viagem solitária para a capital do orgasmo?"

Os ombros de Dean começam a tremer incontrolavelmente. Seu riso abafado vibra contra o meu clitóris, e o efeito resultante rivaliza com as boas vibrações de todos os brinquedos sexuais na minha mesinha de cabeceira.

Um "*Isso!*" rouco salta de minha garganta. Foi dirigido a Dean, mas é claro que Hannah não sabe.

"Merda", ela deixa escapar. "Foi mal! Saindo agora! Juro!"

Seus passos apressados se afastam pelo corredor. Ouço-a na sala de estar. Em seguida, a porta da frente se fecha.

Meu coração ainda está aos pulos quando baixo os olhos para Dean.

"Achei que ela não ia embora nunca", murmura ele.

# 14

## DEAN

Allie goza mais rápido do que eu esperava. Minha língua mal toca seu clitóris, e ela já está tremendo, gemendo e se esfregando contra a minha boca. Acho que a ideia de quase ser pega no flagra é tão excitante para ela quanto para mim.

Droga, queria ter conseguido levá-la ao clímax com Hannah ainda atrás da porta. Teria sido um tesão. Um segredinho sujo só nosso. Mas assim também é bom, Allie montada na minha cara como se fosse um jóquei, e eu, o seu cavalo de corrida.

Pensando bem, é melhor do que bom. Meu pau parece uma barra de ferro tentando arrebentar minha calça, e cada vez que seus músculos internos apertam mais os dois dedos que enfiei dentro dela, sinto uma contração no saco. Quando seu corpo enfim relaxa, dou uma última lambida provocante em seu clitóris e fico de pé.

"Tudo bem com você?" Sorrio ao ver sua expressão nebulosa.

"Tudo ótimo." Allie parece sonolenta e saciada, mas fica alerta de novo quando levo as mãos ao meu zíper.

Deixo a calça cair no chão. Estou sem cueca, porque — o que foi que ela falou? Seria redundante. Quando meu pau surge, livre, seguro-o com a mão direita e faço um carinho muito necessário. Nossa, estou tão duro que dói.

Eu me delicio com a visão do seu corpo nu. Allie é mais baixa do que as meninas com quem costumo sair, mas, por mim, tudo bem. E de alguma forma é magra e curvilínea ao mesmo tempo. Absorvo cada detalhe delicioso, dos peitos empinados à pele lisa e pálida, passando pelo paraíso cor-de-rosa entre as pernas.

Estava quase achando que, de alguma forma, iria me decepcionar, e que uma semana inteira desejando esta menina teria exagerado seu poder de atração. Não foi o que aconteceu. Ainda bem que ela mudou de ideia, porque quero essa mulher tanto quanto antes.

Meu olhar pousa no rosto dela, descansando por um momento em sua boca sensual, em seguida retorna para o seu corpo completamente nu.

Gemo de frustração.

"O que foi?", pergunta ela, a voz rouca.

"Tô tentando decidir o que quero mais — esses lábios bonitos no meu pau, ou a sua boceta apertada espremendo ele." Acaricio de leve minha ereção enquanto analiso as duas igualmente tentadoras opções. "Me dá a sua boca."

Seus olhos azuis se estreitam. "E se eu não quiser?"

Aperto a cabeça inchada antes de deslizar o punho até a base, sacudindo meu membro inteiro para ela. "Para de agir como se não tivesse gostado de me chupar na outra noite."

Como ela não me responde, dou um passo à frente e aperto meu corpo nu contra o dela. Allie estremece. Pego sua mão e a envolvo em meu membro, e ela treme ainda mais.

Baixo a cabeça e sussurro em seu ouvido. "Por favor, gata, eu me comportei tão bem... Esperei uma semana inteira por isso. Não mereço uma recompensa pela paciência?" Acaricio a lateral do seu pescoço com os lábios. "Me comportei...", beijo seu queixo, "... tão...", beijo todo o caminho até a sua boca, "... bem."

Allie emite um ruído ofegante e move a mão ao longo do meu pau. Em seguida, fica de joelhos sem dizer uma palavra. Meu pau se contorce de emoção. Ela abre os lábios. Umedece-os com a língua. Lambe-os de novo. Não consigo tirar os olhos da sua boca. Quero ela em mim, mas a dor no meu saco me adverte que, no instante em que houver a mínima sucção ali, não vou demorar a explodir.

Uma lambida. É tudo que Allie consegue fazer antes de eu a colocar de pé de novo. "Não, nada disso", aviso, os dentes cerrados. "Vou gozar rápido demais."

Vejo o ultraje em seus olhos. "Você vai me deixar na vontade?"

"Não importa. Quero sua boceta. Na cama."

Fico meio que esperando ela reclamar, porque Allie parece gostar de brigar comigo, mas ela é surpreendentemente obediente. Num piscar de olhos, está deitada e abrindo as pernas sedutoramente.

Merda. Está muito molhada. Ainda sinto seu gosto na língua, e agora estou tentando me decidir se quero fazer com a boca de novo, porque, nossa, quero sentir seu gosto mais uma vez. Míni Dean adora e odeia a ideia ao mesmo tempo, me alertando que se a minha boca sequer tocá-la novamente, vou gozar sem estímulo por todo o lençol. E qual a graça disso?

Inspirando fundo, fico de joelhos na frente dela e me abaixo, me acomodando na suavidade de suas coxas. Allie agarra meu pau, e quase chego ao clímax. Não tinha notado as unhas vermelhas antes. São praticamente um pecado me arranhando a pele. Então ela esfrega a pontinha que já está molhada, e estremeço, empurrando a ponta do pau na direção de sua abertura.

"Camisinha", ela me lembra.

Merda. Não acredito que quase esqueci de me vestir para a ocasião. Em geral, já faço isso no automático, igual a colocar o equipamento de proteção antes de entrar no rinque.

Passo o braço pela lateral da cama e apalpo o chão até encontrar minhas calças, por fim pesco o preservativo do bolso.

Um momento depois, estou entre suas pernas de novo. Observo seu rosto enquanto seguro meu pau e o aproximo dela. A ponta a toca, pedindo para entrar. Ela treme visivelmente. Com as faces coradas e o cabelo louro esparramado atrás de si, é a imagem mais sensual que já vi.

Entro em sua vagina apertada, e nós dois soltamos um suspiro feliz. Porra, adoro sexo. Não estou nem aí se quem criou os homens e as mulheres foi Deus, seleção natural ou marcianos verdes. Só sou eternamente grato a quem nos deu pênis e vaginas e um jeito divertido de usá-los.

Me abaixo para roçar os lábios de Allie com os meus, o que muda o ângulo de leve, me fazendo entrar mais fundo dentro dela. Sinto um arrepio de prazer pelo corpo. Me concentro nele. Afasto os quadris, em seguida, entro de novo. Bem devagar. Deliberadamente.

A respiração de Allie fica entrecortada. "Para de me provocar."

"Você acha que isso é provocação?" Espalmo a mão em sua barriga lisa, o polegar tocando de leve seu clitóris.

Quando ela arqueia os quadris, afasto a mão, e ela geme de decepção. Rio. "*Isso* seria provocação."

"Meu Deus. Eu te odeio. Me toca", ordena ela. "Me toca e me come e me faz gozar de novo."

Estreito os olhos. "Você não estava tão mandona da outra vez. Ou eu estava bêbado demais para lembrar?"

Allie se levanta numa demonstração impressionante de flexibilidade e passa os braços ao redor do meu pescoço. Está no meu colo agora, se esfregando em cima do meu pau. "Estava mais mandona. Mas só porque você precisava de muito mais instruções."

"Mentira. Você gozou logo que eu te toquei."

"Como sabe que eu não estava fingindo?", provoca ela, e então balança os quadris, e nós dois gememos.

Continuo segurando-a com força pela cintura. "E você estava?" De repente, me lembro da confissão de Logan de que Grace fingiu um orgasmo na primeira vez que eles ficaram. Nunca mais dei sossego para ele depois daquilo. Agora estou horrorizado de que Allie poderia ter feito o mesmo. É uma atriz, afinal de contas...

Ela responde, "Não, não estava", e fico aliviado. Meio a contragosto, ela acrescenta: "Você é bom de cama".

"Sou *excelente* de cama", corrijo, erguendo o quadril e arrancando dela um suspiro de prazer.

"Faz de novo", implora.

"Faz pra mim." Deito, de forma que ela fica montada em mim, e aperto um de seus mamilos. "Me cavalga até eu gozar."

Seus lábios se curvam num sorriso malicioso. Ah, ela gosta dessa ideia. Apoiando as mãos em minha barriga, ela se ergue e afunda depressa em mim. Tem uma loura gostosa montada no meu pau, e estou no paraíso. Os peitos empinados balançam à medida que ela se mexe, e, quando seu cabelo cai sobre a testa, ela afasta as mechas douradas e mantém o olhar fixo no meu. Rebolando. Me esfregando. Me deixando louco.

"Me toca." A expressão de "não me contrarie" me faz levar a mão até onde estamos unidos e esfregar, obediente, seu clitóris com o polegar. O prazer inunda seus olhos, mas as ordens não param por aí. "Mais devagar." Sua respiração se acelera. "Em pequenos círculos. Não, sem apertar. De levinho... ai, meu Deus, assim, assim."

Não vou mentir — gosto de como Allie não faz rodeios ao me explicar exatamente do que precisa. Afinal, ela conhece o próprio corpo muito melhor do que eu. Mas aprendo depressa. Em pouco tempo, suas palavras se tornam gemidos, e ela começa a comer meu pau para valer.

Está deitada em cima de mim agora, os lábios tão próximos do meu ouvido que cada ruído sensual que faz vai direto para o meu saco. Meus quadris se erguem de novo e de novo, e nossos corpos se chocam, enquanto nossas bocas se encontram num beijo molhado.

Ainda estamos nos beijando quando ela começa a gozar. Ela morde meu lábio inferior e solta um grito rouco, e a sensação alucinante de sua boceta me apertando desencadeia meu próprio clímax. Venho feito um foguete, o prazer borrando minha visão e nublando meu cérebro. Fico surpreso de que a camisinha não estoure com o tanto que eu gozo dentro dela.

"O quê...?" Ao dar conta de mim de novo, sinto um gosto mineral na boca. Toco o lábio. Meus dedos voltam sujos de sangue. Nossa. Allie me mordeu até tirar sangue. Contenho uma risada.

Diante do som abafado, ela levanta a cabeça. Seu cabelo está todo emaranhado, as pálpebras tão pesadas que estão quase fechadas. "O quê...?" Seu rosto fica tenso. "Ai! Você tá sangrando!"

Rio mais ainda. Estou tão feliz de não ter desistido dela. Uma menina que crava as unhas e morde e fode com total desprendimento. Nunca me diverti tanto na vida.

"Não foi nada", asseguro.

Allie claramente não concorda. Ela sai de cima de mim, estende a mão para a mesinha de cabeceira e volta com um lenço, que aperta contra o meu lábio. "Desculpa. Tá doendo?"

"Nem um pouco", respondo, feliz. Pego o lenço de sua mão e o atiro para fora da cama. Então me ajeito no colchão para deitar a cabeça no travesseiro e a puxo para junto de mim.

Allie aninha o corpo nu delicioso ao meu lado e repousa a cabeça no meu ombro. "Fonte infinita de desejos", murmura.

"Hein?"

"Seu pau." E suspira. "Uma força da natureza."

"Pode apostar. Falei que tinha um pau e tanto."

Sorrio para o teto e acaricio a lateral do seu seio. Ficamos ali em silêncio por um instante, ambos recuperando o fôlego. Por fim, ela murmura: "Então, que jogo das crianças é esse que você falou?".

Levo um segundo para entender do que ela está falando. "Ah. O Hurricanes. Meu novo coordenador defensivo tá me forçando a trabalhar de voluntário na escola primária, então tô ajudando como assistente técnico do time de hóquei."

"Parece divertido."

"Não acredito que vou dizer isso, mas... é bem divertido."

E o jogo de hoje foi muito mais emocionante do que eu tinha imaginado. O Hurricanes enfrentou o primeiro lugar da divisão deles, e todos os meninos no rinque jogaram num nível que me impressionou. Ah, e o gol da vitória foi um lançamento por cobertura de Robbie Olsen. Estaria mentindo se dissesse que meu peito não transbordou de orgulho.

"Todas as férias de verão, no colégio, trabalhava como voluntária num acampamento de teatro", Allie me diz. "Era o máximo, fiquei arrasada quando o acampamento fechou. Era num teatro velho do Brooklyn, mas a área mudou de administração, e o município demoliu o prédio. Hoje o lugar é uma loja de computador." Ela se senta abruptamente. "Ai, droga. Esqueci de uma coisa."

Ela estica o corpo sobre o meu peito e se inclina em direção à cabeceira. Não consigo evitar e prendo um dos mamilos com a boca, chupando de leve. A sensação na língua é uma delícia. Puxo com mais força, e Allie estremece, antes de afastar minha cabeça. "Me dá um segundo. Não quero esquecer isso de novo."

Ela pega o telefone, e a vejo abrir um aplicativo de lembretes. Digita uma coisa. De onde estou, parece ser "passagem de trem".

"Passagem de trem?"

"Isso mesmo, seu enxerido." Então coloca o telefone na mesa. "Tô fazendo um lembrete pra marcar minha passagem pra Nova York. Tenho que comprar com antecedência este ano, porque é difícil conseguir passagens pro feriado. Ano passado precisei pegar um trem mais tarde e só cheguei lá às quatro horas da manhã."

"Vai passar a Ação de Graças com os pais?"

Ela deita ao meu lado de novo. "Só o meu pai." Então faz uma pausa. "Minha mãe morreu."

"Ah, sinto muito por ouvir isso." Acaricio seu braço nu com a palma da mão. Então noto como é estranho ficar deitado na cama com ela, só conversando. Mas ainda estou fraco do esforço. Nem uma retroescavadeira poderia me levantar desta cama agora. "Você é próxima do seu pai?", pergunto.

Ela move a cabeça contra o meu ombro, assentindo. "Bastante. Ele é o melhor homem do mundo."

"O que ele faz?" Não sei por que todas essas perguntas. Não tenho o hábito de tentar conhecer melhor as meninas que levo para a cama. Mas Allie é diferente. Para começo de conversa, é a melhor amiga da Wellsy. Não parece certo dispensá-la com um "obrigado, até mais ver".

"Era olheiro do Bruins", revela ela.

"Não brinca!" Estou muito impressionado. "Deve saber de hóquei então. Ele jogava?"

"Jogou, na faculdade. Foi convocado no *draft* pelo Kings, só que estourou o ligamento do joelho no treino, então a carreira meio que terminou antes de começar. Mas acho que ele ficou aliviado. Sempre disse que era melhor em encontrar talentos do que em ser o talento."

"Ainda assim, é um trabalho puxado", argumento. "Devia viajar o tempo todo."

"Viajava. Essa parte era uma merda, a quantidade de tempo que ele tinha que passar fora de casa. Mas eu e minha mãe dávamos conta. Depois que ela morreu, meu pai passou a me levar com ele quando podia, mas a maioria das vezes eu ficava com a minha tia, no Queens."

"Ele tá aposentado agora?"

Ela se enrijece de leve. "Tá." Outra pausa. "E você, vai fazer o que no Dia de Ação de Graças? De onde você é mesmo? Connecticut?"

"É. Greenwich. E Manhattan. Minha família se dividia entre as duas cidades, mas fiz o ensino médio em Connecticut."

"Escola preparatória", corrige ela.

Ajeito seu cabelo. "Ainda era considerada ensino médio."

"Claro, mas aposto que você teve muito mais regalias lá do que eu, numa escola pública do Brooklyn. Riquinho mimado." Sei por sua voz que está brincando. "E você não falou o que vai fazer no feriado."

"Não sei ainda", admito. "As datas pra mim vão ser uma merda. Vamos jogar contra Harvard dois dias depois do feriado."

"E daí? Greenwich não é longe. Nem Manhattan. Você pode pegar um trem ou um avião e voltar a tempo pro jogo."

"Minha família não vai estar nem em Greenwich, nem em Manhattan. Vão para a casa de St. Bart."

Allie senta de novo, boquiaberta. Então começa a rir. "Ora, vejam só." No instante seguinte, está falando num sotaque britânico impecável. "É evidente, meu caro, que minha família tem uma casa em St. Bart. Papai veleja muito bem, e mamãe *adora* tomar martínis em nossa praia privativa."

Dou um beliscão em sua cintura. "Isso é inveja."

"Claro que é inveja. Você tem uma casa em St. Bart. Isso é foda." Sua expressão torna-se pensativa. "Seus pais são advogados, né?"

Faço que sim com a cabeça.

"Não sabia que advogados ganhavam tanto dinheiro a ponto de comprar casas de praia em ilhas tropicais."

"Depende do advogado. Meu pai é um dos mais importantes criminalistas do país, então acho que tá indo muito bem", digo, com ironia. "E minha mãe é especializada em direito imobiliário, que também é bastante lucrativo. Mas ambos vieram de famílias ricas também."

"Deixa eu adivinhar. Vovôs Sebastian e Kendrick eram barões do petróleo?"

Por alguma razão, fico estupidamente satisfeito de que ela tenha se lembrado dos meus nomes do meio. "Não, não tem petróleo na nossa família. Vovô Seb tinha uma companhia de navegação. Bem, ainda tem, mas ela é gerida por um conselho administrativo agora. E vovô Kendrick era investidor imobiliário."

"Tipo o Donald Trump?"

"Por aí. Você ia a Manhattan quando morava no Brooklyn?" Então franzo a testa, pois algo me ocorre. "Ei, como você não tem sotaque do Brooklyn?"

"Meus pais não são de Nova York. Talvez seja por isso... Meu pai é de Ohio. E minha mãe cresceu na Califórnia. Acho que falo igual a eles. De qualquer forma, claro que já fui a Manhattan — você acha que eu ficava me escondendo embaixo da ponte do Brooklyn, feito um monstro?"

Rio. "Andava pelo Upper East Side?"

"Claro. Tinha um amigo que morava no..." Ela arregala os olhos. "Minha nossa! No Heyward Plaza. Só agora que eu liguei o nome à pessoa."

O assombro em seu rosto me faz sorrir.

"Você é dono do hotel Heyward Plaza?", exclama Allie.

"Eu, pessoalmente, não. Mas acho que posso herdar um dia. Os Heywards, meus parentes por parte de mãe, são donos de imóveis no mundo todo. Em geral, hotéis, mas também temos um condomínio legal em Abu Dhabi que é todo de vidro. Fica..."

"Certo, você precisa parar de falar agora, porque tô ficando com vontade de socar você. Não tinha ideia de que você era *esse* tipo de rico. Agora não sei mais se é um tesão ou um banho de água fria."

"Tesão", digo, depressa. "Tudo a meu respeito te deixa com tesão, lembra?"

Ela solta uma gargalhada. "Aham. Se você diz."

Abro um sorriso convencido e começo a apontar para as várias partes do meu corpo. "Meu rosto? Um tesão. Meu peito? Um tesão. Eu podia virar e mostrar a bunda, mas nós dois sabemos que a resposta vai ser 'um tesão', então vou pular essa parte. O pau? *Um te-são*. E não estamos nem falando das qualidades não físicas de Dean Di Laurentis."

"Falar na terceira pessoa? Não é um tesão."

Ignoro a provocação. "Sou simpático de cara. Meu senso de humor é de outro mundo — óbvio."

"Óbvio", repete ela, secamente.

"Sou extremamente hábil na arte da conversa."

Ela concorda. "Quando o assunto é você, claro."

"Claro." Finjo pensar um pouco mais no assunto. "Ah, e tenho o dom de ler mentes. Sério. Sempre sei o que a outra pessoa tá pensando."

"Ah, é? Então o que tô pensando agora?", desafia Allie.

"Que você quer que eu cale a boca e te coma de novo."

Ela balança a cabeça, espantada. "Caramba, acertou em cheio."

Sorrio para ela e aponto a testa com o indicador. "Eu te disse. É um dom."

"Parabéns." Então suspira. "Quantas camisinhas você trouxe?"

"Uma."

"Que falta de ambição, hein! Olha naquela gaveta ali. Deve ter algumas."

Abro a gaveta da mesinha de cabeceira, que — olha só o que eu encontrei aqui — contém mais do que preservativos. Volto com um vibrador de silicone de mais de quinze centímetros num tom cômico de cor-de-rosa.

"Ah, quem é o seu amiguinho?" Balanço o vibrador para cima e para baixo, e ele é flexível o suficiente para sacudir igual a um pênis de verdade.

Allie o toma da minha mão. "*Amiguinho*? Olha direito ou você vai deixar Winston encabulado."

"*Winston*? Está brincando comigo?"

"Vai dizer que ele não tem cara de Winston?"

Olho para o brinquedo cor-de-rosa. É ridiculamente feminino para algo num formato de pênis. E Winston é o nome mais feminino que já ouvi. "É. Acho que tem sim."

Ela faz que sim com a cabeça, muito séria. "Tenho talento para escolher nome de pau."

Na mesma hora, faço uma cara feia para ela. "Nem inventa de dar um apelido para o meu, ouviu?"

"Por quê? Tá com medo de eu arrumar um nome melhor que o que você já escolheu?" Seu tom é o mais doce do mundo.

"Quem disse que dei um nome?"

Allie inclina a cabeça, num desafio. "Jura que não deu?"

Me limito a dar de ombros.

"Rá! Sabia! Qual é o nome dele?"

Fico ainda mais sério.

"Anda, conta", implora ela. "Prometo não zoar você."

Depois de cinco segundos de um intenso debate interno, acabo cedendo. "Míni Dean."

Isso arranca um uivo dela. "Meu Deus. Só podia ser. Você é *tão* convencido."

Dou em beliscão em sua coxa em retaliação, mas ela só gargalha mais, então a giro de costas e calo sua boca com a minha. Allie abre os lábios para a minha língua, e logo estamos nos agarrando e nos esfregando feito dois gatos no cio.

Afasto os lábios dos seus e pergunto: "Quer me amarrar de novo?".

"Não. Estava pensando em outra coisa."

"Ah, mas eu queria tanto."

"Não reclama, gato. Confia em mim, você vai gostar."

É a sua vez de me girar, e solto um gemido quando ela começa a deixar um caminho de beijos em meu corpo. Um instante depois, sua boca quente envolve o meu pau, e... é verdade... Míni Dean não está reclamando nem um pouco.

# 15

## DEAN

A partida de sábado à noite contra o Yale começa promissora.

Depois de um gol de Garrett logo no começo do jogo, conseguimos manter o Yale fora da nossa área a maior parte do primeiro período. Bem, menos quando Brodowski sai completamente de posição e dá uma abertura para o ala direita e um jogador de centro do Yale.

Graças a essa burrada, fico em desvantagem, e é pura sorte que o Yale não marque um gol — o disco bate na trave. Me jogo em direção a ele e dou um passe rápido para Hunter. Felizmente, nossos atacantes voam pela linha central e entram no campo do Yale, enquanto faço de tudo para não estrangular Brodowski no caminho do banco, para uma troca de linha.

Jogo água na cara pela grade do capacete e cuspo no chão. O suor me escorre do rosto pelo esforço que tenho feito para defender sozinho a área.

Ao meu lado, Brodowski está morrendo de vergonha. "Errei na cobertura", murmura para mim.

Cerro os dentes e digo: "Acontece com os melhores". Porque é isso que se diz quando se faz parte de um time. Aqui na Briar não ficamos procurando culpados para crucificar.

Mas, se alguém tem culpa da abertura, sem dúvida é Brodowski.

"O que aconteceu com seu lábio?", pergunta ele, estudando o corte vermelho e fino que marca meu lábio inferior.

"Sexo", resmungo, em resposta.

Do meu outro lado, Tucker ri. Ele me perguntou a mesma coisa hoje de manhã, e ofereci a mesma não resposta.

Do outro lado de Tucker, um de nossos alas do primeiro ano parece muito impressionado. "Você é meu ídolo, cara", exclama.

A primeira linha continua no rinque até o final do período, e seguimos para o vestiário com uma vantagem de um a zero. Pela primeira vez em semanas, o moral do time está alto.

O segundo período começa exatamente igual ao primeiro. Outro gol logo no início, dessa vez cortesia de Fitzy. Estamos ganhando de dois a zero agora, e o time de Yale está sentindo a pressão. Como resultado, eles caem pra cima da gente, jogando de forma agressiva e fazendo um disparo atrás do outro para o gol. Patrick Corsen, nosso goleiro, está longe de ser tão talentoso quanto Simms, que se formou no ano passado. Também tem o péssimo hábito de se afastar muito do gol, então, quando o ala adversário rebate um passe vindo da defesa deles pelo meio, Corsen não consegue deter o disco.

Mas tudo bem. Ainda estamos ganhando. Por... mais uns trinta segundos. Estou entrando no rinque quando o mesmo ala que acabou de marcar o gol dá um drible impressionante em Corsen e dispara mais uma vez. O filho da mãe marca de novo. Dois gols em menos de um minuto, e, de uma hora para a outra, a liderança vira um empate.

O restante do segundo período corre sem gols.

No terceiro, nosso mundo desaba. Não sou capaz nem de contar todos os nossos erros — é uma burrada atrás da outra.

Logan leva uma penalidade de dois minutos por bater com o taco num adversário. Yale aproveita e marca mais um.

Dois a três.

Wilkes também é punido e vai parar no banco. Yale marca de novo.

Dois a quatro.

Corsen é driblado por um ala, que se move como se fosse bater baixo, mas acaba lançando o disco por cobertura. Ele enche a rede no cantinho esquerdo. Yale faz outro gol, e dessa vez nem estávamos em desvantagem numérica.

Dois a cinco.

Hunter acerta um lançamento de primeira.

Três a cinco.

Cometo um pênalti idiota. Yale marca de novo.

Três a seis.

Soa o apito final, e perdemos a terceira partida da temporada. Que maravilha.

* * *

Antes de entrar no ônibus, O'Shea me puxa de lado. Ele já gritou comigo e com Logan no vestiário pelos pênaltis imbecis que resultaram em dois gols para o outro time, e espero sinceramente que não venha com a mesma história de novo. Estou com um humor péssimo, e meus filtros verbais não estão trabalhando muito bem. Se O'Shea me encher o saco, não sei se vou conseguir me controlar.

"Sim, treinador?", pergunto, o mais educadamente possível.

Seus olhos escuros piscam para mim, e ele então enfia a mão no bolso e pega um BlackBerry. O que me distrai momentaneamente, porque não lembro a última vez que vi um BlackBerry. Todo mundo usa iPhone hoje em dia, certo?

"Tem alguma coisa para me dizer?", pergunta O'Shea, com frieza.

Não tenho a menor ideia do que ele está falando. "Hmm... sobre o quê?"

Ele faz um barulhinho com a língua. Sem dizer uma palavra, me dá o telefone.

Sinto um ligeiro mal-estar no intestino ao olhar para a tela. É uma conta de Instagram que nunca vi, mas a foto em questão tem um monte de rostos conhecidos, inclusive o meu. Não sei quem bateu, mas só pode ter sido uma menina no Malone's, na quinta-feira, porque a legenda da imagem diz #GatosDoHóquei e #GostososDaBriar.

Vou ser sincero — não consigo entender qual é o problema. Na foto, eu e os caras estamos brindando com copinhos de shot. Tínhamos pedido uma rodada de tequila antes de mudar para cerveja. E, é verdade, estamos bebendo, mas é todo mundo maior de idade, e isso não é algo como mostrar a bunda para todo mundo. Estamos só numa mesa de bar, cacete.

"Continua não tendo nada a dizer?"

Ergo os olhos para O'Shea. "Isso foi na quinta à noite. Era aniversário do Fitzy."

"Estou vendo. E até onde foi essa comemoração?"

"Se tá perguntando se a gente encheu a cara, a resposta é não."

Isso não o satisfaz. "Você se lembra do que eu falei no escritório de Jensen, no outro dia? Nada de bebedeira, nada drogas e nada de brigas."

"Não foi uma *bebedeira*, senhor. Foram só umas doses."

"Você conhece a política da Briar sobre as restrições de drogas e álcool para alunos atletas? Se não, posso te dar uma cópia."

"Ah, qual é, treinador, o senhor não pode esperar que a gente não beba uma gota. Estamos na faculdade, ca... ramba! E temos todos mais de vinte e um."

"Cuidado com esse tom, Di Laurentis", exclama ele. "E, sim, eu e os outros treinadores esperamos *sim* isso de vocês. Enquanto estiver jogando hóquei para esta faculdade, espera-se que você siga as regras estabelecidas pelos seus treinadores e pela NCAA e se comporte."

"Senhor..." Respiro, tentando me acalmar. Mas não obtenho muito sucesso. Além de estar chateado com a derrota, não me sinto no clima de levar bronca por causa de uns goles à toa. "Meus colegas e eu nos comportamos *muito bem* na noite em questão. Então, com certeza, o senhor não tem nada com que se preocupar."

"Não venha dar uma de espertinho para cima de mim, garoto. Temos um problema sério aqui..."

"Não, não temos", eu o interrompo. "Acho que o senhor tá exagerando. Fomos a um bar e tomamos umas cervejas. É o que a gente faz, tá legal? Mas, ei, se o senhor estiver muito preocupado com isso, talvez devesse perguntar para o treinador Jensen o que *ele* acha." Abro um sorriso de escárnio. "Ele é o treinador do time, não é? Deveria saber desse 'problema sério', não?"

Lamento as palavras no instante em que saem da minha boca, mas já estou de saco cheio desse cara.

É claro que O'Shea não gosta de ver sua autoridade desafiada. "Chad me deu carta branca para lidar com a defesa, e acho melhor você se lembrar disso", esbraveja ele. "Quando se trata da defesa, quem lida com qualquer problema que aparecer sou *eu*. E isto, sr. Di Laurentis, é um problema. Não quero saber de ninguém no time mexendo com álcool e drogas, está me ouvindo?"

Pelo amor de Deus. Cansei desta merda.

"Entendido, treinador. Posso entrar no ônibus agora?"

O'Shea fica vermelho de raiva. "Quer se juntar aos seus colegas neste ônibus? Então é melhor se responsabilizar por suas ações. Reconheça que errou."

Estou a segundos de perder a cabeça. Com os punhos cerrados, é um milagre que não enfie um soco na cara dele. "A título de curiosidade, você tá pensando em fazer o mesmo discurso para os outros jogadores na foto? Ou eu sou especial?"

"Vou falar com todo mundo, não se preocupe. Escolhi falar com você primeiro, porque já conheço seu histórico de abuso de álcool." Ele ergue uma sobrancelha, e neste instante meu punho quase voa.

*Meu histórico de abuso de álcool?*

Porra nenhuma. Vai se *foder*.

O'Shea sabe muito bem que não tenho nenhum problema com álcool. Está só sendo um babaca rancoroso e tentando encontrar novos jeitos de me punir pelo que aconteceu com Miranda. Mas isso? Se referir à única vez em que bebi demais — quando era um *adolescente* — e usar isso para sugerir que sou alcoólatra?

Estou. De. Saco. Cheio. Desta. Merda.

"Obrigado pela preocupação", digo, com gentileza. "É muito bem-vinda. De verdade." Então o deixo de pé na calçada e sigo em direção ao ônibus.

Por sorte, ele não me impede.

Ainda estou lutando para recolher os cacos de minha dignidade ao sentar no lugar de sempre, ao lado de Tucker, que me lança um olhar interrogativo. "O que foi aquilo?"

"Absolutamente nada." Tiro os fones de ouvido do bolso e enfio nas orelhas. Se Tuck acha que estou sendo mal-educado, não diz nada — apenas volta o olhar para o smartphone, e, em poucos minutos, estamos na estrada.

A faixa de rock que começa a tocar no meu iPod só me irrita ainda mais, então abro a seleção que Wellsy fez para mim no verão e tento me acalmar ao som do jazz suave e das melodias fáceis. Não. Também não está funcionando. Desligo o iPod e passo a ouvir o burburinho baixo dos meus colegas de time.

Logan e Fitzy estão falando de um jogo de tiro que Fitzy vai resenhar para o blog da faculdade. Hollis está tentando convencer alguém a se encontrar com ele em seu alojamento — "Vou fazer valer a pena, linda" —, o que significa que ou está no telefone, ou ele e o colega do lado acabaram de sair do armário para o time inteiro. Corsen e o cara ao lado *dele* estão discutindo quem é a mais gostosa em *Game of Thrones*: Daenerys ou Cersei.

"Nenhuma das duas", Garrett se intromete. "Melisandre é a mais gostosa. De longe."

"A bruxa vermelha? De jeito nenhum. Ela pariu uma sombra nojenta. Tá contaminada, cara."

"Olha o spoiler!", reclama Wilkes. "Ia começar a primeira temporada esse fim de semana!"

"Não perca seu tempo", aconselha Fitzy. "O seriado é uma merda. Leia os livros."

"Juro por Deus que se você falar mais uma vez para a gente 'ler os livros', não respondo por mim", avisa Corsen. "Tô falando sério, Colin."

Nosso nerd de carteirinha dá de ombros. "O que posso fazer se os livros são melhores?"

Não me intrometo; no entanto, secretamente concordo com Fitz. Os livros *são* melhores. Mas duvido que alguém vá acreditar em mim se eu disser que li todos. Tirando meus colegas de apartamento, a maioria dos jogadores não me leva a sério. Sei que acham que só vou para a faculdade de direito de Harvard porque meus pais compraram minha vaga. E, para ser sincero, não me importo. Acho engraçado quando as pessoas subestimam minha inteligência. Metade do tempo me faço de louro burro só por diversão.

O bate-papo continua, mas bloqueio as vozes à minha volta e pego meu celular. Não sei o que me leva a abrir o Facebook e a procurar o nome dela. Estou no piloto automático, minimamente consciente do que faço, até os resultados da pesquisa aparecerem.

Existem dezenas de Mirandas O'Sheas no Facebook, mas nenhuma delas é a que estou procurando.

Faço outra pesquisa, desta vez acrescentando "Universidade Duke". Não tenho nem ideia se ela estuda lá, mas parece um bom lugar para começar. Quando estávamos namorando, Miranda só falava em quanto queria ir para a Duke.

Desta vez, seu perfil aparece.

Olho para a pequena foto ao lado do seu nome. Ela não mudou nada em quatro anos. O mesmo rosto redondo, os mesmos cabelos cacheados escuros e rebeldes, os mesmos olhos castanhos.

Para a minha decepção, seu perfil é privado. Não dá para ver nada além da foto de perfil e a de capa, que é uma paisagem de praia genérica. Fico olhando o pequeno botão verde no alto da página.

*Adicionar aos amigos.*

Não sei o que dá em mim para clicar nele. Mas é o que faço.

Com o pedido de amizade enviado, fecho o aplicativo e guardo o telefone. Tucker parou de olhar para o dele. Está com a cabeça recostada para trás no banco e os olhos fechados, e decido fazer como ele. Faltam duas horas para chegarmos a Boston, e mais uma hora até Hastings. Podia muito bem dormir um pouco e tentar esquecer o jogo desastroso de hoje.

O cochilo faz efeito. Acordo me sentindo focado e relaxado, e quando olho pela janela e espero a próxima placa aparecer descubro que estamos a meia hora do campus.

No assento ao meu lado, Tucker também está acordado, digitando no celular de novo.

Não consigo deixar de perguntar: "Cara, você tá namorando?". Mal tenho visto Tucker ultimamente, e moramos na mesma casa.

"Não", diz, simplesmente.

"Tem certeza?"

"Acho que eu saberia se estivesse." Mas há algo de estranho em sua voz, e não consigo identificar exatamente o que é.

"Onde você tá se enfiando então? Não para mais em casa."

Tucker dá de ombros. "Vou pra aula. Estudo na biblioteca. Fico no meu quarto." Ele faz uma pausa. "Andei dormindo na casa de um amigo em Boston."

"Que amigo?"

Antes que ele possa responder, meu celular toca, e juro que Tuck parece aliviado. Faço uma nota mental para interrogá-lo de novo mais tarde. Vai ser uma boa prática para a faculdade de direito.

Ao ver o nome de Beau, atendo do mesmo jeito de sempre. "Maxwell. Qual é a boa?"

"E aí? Como foi o jogo?" Tem uma música alta tocando ao fundo, mas posso ouvi-lo perfeitamente.

"Uma merda."

"Eu sei. Li o resumo no blog de esportes da faculdade. Vocês levaram uma sova."

"E por que você perguntou se já sabia a resposta?"

"Estava sendo educado."

Tenho que rir.

"De qualquer forma, tá rolando uma festa na minha casa hoje. Sei que já é tarde, mas resolvi chamar. Vai que você está precisando de ajuda para esquecer a surra do Yale."

Penso na ideia, mas só por um instante. "Acho que não. Obrigado, mas não tô muito a fim." Deixo escapar um suspiro cansado. "A noite foi uma merda."

"Mais um motivo para você vir. Tá cheio de mulher gostosa aqui. E sabe como é mulher, né... não resiste a um homem melancólico. É só falar que você tá triste porque perdeu o jogo, e elas vão implorar para te fazer se sentir melhor." Ele faz uma pausa. "Espera. A menos que você ainda esteja lidando com... ah, mau funcionamento do equipamento?"

"Não. Tudo resolvido."

"Boa! Quer dizer que a Bella finalmente te deu bola?"

"Bella?", pergunto, sem entender.

"É, a garota que deu uma chave de boceta em você."

Rio. "Ah. Pois é, finalmente." Dou uma resposta vaga, porque Tucker está logo ali do lado, e ele não pode saber sobre mim e Allie. E... merda. Acho que isso significa que não posso encher o saco dele por estar sendo tão reservado ultimamente, é aquela história do sujo falando do mal lavado.

"Ótimo, o negócio voltou a funcionar. Então vem pra cá e faz bom uso dele."

"Acho que não", digo, de novo. "Não tô a fim mesmo." Mas, na verdade, acho que tô a fim de *outra* coisa, porque, como de costume, só de pensar em Allie começo a ficar duro. "A gente se vê esta semana. Vamos tomar uma cerveja ou algo assim."

"Beleza. Até mais, cara."

No instante em que desligamos, começo a digitar uma mensagem nova. Vou chegar em casa quase uma da manhã. Minhas intenções vão ficar na cara, mas é sábado à noite, e Allie não tem aula amanhã, então acho que não tem problema.

Eu: *vc + eu = sexo selvagem esta noite?*

Ela responde imediatamente. Ótimo, ainda está acordada.

Ela: *vc = tentador – eu = já na cama ÷ sono.*

Eu: *Pq o sinal d divisão??*

Ela: *Sei lá. Tava tentando responder c/ matemática. Resumindo: tô na cama.*

Eu: *Perfeito. É exatamente onde quero estar. Chego em 45 min.*

Ela: *Não dá. Hannah tá em casa.*

Eu: *A gente fica bem quietinho. Ela não vai nem saber q tô aí.*

Há um pequeno intervalo, e, mesmo antes de a resposta chegar, sei que vai ser um não.

Ela: *Não quero arriscar. Vamos esperar uma noite em q a gente possa ficar sozinho.*

Eu: *Vc não tem senso d aventura.*

Ela: *Vc não tem paciência.*

Eu: *Não quando se trata d vc.*

Ela: *A gente transou 3 vezes ontem! Tenho certeza d q isso pode t acalmar até a próxima.*

Eu: *E qdo vai ser a próxima?*

Ela: *Amanhã d noite, talvez? Eu aviso.*

Eu: *Tá.*

Eu: *Aliás, vou pensar em vc batendo uma hj.*

Ela: *Tudo bem. Acabei d enfiar o dedo e fingir q era vc.*

Solto um gemido em voz alta.

Tucker gira a cabeça para mim. Ele olha para a minha cara, depois para o meu telefone, e por fim revira os olhos. "Sério, cara? *Sexting* do meu lado? Vê se arruma um quarto."

Bem que eu queria. O quarto de Allie, para ser mais exato. Mas está na cara que isso hoje está fora de cogitação. E agora, graças à provocação, vou passar o restante da viagem de ônibus com a cueca apertada.

# 16

## DEAN

"Você tem namorada?" Dakota saltita pela sala de equipamentos feito uma fadinha, enquanto empilho os capacetes na prateleira à minha frente.

Como o vestiário dos meninos não é exclusivo para o time de hóquei — é também utilizado por qualquer aluno da escola —, o equipamento tem que ser armazenado nessa sala. Como assistente técnico, é meu trabalho colocar tudo em ordem.

"E aí, tem ou não tem?", insiste ela, quando demoro mais que dois segundos para responder.

Olho para Dakota por cima do ombro. "Não, não tenho. E você não deveria estar fazendo o dever de casa?" Não que eu me incomode com sua companhia. Dakota é muito divertida.

Ela sobe na tampa fechada de um grande recipiente de armazenamento e cruza as pernas. "Não tenho dever de casa hoje." Enrolando a ponta do rabo de cavalo louro no dedo, ela masca um chiclete de forma barulhenta, sopra uma bolha cor-de-rosa grande, então acrescenta: "Por que não?".

"Por que não o quê?" Coloco o último capacete na prateleira e me viro para ela.

"Por que você não tem namorada?"

"Porque não."

"Você *nunca* teve uma namorada?"

"Tive, claro. Várias." Bem, não depois que entrei para a faculdade, mas não conto essa parte para Dakota. No mínimo não seria adequado dizer para uma menina de dez anos que passei os últimos anos solteiro porque estava muito ocupado transando com todo rabo de saia que me dava bola na Briar.

E por falar em transar, se não der uma logo, juro por Deus que minhas bolas vão explodir. Acabei não vendo Allie no domingo, e ela também não pôde me encontrar ontem. Tem andado ocupada com os ensaios e falou alguma coisa sobre precisar gravar um teste para um papel, mas estou começando a me perguntar se ela está fugindo de mim. Espero que não, porque não estou pronto para esse... caso? Exatamente, caso. Não estou pronto para esse caso acabar.

"Sabe o meu irmão, Robbie?", pergunta Dakota, em tom conspiratório.

Dou uma gargalhada. "Não, filha, não conheço o Robbie. Só treino o time dele."

Suas bochechas ficam rosadas. "Ops. Claro. Pergunta idiota, né?"

"Você acha?"

Rindo, ela continua: "Enfim, você não pode contar pra *ninguém*, mas Robbie tem uma namorada!".

Levanto as sobrancelhas para ela. "Ah, é? E como você sabe? Tá espionando seu irmão mais velho?"

"Não, ele me contou. Dã. Robbie me conta tudo. O nome dela é Lacey, e ela está no *oitavo ano*." Dakota balança a cabeça, espantada. "Isso é um ano inteirinho a mais que ele."

Tento conter o riso que está prestes a escapar. "Ah, então o Robbie arrumou uma mulher mais velha, foi? Bom pra ele."

Dakota abaixa a voz para um sussurro e começa a me contar todos os detalhes sobre a namorada do oitavo ano do irmão. Escuto com atenção, tentando determinar exatamente quando foi que passar meu tempo com alunos do primário se tornou o ponto alto dos meus dias.

Não me levem a mal, o tempo que passei na Briar tem sido incrível. Meu time ganhou três campeonatos nacionais, e, em termos acadêmicos, sempre estive entre os melhores da turma. A única matéria em que tive problemas foi uma disciplina incompreensível de política no segundo ano, que terminei com nota oito. Mas não gosto de pensar nisso, porque me lembra de um monte de outras besteiras que prefiro esquecer. Apesar disso, não posso negar que tive uma carreira acadêmica de sucesso. Dei um show na prova de admissão. Passei na faculdade de direito de Harvard por mérito próprio, sem ter que depender do meu sobrenome.

Mas não me lembro de já ter ficado empolgado com as aulas. Não pulei de alegria quando recebi o resultado da prova de admissão. E certamente não estou dando piruetas com a perspectiva de ir para Harvard.

Sempre se presumiu que eu seguiria o caminho do direito. Não é uma coisa que meus pais me forçaram a fazer, mas não posso fingir que é algo que me deixa morto de amores. Não como meu irmão, que vive e respira o direito. Ele adora o trabalho na empresa e diz que toda vez que pisa num tribunal se sente vivo. Igual Garrett e Logan com o hóquei.

Já eu? Nunca tive essa sensação antes. Amar algo tanto que sinto o sangue ferver e o corpo todo borbulhar de vida.

Ou pelo menos não até sexta à noite, quando vi o Hurricanes deixar o líder da divisão no chinelo. E hoje de novo, quando passei uma série de troca de passes e vi todos os meninos no gelo a executarem com perfeição.

"Dean, você não tá *ouvindo*!"

A voz aguda de Dakota me desperta de meus pensamentos. "Desculpa. Viajei por um instante aqui. O que você estava dizendo?"

"Nada", murmura ela.

Ela está obviamente muito chateada por ter sido ignorada, o que me faz imaginar que estava falando alguma coisa importante. Arrasto uma cadeira de metal na sua direção, coloco de costas para ela e sento com uma perna de cada lado, descansando os braços no encosto. "Me conta."

Dakota faz um biquinho com o lábio inferior. "Fiz uma pergunta."

"Certo, então pergunta de novo. Prometo que desta vez vou ouvir."

"Você...", o restante salta de sua boca a toda velocidade, "*podiameensinarapatinar?*"

"Pode falar um pouquinho mais devagar?", peço, com um sorriso.

"Você podia me ensinar a patinar?", repete ela.

Franzo a testa. "Você não sabe patinar?"

Dakota balança a cabeça de leve.

"Ca... caramba!" Estou horrorizado. Quem mora na Nova Inglaterra e não sabe patinar no gelo? É uma blasfêmia.

"Minha mãe só tinha dinheiro para mandar um de nós para a aula de patinação, e Robbie era mais velho, então foi ele. E meu irmão um dia vai ser um jogador famoso de hóquei, precisa saber patinar."

Embora o tom de Dakota seja de defensiva, não deixo de notar a mágoa subjacente. Sinto um aperto no coração. Meus irmãos e eu nunca tivemos esse tipo de problema quando éramos crianças. Nossa família tinha bastante dinheiro, o que significa que não tivemos que fazer nenhum sacrifício. Summer fazia aula de balé e de natação. Nick e eu tivemos aula de patinação, íamos aos acampamentos de hóquei e tínhamos acesso a todo equipamento de que precisávamos.

Não menti para Allie na outra semana — a Vida de Dean é uma delícia. Sempre tive o que quis.

Agora, vendo o rosto transtornado de Dakota, me sinto um garoto mimado e ingrato.

"Então você não tem patins?", pergunto, lentamente.

Ela nega de novo com a cabeça.

"Qual é o tamanho do seu pé?"

"Não sei. Pequeno?"

Rio. "Deixa eu ver um dos seus sapatos."

Dakota tira depressa um tênis rosa-choque e passa para mim.

Depois de conferir a etiqueta, devolvo o sapato e caminho até o armário grande de metal onde ficam os patins dos meninos. A maioria é grande demais para ela, mas depois de vasculhar um pouco encontro um par de Bauers na prateleira de baixo que talvez caibam nela.

Ergo os patins pretos arranhados. "Experimenta esses."

Seus grandes olhos azuis se enchem de horror. "Mas é de menino! Quero patins de *menina*."

Outra risada ameaça saltar de minha garganta. Mas diante de sua expressão de tristeza, solto apenas um suspiro. "Tudo bem. Não se preocupe. Vou ver o que posso fazer, tá legal?" Coloco depressa os Bauers feios de menino de volta no armário e fecho a porta depressa, antes que ela comece a chorar.

O treinador Ellis escolhe esse momento para enfiar a cabeça na sala. "Sua mãe está aqui", diz a Dakota.

Fico com medo de ele notar a expressão de tristeza em seu rosto e achar que estou fazendo alguma coisa de errado, mas, quando volto a olhar para ela, Dakota é toda sorrisos.

"Tchau, Dean!" Ela salta da caixa em que estava sentada e dispara pela porta.

Ellis sorri para mim. "Uma graça, né?"

Saio com ele da sala de equipamentos, e nós dois passamos alguns minutos discutindo o que queremos fazer no próximo treino dos meninos. Assim que terminamos, deixo a arena e dou uma olhada no telefone a caminho do carro. Tem uma mensagem de Garrett dizendo que vai dormir na Bristol House com Hannah, mas que deixou o jipe em casa, então vai precisar de carona para voltar do treino amanhã.

Quando entro em nossa cozinha dez minutos mais tarde, vejo um bilhete de Tucker na geladeira, avisando que vai passar a noite na casa de alguém. A não namorada misteriosa, suponho.

E depois? O último desertor. Logan aparece para pegar uma garrafa d'água e dizer que vai voltar tarde.

"Vai aonde?", pergunto, vasculhando a geladeira.

"Boston. O pai da Grace comprou ingressos pra um negócio de orquestra aí. Nenhum de nós dois tá muito a fim de ir, mas ela disse que ele vai ficar chateado se não formos."

Sorrio por cima do ombro. "Então você vai passar a noite ouvindo música clássica?"

"Pois é", comenta ele, desanimado. "Mas vai ter um intervalo, e Grace prometeu que a gente pode se pegar na chapelaria do teatro."

"Parece uma boa troca."

"Também achei."

Logan vai embora alguns minutos depois, e minha libido desesperada por sexo emerge diante da ideia de ter a casa só para mim. Na mesma hora, escrevo para Allie, que deve estar tão excitada quanto eu, pois responde imediatamente.

Ela: *SIM! 3 dias de estresse = chego aí depois da academia. Mas me dá duas horas.*

Eu: *Queria pedir uma coisa.*

Ela: *?*

Eu: *Pode trazer o Winston?*

O pedido me rende um emoticon de gargalhada e um de piscadela, o que pode significar "Que engraçado, mas *não*" ou "Que engraçado, claro que levo". Espero que seja o último.

Folheio um exemplar da *Sports Illustrated* na bancada da cozinha enquanto devoro meu jantar, que consiste em sobras de frango e brócolis. Toda semana a nutricionista do time manda um e-mail com uma lista de sugestões de planos de refeição, mas Tucker, o cozinheiro da casa, parece achar que a palavra "sugestão" significa "ordem", porque se recusa a deixar entrar junk food nessa casa. Como ele é o único que se lembra de ir ao mercado e que realmente gosta de cozinhar, moramos na casa mais saudável do mundo.

Depois do jantar, tomo um banho, faço a barba e aparo um pouco os pelos lá embaixo. Então sento à minha mesa e começo o trabalho de relações internacionais, e ainda estou concentrado nele quando Allie toca a campainha. Salvo o arquivo, fecho o laptop e desço para abrir a porta.

Ela está ao telefone e gesticula um "Desculpa" com a boca, fazendo um sinal com um dedo de que vai precisar de um minuto ainda.

"Quer jantar?", murmuro, assim que ela entra em casa. "Temos sobras."

Allie cobre o bocal do telefone por um segundo. "Obrigada, já comi." Então afasta a mão e continua a falar: "Não, ainda tô aqui, Ira. E, sim, já mandei o vídeo. Não entendi a pressa, se eles só vão decidir o elenco em fevereiro."

Subimos até o segundo andar, e deixo-a andar na minha frente, para admirar sua bunda. Quando chegamos ao corredor, não me contenho e me aproximo por trás, esfregando a virilha dolorida contra sua bunda ao mesmo tempo que beijo seu pescoço.

Ela treme e me empurra. "Não sei", diz, ao telefone. "Ainda tô na dúvida sobre esse papel." Então faz uma pausa. "É, li o que eles me pediram. Minha amiga Megan fez a parte da Zoey fora da câmera."

Percebo que ela não para de esfregar a base das costas. Toda vez que seus dedos tocam um determinado ponto, ela faz uma cara de dor. Ou talvez esteja só irritada com o que esse Ira está dizendo.

"Mandei por correio prioritário da agência da faculdade, deve chegar pra você amanhã à tarde." Ela aperta o cóccix, massageando distraidamente. "Se achar que tenho que refazer, eu refaço. Mas fiz o melhor que pude com o que eles me deram... tá bom... *tá bom*, Ira... amanhã a gente se fala."

Ela desliga o telefone e se vira para mim. "Meu agente tá me deixando louca", reclama.

Nem sabia que Allie tinha um agente, então estou impressionado. "Por quê?"

"Quer que eu faça um teste para um piloto da Fox, mas não posso voar para Los Angeles no dia da seleção, então tive que gravar um vídeo para mandar pra eles. Agora ele tá preocupado que a câmera não vai transmitir o meu 'encanto natural'. O que é ridículo, porque é isso que atores de televisão *fazem*: transmitem emoção *pra uma câmera*."

Franzo a testa ao vê-la esfregando as costas de novo. "O que aconteceu?"

"Não sei", murmura ela. "Acho que distendi alguma coisa. Tô tão estressada com a peça, e acho que forcei demais na academia hoje. Minhas costas estão me matando."

"Quer uma massagem?"

"Nossa, e como. Por favor."

Estou prestes a mandá-la deitar na cama, mas então tenho uma ideia melhor. "Tira a roupa", ordeno. "Já volto."

Depois de anos praticando esportes, aprendi um bocado sobre dor. Músculos tensos, costelas doloridas, joelhos arrebentados... Já tive de tudo e descobri há muito tempo que nada me alivia mais do que ficar de molho. Como uma visita à banheira de hidromassagem ou à sauna da arena não é uma opção, sigo com a melhor alternativa à disposição e preparo um banho escaldante.

Enquanto a banheira enche, procuro por algum sal ou óleo de banho no armário sob a pia. Encontro um frasco de espuma para banheira que imagino ser de Grace, porque Hannah tem o luxo de usar a suíte de Garrett. Quando nos mudamos para esta casa, o egoísta filho da mãe lançou mão de seus privilégios como capitão do time e reivindicou o quarto principal.

Logan, Tuck e eu somos forçados a dividir um banheiro no corredor, o que é bem evidente: as prateleiras estão lotadas de produtos masculinos, as toalhas estão sempre no chão, e o lixo contém uma quantidade alarmante de embalagens de camisinha.

Suspirando, recolho as toalhas descartadas. Logan deixou uma calça cáqui no toalheiro, mas simplesmente jogo as toalhas úmidas por cima, pego mais duas limpas no armário e coloco sobre a tampa do vaso sanitário.

Volto até o quarto e encontro Allie toda nua sentada na beirada da cama. Meu corpo responde, enrijecendo com a visão da pele lisa. Seus mamilos saltam numa saudação. Cara, quero chupar esses peitos.

Um sorriso irrompe quando noto o que ela está segurando. "Você trouxe!"

"Quando sua mensagem chegou, eu ainda estava no alojamento, então decidi conceder seu pedido." Ela aponta ameaçadoramente o vibrador na minha direção. "Mas se você acha que vou enfiar o Winston em você, pode tirar o cavalinho da chuva."

Engulo uma risada. "Não se preocupa. Prefiro Winston bem longe da minha bunda."

"Ótimo." Ela acaricia carinhosamente o brinquedo cor-de-rosa. "Não me leve a mal... se fosse qualquer outra coisa eu topava. Mas Winston, não. Ele é especial para mim."

Espera, o quê?

"*Esse* é o seu problema? Você topa enfiar o que eu pedir em mim, desde que não seja o seu precioso Winston?"

"Se você pedir, claro." Ela diz isso como se fosse a coisa mais natural no planeta. "Por que iria negar a você um pouco de prazer na próstata? É igual dizer para uma mulher que você não vai tocar o clitóris dela."

"Como um homem que nunca experimentou a própria próstata, não posso comentar sobre a força da sua comparação."

Seu queixo cai. "Nunca? Sério? Certo, a gente *tem* que mudar isso."

"Passo." Coloco-a de pé e aprecio a visão de seus seios nus balançando. "Anda, tem uma coisa que vai ajudar com a sua dor nas costas."

Levo Allie até o banheiro, e seu rosto se ilumina quando ela vê o banho de espuma que preparei. "Ai, meu Deus. Isso é incrível."

Pegando o vibrador de sua mão, empurro-a para a banheira. "Entra aí. Mas deixa um espacinho para mim."

"Uuuh, vamos tomar banho juntos? Melhor ainda." Ela mergulha um pé delicadamente na água e solta um gemido alto o suficiente para acordar o meu pau. Não que ele estivesse dormindo. Míni Dean está sempre em estado de alerta quando essa menina está por perto. "Quente e gostoso", ronrona Allie.

Igual a ela.

Coloco Winston na borda da banheira e tiro a roupa. Allie espirra um pouco de água ao deslizar para a frente, para dar espaço para mim às suas costas.

O vapor à nossa volta tem o cheirinho de morango do banho de espuma. Aninho seu corpo escorregadio contra o meu peito nu, deixando escapar um ruído satisfeito. Minhas pernas são compridas demais para esta droga de banheira, então tenho que ficar com os joelhos para fora, mas não me importo, porque a bunda redonda de Allie está apertando o meu pau, e estou mais que disposto a lidar com um pouco de cãibras, se for para tê-la nesta posição.

"Tá, ainda sobre a sua bunda. Você não tem mesmo a menor curiosidade em saber como é?"

Levo as mãos até o seu cóccix e massageio a carne lisa e molhada. "Nem um pouco."

"Ai, que delícia... faz assim..." Ela geme de novo e relaxa ao meu toque. "Nem um dedo? Deixa eu enfiar um dedinho para ver o que acontece."

Bufo de rir. "Agradeço a oferta, mas não."

"Você preferiria que fosse com um homem? Porque, gato, tenho uns amigos gays que fariam qualquer coisa para botar as mãos na sua bunda."

Desta vez, solto um "*Nem pensar*".

"Nunca achei que você fosse homofóbico", provoca ela.

"Não sou homofóbico."

"Mentiroso."

"Não sou. Sério, não me importo se você é gay, hetero, bi ou seja lá qual for a sua categoria. Só não estou interessado em dar a bunda pra um cara. Peru não é a minha praia."

"Como você sabe?", desafia ela. "E se você ficasse com um cara e descobrisse que adora?"

"Vai por mim, não vai acontecer."

"Como você pode ter tanta certeza se não tiver experimentado?" Dou de ombros, o que provoca um grito seu. "Ai, meu Deus, você *já* experimentou!" Ela se vira para me encarar, transbordando água da banheira. "Com quem? Como ele era? O que vocês fizeram? Conta tudo!"

"Não tem nada pra contar."

"Mentira." Ela corre uma das mãos sobre as pequenas bolhas brancas agarradas aos meus peitorais. "Vou fazer uma proposta. Se você me contar sobre a sua experiência gay...", e faz uma pausa sedutora, "... eu conto sobre a minha experiência lésbica."

E, de uma hora para a outra, estou mais duro que pedra. "Fechado", digo, imediatamente.

Seu riso ecoa nos azulejos do banheiro. "Homens. Tão fáceis de manipular."

"Claro que somos. É a nossa maior fraqueza — somos governados pela cabeça de baixo." Deslizo as mãos por sua barriga ensaboada para segurar seus seios. Seus mamilos toda hora me espreitam, tentadores, por entre a espuma branca, e não consigo deixar de procurá-los com os dedos. Quando aperto as pontinhas, Allie emite um som gutural e fecha os olhos. "Nada disso", reclamo, afastando as mãos. "Você não pode me atiçar com uma experiência lésbica e depois mudar de assunto."

"Ah, é. Tinha esquecido." Ela dá de ombros, o que faz umas gotinhas voarem das pontas do cabelo. "Beijei uma amiga no primeiro ano da escola. Ficamos bêbadas numa festa e decidimos experimentar." Outro dar de ombros. "Não foi ruim."

"Só um beijo?"

"É."

"E 'não foi ruim'?", resmungo. "Que história mais decepcionante."

"Poxa, foi mal se a minha experiência não fez jus aos seus padrões de perversão. Mas foi o que aconteceu. Certo, sua vez. Quando foi que *você* fez a sua tentativa gay?"

"Também aconteceu na escola", confesso. "Um amigo e eu saímos com nossas namoradas uma vez, e elas nos desafiaram a nos beijar. Falamos que só se *elas* se beijassem antes. Não achei que fossem nos levar a sério, mas elas se pegaram feito duas atrizes pornô. Então eu e Jason tivemos que cumprir a palavra."

"Você gostou?"

"Não foi horrível, mas não me deixou duro."

"Teve língua?"

"Teve."

"Bastante língua?"

"Não sei. Uma quantidade normal."

Allie parece tão decepcionada com a minha história quanto eu com a dela. "E parou por aí? Vocês não tocaram a ponta do pau, nem fingiram que estavam lutando de espada?"

Rio forte o suficiente para fazer a água da banheira se agitar feito uma corredeira. "Não, mas agora meio que me arrependo. Parece a coisa mais engraçada do mundo." Engasgo por entre as gargalhadas. "*Espada de pica.*"

Allie também tem uma crise de riso, mas a forma como seu corpo treme faz com que suas coxas ensaboadas deslizem ao longo de minha virilha, o que transforma rapidamente a minha diversão em excitação pura.

Ela ainda está rindo quando capturo sua boca num beijo faminto. Mas não por muito tempo. Logo, está ofegante contra os meus lábios, envolvendo minha nuca com as mãos enquanto enrosca a língua na minha.

Aperto seus quadris e puxo-a na minha direção até meu membro estar alinhado com a entrada dela. Ela solta um gemido quando o deslizo ao longo de sua carne molhada, esfregando a ponta sobre o clitóris.

"Dean..."

Mal ouço seu sussurro ofegante. Estou muito distraído com sua boceta quente e escorregadia e os peitos macios que estou apertando agora em minhas palmas.

"Dean."

"Hmm?"

"Você ouviu isso?"

De repente, percebo que ela ficou rígida, e sua cabeça está inclinada na direção da porta fechada. Interrompo o movimento lento de meus quadris e ouço com atenção, mas a casa está em silêncio. "Não ouvi nada..."

Ai, Merda. Espera. Ouvi sim. O som inconfundível de alguém subindo a escada.

E depois:

"Cara, você não vai *acreditar* no que aconteceu!"

Num piscar de olhos, Allie está fora da banheira, escondendo o corpo nu e pingando atrás da porta, meio segundo antes de Logan abri-la.

# 17

## DEAN

"A gente foi até Boston, e só quando cheguei lá é que percebi que tinha deixado a carteira em casa. Aí a gente teve que voltar pra caminhonete e dirigir até aqui, e agora..."

Logan para tudo o que está fazendo feito um personagem de desenho animado. Fico surpreso que sua cabeça não gire no pescoço e seus olhos não saltem para fora.

"Hum." Seu olhar quica de um canto a outro do banheiro feito uma bola de borracha.

Ele olha para o toalheiro, onde sua calça está pendurada.

Olha para a banheira, onde estou recostado feito uma Cleópatra.

Olha para as bolhas de sabão, cercando meu corpo numa nuvem branca e macia.

Então olha para Winston.

"Cara", deixo escapar. "*Não* é o que parece."

"Não, não, não, não quero saber!" Logan joga as mãos para cima e começa a recuar pela porta, como se tivesse acidentalmente entrado na cova dos leões. Ele para. Pega a calça do toalheiro. Continua recuando. Seus olhos se concentram mais uma vez no vibrador rosa a cinco centímetros da minha mão.

Tento de novo. "Eu juro que não..."

"*Não quero saber.*"

Logan pula para fora do cômodo e bate a porta. Ouço seus passos retumbando em direção à escada. E então voltando na direção do banheiro.

"Ei, escuta, vou passar a noite com Gracie hoje. Então você pode... hmm... terminar o que estiver... hmm... fazendo."

Merda.

Espero ouvir o som da porta da frente se fechando antes de me voltar para Allie. "Você *se escondeu* atrás da porta? *Sério?*"

Ela dá um passo tímido para a frente. "Desculpa."

"Pode guardar suas desculpas, gata. Você tem noção do que acabou de fazer, né?" Olho feio para ela. "Deixou o meu melhor amigo achar que gosto de enfiar vibrador na bunda."

"Ah, não é verdade. No máximo isso vai abrir os olhos do Logan. A gente expandiu os horizontes dele para os prazeres da diversão anal."

"Entra aqui", ordeno.

Allie se abaixa depressa na água e se ajoelha na minha frente. "Desculpa, de verdade. Eu devia ter falado que estava aqui." Ela passa uma mecha de cabelo molhado atrás da orelha. "É só que... gosto da ideia de manter isso em segredo. Você sabe o que vai acontecer se todo mundo descobrir que a gente está dormindo junto. Eles vão se meter e transformar esta história em algo maior do que é."

Ela tem razão. Essa é a natureza do monstro social, e eu estava tentando evitar a mesma coisa. Mas, droga, Logan nunca mais vai me deixar em paz com isso. Tomar banho de espuma com um vibrador rosa? Allie me condenou a um sem-fim de zombaria e piadas.

"Deixa eu te recompensar", implora ela. "Tenho certeza que a gente pode encontrar *algum* jeito de tirar Logan da sua cabeça..." Seus dedos ensaboados envolvem meu pau, que endurece rapidamente na sua mão. "Viu só? Você já tá esquecendo."

Ela faz um movimento firme, e solto um gemido. "Não, ainda tô bravo com você."

"O que faria você deixar de ficar bravo comigo?"

"Sua boca, para começar."

Ela avalia a sugestão, o olhar acompanhando o movimento da própria mão debaixo d'água.

"Em geral, eu diria que sim, mas acho que não consigo prender a respiração por tanto tempo. E vou me afogar se tentar te chupar debaixo d'água."

Rindo, fico de pé e espalmo a mão na parede de azulejos. A espuma escorre por meu peito e se agarra a minha pele molhada. "Que tal agora?"

"*Agora* sim." Ela escorrega para a frente, e seu rosto fica a meros centímetros da minha ereção protuberante. Em seguida, lambe os lábios, e é a coisa mais sexy que já vi.

Não. Correção: esses lábios em torno de mim são a coisa mais sexy que já vi.

Ela chupa suavemente, a língua envolvendo a cabeça como se estivesse provando uma guloseima. Seu gemido baixo atravessa meu corpo, desencadeando uma onda de prazer.

Levo a mão ao seu rosto e acompanho com o dedo o "O" perfeito formado por seus lábios enquanto se apertam em volta de mim. "Você não tem ideia de como tá linda agora."

Seus olhos azuis se fixam nos meus. Estremeço ao ver sua boca me recebendo, quente, úmida e ansiosa. A cada sugada lenta ela me engole mais e mais, até eu estar muito perto de tocar sua garganta. Nossa. Quero meter em sua boca, com força, mas sei que se aumentar o ritmo vou gozar rápido demais.

"Você...", sua respiração faz cócegas na ponta inchada, "é tão...", ela lambe a parte de baixo, e tremo de desejo "... bom de chupar."

Uma risada me escapa. "E o que faz de mim 'bom de chupar'?"

"Isto aqui." Ela aperta meu membro. "Este pau lindo. Grande, mas não grande demais." Seus dedos me envolvem de novo. "Grosso, mas não grosso demais. Perfeito."

"E tem isso de pau ser *demais* de alguma coisa?"

Rindo com a voz rouca, ela me engole de novo, e não me lembro mais do que estávamos falando, porque Allie Hayes é muito boa nisso.

Ela segura o meu saco enquanto brinca com a boca, lambendo e chupando e simplesmente me deixando louco. Todos os centímetros quadrados da minha pele começam a se arrepiar. O prazer cada vez maior faz meus joelhos fraquejarem.

Mantendo uma das mãos na parede, enfio a outra no cabelo úmido de Allie até a palma estar segurando seu couro cabeludo. "Você vai me deixar gozar na sua boca, gata?"

Ela ainda não fez isso. O último boquete terminou com a mão dela me levando ao clímax. Mas estou morrendo de vontade de gozar nessa boca, sentir sua garganta engolindo cada gota.

Allie me espia sedutoramente. Meu saco se comprime contra o meu corpo, pesado de necessidade. Quando ela me oferece um leve aceno de cabeça, sou um caso perdido. O alívio vara meu corpo e jorra do meu pau. Um gemido rouco escapa, quando ela me chupa até o fim.

Preciso de quase um minuto inteiro para me recuperar. Assim que minha respiração se acalma e minha visão volta ao normal, entro na água de novo, empurrando-a para trás. Allie dá um gritinho quando a levanto e a coloco sentada na pequena borda de porcelana. Deve ter meio metro de largura, o que é espaço suficiente para ela sentar.

"Minha vez", murmuro.

Abro suas pernas, e seus olhos queimam de desejo quando acaricio a parte interna das coxas. A pele ali é muito macia e sedosa sob meus dedos. Estou prestes a baixar a cabeça e me esbaldar, quando me lembro de uma coisa.

Com um sorriso malicioso, me inclino para trás na banheira e pego Winston.

A respiração de Allie falha.

"Vamos ver se você gosta tanto do Winston quanto do Míni Dean. O que você acha?" Levo a pontinha do brinquedo até o clitóris, rindo comigo mesmo ao vê-la afastar ainda mais as pernas. Amo essa desinibição, como ela topa qualquer coisa e não está nem aí para isso. Igualzinha a mim.

Provoco-a por um tempo, deslizando o brinquedo para cima e para baixo ao longo da abertura, até ela estar trazendo os quadris para a frente, visivelmente agitada. Excitada. Então abro-a com os dedos e enfio a pontinha do brinquedo de leve.

Nós dois ficamos observando enquanto empurro Winston para dentro dela. Estava tentando ir devagar, mas ela está tão molhada que o brinquedo entra inteirinho sem resistência. Tiro de novo, deixando só a pontinha, em seguida, enfio uma segunda vez.

Allie geme.

Eu também, porque mais uma vez descobri que havia me enganado. Ver aquele brinquedo entrar e sair dela é *com certeza* a coisa mais sexy que já vi.

"Como tá se sentindo?", murmuro.

"Preenchida", murmura ela de volta.

Com o brinquedo ainda dentro dela, abaixo a cabeça e aperto a língua contra seu clitóris. Dou uma lambida de leve e começo a mover a mão, o movimento preguiçoso da língua sincronizado com as investidas lentas do brinquedo. Allie agarra meu cabelo e se contorce na borda. Suas pernas agitadas espirram água em minha cara. Não ligo. Seguro seu clitóris entre os lábios e chupo, enquanto Winston continua a fazer seu trabalho lá embaixo.

Os ruídos que escapam de sua garganta ficam mais ofegantes e rápidos. Chupo mais e mudo o ângulo em que o brinquedo entra nela, e sou recompensado com um: "*Ai, meu Deus*".

Sorrio contra sua pele quente, junto com seus espasmos. Adoro fazer esta menina gozar. Ela sempre reage como se tivesse acabado de receber um mimo inesperado, como se realmente não previsse esse presente enorme e maravilhoso, mas, caramba, com que vontade ela rasga a embalagem.

Seu corpo cede com um grito feliz, e depois suas pálpebras se abrem, pesadas. "Amo o Winston."

Tiro o brinquedo com cuidado. Mas não tem nada de gentil na forma com que a encaro. "Você sabe que ele não é de verdade, não sabe?"

"Vai por mim, deixa eu enfiar ele em você só uma vezinha, e aposto que você vai mudar de opinião."

Saímos da banheira, escorrendo água por todo o tapete e os azulejos. Quando me abaixo para abrir o ralo, Allie dá um tapa em minha bunda e diz: "Para de tentar o Winston".

Rio e me viro para pegar uma toalha.

No meu quarto, Allie pousa o brinquedo na cômoda e começa a se secar. "Desculpa mesmo, de verdade." Ela suspira. "Logan vai te encher o saco com isso, né?"

"Ah, se vai." Diante da culpa em seu olhar, suspiro também. "Não esquenta, tá tudo bem. Vou dizer que tinha alguém escondida atrás da porta, com vergonha."

Allie parece alarmada.

"Não vou dizer que era você."

Em vez de acalmá-la, minha observação tem o efeito oposto. Seus olhos ficam frios de desagrado. "Então você vai dizer pra ele que estava com uma menina qualquer?"

"Você *preferia* que eu dissesse que era você?"

"Não. Mas..." Ela morde o lábio e fica quieta.

Já saí com muita mulher. *Conheço* as mulheres. Quando ficam quietas assim, não estão simplesmente remoendo uma coisa na cabeça. Não, estão construindo uma teia intricada de cenários e possibilidades, várias camadas se sobrepondo umas às outras, aumentando e se torcendo, até que, de repente, elas estão furiosas com uma coisa que você nem sequer imaginou.

Abafo outro suspiro. "Fala logo, Allie-Cat."

"Você tá ficando com outra pessoa?"

Isso me pega desprevenido. "Não. Claro que não." Mais uma vez, minha resposta entra por uma orelha e sai pela outra. Ela está ainda mais hostil agora. "Não tô", digo, com firmeza.

Ela analisa meu rosto como se estivesse procurando Wally, só que está procurando uma mentira, e não um esquisitão de óculos e gorro. Em seguida, deixa escapar um suspiro. "A gente provavelmente deveria ter tido essa conversa antes de transar de novo. Todo esse papo de exclusividade."

Acho que ela tem razão, embora não seja uma discussão que eu tenha com frequência. Todo mundo que se envolve comigo sabe que é uma relação aberta. De ambos os lados, porque elas também não têm que ser fiéis a mim. Transei com uma aluna bonita do segundo ano uns meses atrás que admitiu na minha cara que tinha acabado de chegar de um encontro com outro.

Com Allie, simplesmente presumi que fosse algo exclusivo. Jamais sonharia brincar com a melhor amiga da Wellsy.

"Somos exclusivos", digo a ela.

"É sério que você não tá saindo com outra?" Ela nem tenta esconder a surpresa, e me pergunto se deveria ficar ofendido.

"Desde a primeira vez que dormimos juntos."

Ela assente com a cabeça. "E por você, tudo bem?"

"Você topa?"

Outro aceno. "Quero que isso seja exclusivo. Quer dizer, sei que é só um caso, mas não ia me sentir confortável com a ideia de você dormindo com mais alguém. O mesmo vale para mim... também não vou fazer isso."

"Beleza", digo, sem problemas.

Allie permanece cética. "Você tá concordando depressa demais."

"Prefere que eu faça birra e exija transar com outras pessoas?"

"Não, mas..." E lá vai ela, mordendo o lábio de novo. "Você tá dizendo que se sente perfeitamente satisfeito em ficar só comigo pelo tempo que isso durar? E se eu ficar ocupada de novo igual nesses últimos dois dias? Você não vai sair por aí atrás de um rala e rola com outra?"

Eu estava tranquilo com esta conversa até este momento. Agora estou irritado. "Qual o problema, acha que não sou capaz de me segurar por dois míseros dias?"

"A gente ficou três dias sem se ver, Dean, e você não parava de choramingar sobre o quão duro estava."

"Só porque gosto de transar com regularidade não significa que gasto todos os segundos do meu dia indo de bar em bar, procurando um jeito de afogar o ganso."

"Tá. Desculpa", diz ela, arrependida. "Mas eu tinha que perguntar." Allie brinca, inquieta, com a ponta da toalha. "Olha... me faz um favor? Se você sair e alguém der em cima de você e te deixar louco para levar ela pra cama, ou se você quiser, sei lá, arrumar outro caso... você pode me mandar uma mensagem dizendo 'acabou' ou algo assim?"

"Pode deixar", prometo.

Mas, honestamente, não vejo isso acontecendo nunca. Não pensei em mais ninguém desde que Allie forçou seu caminho até a minha cama feito um trator, naquela primeira noite. O que é desconcertante. Achei que se a gente saísse vezes o suficiente, eu iria acabar enjoando dela, mas essa menina me excita demais da conta. Mesmo agora, no meio de uma conversa desconfortável sobre "arrumar outro caso", meu corpo está pronto para uma segunda rodada.

Estou começando a me perguntar se algum dia vou enjoar dela.

## ALLIE

Participei de minha primeira seleção de elenco aos doze anos. Fiquei empolgadíssima e, apesar de não ter conseguido o papel, me diverti horrores lendo para a diretora de elenco, que era a mulher mais gentil que conheci. Ela me deu um feedback valioso, e ainda me lembro até hoje de que me aconselhou a continuar tentando, porque viu "alguma coisa" em mim.

Não demorei muito para perceber que processos de seleção não são exatamente cor-de-rosa. Não importa se você está se candidatando para um comercial, um papel coadjuvante ou algo mais interessante — pelo menos uma vez na vida, você vai ter que enfrentar este obstáculo: contracenar com um ator difícil.

Pois é, toda seleção tem um. A pessoa que tenta te sabotar, embora vocês estejam se candidatando para papéis diferentes. Ou atuar melhor que você, só para aparecer. Ou é alguém que não tem o menor profissionalismo e esquece todas as falas, o que acaba pegando mal para você também. Ou, às vezes, eles são só uns babacas, e você prefere levar um banho de água fervendo do que estar no mesmo ambiente que eles, quanto mais contracenar.

Já tive que lidar com todo tipo de parceiro ao longo dos anos, e o melhor conselho que recebi sobre como lidar com a situação veio de Jack Emery, o professor de atuação do acampamento de teatro onde eu trabalhava como voluntária.

Ele me disse para usar a energia negativa.

Você não pode controlar como o outro ator vai se comportar. Não pode forçá-lo a lembrar suas falas, ou se obrigar a ser gentil com alguém que, francamente, não merece a energia de que você precisa para fingir um sorriso. Jack me instruiu a pegar essa energia negativa e canalizar para o meu próprio desempenho. Claro que o conselho não se aplica necessariamente a uma seleção para um comercial de cereal em que você tem que estar toda sorrisos enquanto engole uma pá de açúcar.

Mas ajuda se os seus personagens tiverem uma relação combativa. Nesse caso, é fácil usar a raiva ou a irritação e canalizá-la para a sua atuação.

Que é o que estou tentando desesperadamente fazer no ensaio de quinta à noite com a aluna do último ano que faz o papel de minha irmã.

Já estive na mesma turma que Mallory Richardson antes, mas esta é a primeira vez em que atuamos juntas no palco. Na semana passada, estávamos com o roteiro na mão, porque os ensaios ainda estavam começando.

Essa semana, nosso diretor, que também é aluno do curso de teatro, quer que a gente ensaie sem o roteiro. Não a peça inteira, mas pelo menos algumas cenas, para ajudar com o processo de memorização. Por mim, tudo bem, porque já decorei metade da peça.

Mas Mallory? Incapaz de encadear uma frase completa.

"Enfia isso na sua cabeça, Jeannette, você é uma fraca", afirma Mallory, categórica. "Por que acha que Bobby foi embora? Porque não..." Ela para. "*Fala*", grita para a primeira fileira de assentos na plateia, onde o diretor e dois alunos produtores estão sentados.

Não tem como não notar a frustração de Steven. Não o culpo. Durante a última hora, já ouvi Mallory gritar "*Fala!*" tantas vezes que a palavra perdeu todo o sentido.

"'Porque não aguentava mais a sua choradeira'", responde Steven, a voz de barítono atravessando o auditório cavernoso. "'Você é patética. Você...'"

Mallory o interrompe. "Obrigada, eu sei o resto. Tropecei na parte da choradeira."

Steven sinaliza para começarmos de novo.

"Enfia isso na sua cabeça, Jeannette, você é uma fraca. Por que acha que Bobby foi embora? Porque não aguentava mais a sua choradeira. Você é patética. Você se deixa abater... *fala!*"

Resisto ao impulso de correr até o outro lado do palco e derrubá-la no chão. Talvez se eu gritar as palavras no seu ouvido no último volume elas se fixem nessa cabecinha preguiçosa.

Steven recita a próxima linha.

Começamos de novo.

"Estou cansada de ter que ficar segurando a sua mão e enxugando as suas lágrimas e..."

"Bobby *morreu!*", esbravejo, cambaleando na direção dela. "Tenho todo o direito de chorar se eu quiser! E ninguém pediu pra você segurar a minha mão. Não te chamei aqui, Caroline."

"Eu vim porque..."

Fico esperando.

"*Fala!*"

E assim vai.

Fala.

Fala.

Fala.

Reservamos o auditório até as dez e meia, o que significa que ainda temos uma hora. Em geral, Steven faz uso de todos os segundos disponíveis. Hoje, o diretor obviamente perdeu toda a paciência. Ele levanta e anuncia que o ensaio terminou.

Estou surpresa que tenha aguentado por tanto tempo.

"Vamos nos reunir de novo amanhã", diz ele. "O auditório está reservado do meio-dia às três, então a gente vai poder trabalhar bastante. Releia as cenas mais algumas vezes, Mal. Você está precisando memorizar suas falas."

"Desculpa, Steve", geme Mallory. Pelo menos tem a decência de parecer envergonhada. "Não tive tempo de estudar a cena ontem. Estava preparando um monólogo para a aula do Nigel." Ela suspira alto. "Tô toda atolada agora."

Minha vontade é dizer: *Bem-vinda à faculdade*, porque, qual é, ela acha que é a única cheia de trabalho aqui?

Estou fazendo um curso de roteiro que me obriga a escrever duas cenas por semana. Meu professor de teoria cinematográfica passa tanta coisa para a gente ler que meus olhos estão começando a envesgar. Na oficina de seleção de elenco, a gente prepara um monólogo por semana; o seminário foi projetado para ajudar alunos de atuação a se sentirem à vontade e ganharem autoconfiança para enfrentar processos de seleção, mas, aparentemente, seria "fácil" demais usar material já existente em seleções fictícias.

Não preciso nem dizer que estou tão atolada quanto ela, mas *eu* não saio por aí distribuindo desculpas. Não, ainda arrumo tempo para decorar essas míseras páginas de diálogo.

Mas estou feliz que o ensaio tenha terminado. Estou perto demais de estrangular Mallory, que nem se despede de mim ao sair do palco.

"Amanhã a gente vai se sair melhor", garanto a Steven. Me sinto péssima por termos decepcionado nosso diretor hoje, porque sei o quanto ele leva a sério o seu trabalho.

Quando nos conhecemos, brinquei que ele deveria estar na frente das câmeras, e não atrás delas. Sério, o cara é lindo. Pele escura da cor de chocolate, feições perfeitas, olhos hipnotizantes. Ele me lembra um Idris Elba sem o sotaque britânico sensual. Mas Steven não está interessado em ser ator. Uma vez me disse que sua meta é ganhar um Oscar de Melhor Diretor antes dos quarenta.

"Não é você que tem que melhorar", responde Steven. "Você está ótima."

Guardo o elogio com carinho e saio do palco pelos bastidores, procurando o celular na bolsa enquanto caminho. Quando o encontro e vejo uma chamada perdida de Ira, meu coração tem um sobressalto. Liguei para ele ontem à noite para perguntar sobre a peça de Cavanaugh, para a qual estou louca para fazer um teste. Não sei nem se ela vai acontecer ou se são só boatos que correram a Broadway, então pedi para Ira investigar o assunto.

Confiro a hora. São nove e meia, o que significa seis e meia na Costa Oeste. Sei que ele ainda está em Los Angeles, porque mandou uma mensagem mais cedo dizendo que estava "almoçando" com o produtor do piloto da Fox. Não sei se estou feliz ou decepcionada que os produtores tenham me deixado mandar um teste filmado. Por sorte, provavelmente não vou ter notícia disso tão cedo, já que a seleção só começa em fevereiro.

"Alô, Ira", digo, assim que ele atende. "É Allie. Queria saber se descobriu alguma coisa sobre a peça do Brett Cavanaugh."

"Na verdade, descobri."

*Então por que não me ligou?*

"A produção já começou. Conheço uma das produtoras, então falei com ela." Ele faz uma pausa. "A notícia não é boa."

Meu coração cai até a boca do estômago. "Ah. O que ela disse?"

"É um elenco totalmente masculino. Ousado, né?"

Muito ousado. Para não falar devastador. De repente, sinto vontade desesperada de ter um pênis.

"Infelizmente, isso significa que não tem lugar para você nela..." Não brinca. Não tenho um pênis! "Mas falei para Nancy que você está interessada em trabalhar com Brett de novo. Ela prometeu passar isso adiante, então, quem sabe? Talvez ele te ligue quando estiver produzindo outra coisa."

Isso me anima. Um pouco. Ainda estou superchateada com a notícia.

Na saída do prédio, mando uma mensagem para Dean.

Eu: *Dia horrível! Talvez queira desabafar c/ vc + tarde. Como foi o jogo?*

Ele não responde. Tudo bem que só esperei três segundos, mas Dean em geral é bem rápido nas respostas.

Caminho cinco minutos na direção da Bristol House, e nada ainda. O jogo já deve ter terminado. Hannah falou que começou às seis. São quase dez.

Mais cinco minutos se passam. Estou quase no alojamento. Por que ele não responde?

*Faz dez minutos, sua maluca. Relaxa.*

Em vez de relaxar, fico ainda mais angustiada, porque acabei de me dar conta de algo preocupante.

Não entrei em contato com Dean porque queria sexo.

Queria desabafar sobre o meu dia com ele.

Ai, merda. Hannah tem toda razão — a palavra "casual" não existe no meu vocabulário. Tive uma porcaria de ensaio, e minha primeira reação foi escrever para o cara com quem estou ficando e contar tudo para ele. Na esperança de que ele fosse me ouvir, me confortar e me dizer que vai ficar tudo bem.

*Repita para si mesma, Allison Jane. Ele. Não. É. Seu. Namorado.*

"Ele não é meu namorado", digo, com convicção.

"O quê?" Um cara alto vestindo uma parca diminui o passo e olha para mim.

Quase pulo de susto. "Ah, não estava falando com você."

Ele se volta para a minha orelha, e percebo que está procurando um fone sem fio. Como não encontra nada, me olha de um jeito estranho e se afasta.

"Falar sozinho não faz de você um maluco", grito para ele. Bem, a menos que você seja o mendigo que eu costumava ver no Brooklyn gritando sobre conspirações governamentais e sobre como os alienígenas estão roubando nossos neurônios pelo celular.

Até aí, quem pode dizer que Lou não é perfeitamente são? Talvez os alienígenas *estejam* fazendo isso. Não posso provar o contrário.

Me arrasto pelo restante do caminho até em casa e encontro o alojamento com as luzes apagadas. Hannah ainda não voltou. Sei que foi ao jogo de hóquei hoje, então ligo para saber onde está agora.

"Oi!" Onde quer que esteja, é um lugar barulhento. Ouço uma cacofonia de vozes ao fundo, e uma linha de baixo retumbando em meu ouvido. "Tô no bar. Quer vir pra cá?"

Uso uma voz casual. "Quem tá aí? O Garrett e os caras?" *E Dean?*

Consigo me conter antes de fazer a pergunta. Droga, estou dando uma de namorada de novo. Uma namorada incrivelmente irritante, diga-se de passagem, do tipo que fica controlando o homem quando ele não está com ela.

"É. O time tá quase todo aqui. Ganhamos hoje, então tá todo mundo comemorando." A música transborda do outro lado da linha de novo. "O Garrett não para de me desafiar para uma competição de shot."

"E os outros? Estão fazendo o quê?", pergunto, com indiferença fingida. "Logan... Tuck... Dean...?"

Eu me odeio agora. Definitivamente, me odeio.

"Tuck não veio. Logan tá jogando sinuca. E tem uma menina tentando comer a cara do Dean."

Meu corpo inteiro fica rígido.

Hum... como é que é?

"Bem, não tô te ouvindo direito", continua Hannah. "Manda uma mensagem se você decidir vir."

Minha mão treme ao desligar a chamada. Dean está no bar se pegando com outra?

Dois dias depois de conversarmos sobre exclusividade?

Isso não vai ficar assim, mas não vai *mesmo*.

# 18

## ALLIE

Minha mãe era uma mulher bonita. Não estou dizendo isso porque sou filha dela e, portanto, a via por lentes cor-de-rosa. Estou dizendo porque é verdade — Eva Hayes era uma mulher bonita, impressionante e requintada. Foi modelo quando tinha uns vinte e poucos anos e, embora não fosse alta o suficiente para desfilar, era muito requisitada para ensaios fotográficos. Ainda tenho todos os catálogos e propagandas de revistas que ela fez num álbum de recortes que guardo na minha estante.

Herdei seu cabelo louro e os olhos azuis, mas minhas feições não são tão perfeitas quanto as dela. O rosto da minha mãe tinha aquela beleza clássica capaz de fazer homens, mulheres e crianças pararem para olhar sempre que ela passava.

Já eu, sou mais bonitinha do que exuberante.

Mas aprendi que a maquiagem e a roupa certa podem transformar qualquer garota *bonitinha* em *mulher fatal*.

Não sei qual é o meu plano. Em primeiro lugar, Dean e eu não estamos namorando. E como não quero que ninguém saiba que estamos tendo um caso, não posso entrar no Malone's e derramar um copo de cerveja na cabeça dele.

O que *posso* fazer é mostrar a ele exatamente do que está abrindo mão.

Não vou mentir — dói que ele não tenha me dado um aviso-prévio como prometeu. E definitivamente me incomoda o fato de que ele esteja com outra pessoa hoje, enquanto eu ainda podia muito bem continuar saindo com ele. Mas sabia com quem estava me envolvendo quando comecei isso. Dean Heyward-Di Laurentis pega todo mundo. Ponto-final.

Meu ego, no entanto, se recusa a aceitar isso, o que é a razão pela qual, trinta minutos depois de saber da notícia, estou saltando de um táxi na frente do Malone's.

Meu sobretudo me aquece, enquanto perambulo junto à porta do bar, debatendo meu plano de ação. Dois alunos saem, e fico satisfeita quando ambos param para dar uma conferida em mim. Rá. E isso porque a aprovação deles se baseou unicamente na minha maquiagem e no penteado "me coma". Provavelmente estariam salivando se vissem o que há debaixo do meu casaco.

Pego o celular. *Cheguei*, digo a Hannah. *Cadê vc?*

Ela: *Sinuca.*

Inspirando fundo, entro e abro caminho em meio à multidão. A música vibra no chão sob meus saltos, à medida que passo pelas mesas à esquerda e sigo em direção ao corredor que comunica o salão principal à sala de jogos.

Tem mais uma meia dúzia de mesas baixas e altas nessa parte do bar. Vejo minha melhor amiga imediatamente. Está conversando com Logan e Hollis, enquanto Garrett contorna uma das mesas verdes segurando um taco de bilhar. Com uma garrafa de cerveja na mão, Fitzy assiste à jogada de Garrett, o próprio taco descansando na parede ao lado.

Finalmente avisto Dean. Está praticamente escondido num canto, conversando com uma morena curvilínea de calça skinny e suéter decotado.

*Bonito suéter, meu bem, mas deixo isso no chinelo.*

Desabotoo o casaco, tiro e seguro debaixo do braço. Então empino os ombros e caminho até a mesa de sinuca.

Um assovio corta a música, cortesia de Logan. "Nossa", ele me dá uma cantada. "Você tá um arraso." Seus olhos azuis brilham, cintilantes. "Qual é a ocasião?"

Sorrio, timidamente. "Só estava com vontade de me sentir bonita."

Hannah bufa. "Amiga, você tá mais do que bonita. Acho que todos os homens do bar acabaram de armar a barraca."

Dou de ombros. Só estou preocupada com uma barraca em particular. Será que Míni Dean já reparou em mim?

"E aí, quer dizer que vocês ganharam?", pergunto a Logan.

"Pode apostar."

"Legal. Então vocês estão dando a volta por cima." Sei que o Grande Dean estava chateado com as três derrotas consecutivas.

"Bom, não exagera. Ganhamos de um time de segunda divisão. E foi por pouco."

"Ei, Logan!", grita Garrett. "Acha que consigo acertar essa?"

"Licença, senhoras. Meus serviços de melhor amigo e ás da sinuca estão sendo requisitados." Ele se afasta.

Hannah se aproxima. "E aí, isso significa que está pronta para mergulhar de cabeça na piscina do namoro de novo?" Sorrindo, ela aponta para a minha roupa, que, para ser sincera, não diz exatamente "quero namorar".

Diz "me coma".

O vestido tubinho azul vai até o meio da coxa. Coloquei um sutiã de bojo, então meus peitos estão bem no alto. A maquiagem esfumada deixa meus olhos enormes. Os scarpins de salto treze fazem minhas pernas parecerem incrivelmente longas. Claro que elas quase congelaram no caminho do táxi até o bar, mas a busca pela beleza às vezes envolve sacrifícios. Essa é a lição número um no manual da sedução.

"Não, tô só testando as águas."

Seu sorriso se alarga. "Bem, considere as águas testadas. *Eu* pegaria você."

Fico tensa, de repente, ao sentir Dean se aproximando mesmo antes de vê-lo. "Tá bonita hoje, hein, gata", diz, descontraído.

Mas ouço o tom de rispidez em sua voz, e seu descontentamento é inconfundível. O que é um absurdo, porque qual motivo *ele* tem para ficar irritado? Não era eu que estava me agarrando com outro.

"Obrigada. Quem é a sua amiga?", pergunto, na voz mais doce que sou capaz de conjurar.

Ele faz cara de quem não entendeu. "Ahn?"

Aceno com a cabeça na direção da morena, que está nos avaliando com visível suspeita. Não acredito que Dean ainda tem a ousadia de agir como se não a conhecesse. *Acabei* de ver os dois conversando.

"Ah", responde ele. "Polly? Paula? Não peguei o nome."

Claro que não.

"Penelope", esclarece Hannah. "Sentei ao lado dela durante o jogo. É *louca* pelo Dean. Passou o jogo inteiro falando de você." Minha melhor amiga dá uma risadinha. "Teve uma hora que fui obrigada a interromper e avisar que você não é tudo isso que dizem que é."

Concordo.

"Besteira. Sou melhor." Mesmo ao protestar, Dean parece distraído. Posso senti-lo olhando para mim.

"Vou pegar uma bebida." Me afasto da mesa.

"Ótima ideia", diz Dean, numa voz excessivamente alegre. "Também tô precisando."

Cerro os dentes, enquanto ele me segue. É muito difícil correr nestes saltos, então me contento com uma caminhada rápida e torço para me separar dele na multidão.

Nossa, que ideia ridícula a de vir aqui hoje. Não sei o que estava esperando, mas não foi isso. A única coisa que consegui foi ficar ainda mais tensa e irritada do que antes.

De repente, sou puxada para trás, e um ganido escapa da minha boca.

Os lábios de Dean roçam o meu ouvido, e ele rosna: "Se veio aqui pra me provocar, tá funcionando."

Fecho a cara. Giro o corpo e o encaro de frente. "Ao contrário do que você pensa, o mundo não gira ao seu redor." Só que ele tem razão. Foi por *isso* que vim, e agora me sinto uma completa idiota, porque não sou o tipo de garota que faz joguinhos.

Deveria ter ficado em casa. O ensaio me deixou de mau humor, e acabei deixando a ideia de Dean com outra pessoa me transformar numa personagem de uma comédia romântica. Vestir-se feito uma prostituta para chamar a atenção de um cara que não merece? Quem sou eu?

A aversão que sinto por mim mesma me faz voltar a andar. Aproximo-me do balcão do bar, onde um amontoado de homens abre caminho para mim como o mar Vermelho. Acho que é um dos benefícios da roupa sexy.

Peço um cosmopolitan, porque... por que não? Posso muito bem seguir adiante com a imagem que criei. Trouxe uma bolsinha de festa preta, mas quando abro para pegar o dinheiro surgem três mãos diferentes brandindo notas de vinte dólares no ar.

"Pode deixar..."

"Eu pago..."

"Deixa eu te pagar uma bebida..."

Dean faz um barulho alto e irritado. Quando me dou conta, está puxando a própria nota de vinte e enfiando na mão do barman. "Deixa *comigo*", diz, bruscamente. Então encara meus outros pretendentes, que desviam os olhares.

"Vai fazer xixi em mim agora para marcar território?", chio para ele.

Seus olhos se acendem. "Não sei... deveria? O que está acontecendo, Allie?"

"Nada." Pego a bebida que o barman me oferece e me afasto depressa do bar.

Dean permanece colado em mim, então ando mais rápido, e, quando nos aproximamos de nossos amigos mais uma vez, respiro, aliviada. Certo. Agora ele não pode mais ficar me enchendo o saco com perguntas.

Penelope não demora a se juntar a nós, e minha coluna fica rígida quando envolve suas garras no antebraço nu de Dean. A camiseta preta dele está esticada sobre o peito musculoso e deixa os braços perfeitos à mostra. Os mesmos braços que estavam me prendendo contra a cama na outra noite, quando ele estava se movendo dentro de mim.

Dou um gole em minha bebida e tento prestar atenção em Hannah. Ela está falando dos ensaios para a sua apresentação e de como está feliz que a faculdade a tenha deixado cantar uma canção original sua, em vez de colocá-la para trabalhar com um aluno de composição.

"Estou pensando em mandar algumas demos para umas gravadoras", admite ela.

"Sério?" Ela comentou há alguns meses que talvez passasse a se concentrar mais em compor do que em interpretar, mas não tinha percebido que era uma consideração séria.

"Sério." Ela brinca com uma mecha do cabelo escuro, o que me chama a atenção para a presilha verde fluorescente. É o único toque de cor no visual inteiramente preto. "Adoro compor. Quer dizer, também adoro estar no palco, mas, ontem à noite, estava brincando com Dexter no piano durante o ensaio, e quando ele cantou uma das músicas em que estou trabalhando foi..."

Paro de ouvir. Sou uma amiga horrível, eu sei, mas não posso evitar. Estou distraída demais pelo abutre bicando Dean como se ele fosse uma carcaça suculenta. Correndo as unhas feitas para cima e para baixo ao longo do seu braço. Acariciando seus bíceps. Inclinando-se para sussurrar algo em seu ouvido.

Em sua defesa, ele não parece notar que Penelope está colada nele. Seus olhos estão fixos em mim, e cada vez mais baços.

Saboreio minha bebida e passo a hora seguinte fazendo o máximo para ser social. Mas estou só ficando mais e mais irritada — *comigo*.

Escalei Dean inadvertidamente para um papel que ele não deveria estar interpretando. Ele *não é* meu namorado. Eu não deveria mandar mensagens para ele depois de um dia ruim. Não deveria ficar chateada por ele não ter respondido, ou por estar falando com outra garota.

Embora, de novo, em sua defesa, ele não pareça nem um pouco interessado em Penelope. Toda vez que dou uma espiada neles, Dean está ao telefone e não presta um pingo de atenção nela.

Minha bolsa não para de tremer, o que me diz que ele provavelmente está me mandando mensagens. Mas meu telefone permanece na bolsa, porque estou ocupada demais lidando com a constatação de que, aparentemente, sou inútil sem um namorado.

Sou... codependente? É essa a palavra certa? E foi por isso que fiquei voltando para o Sean? Porque não consigo ficar sozinha? Também tive um namorado durante todo o ensino médio...

Certo. Talvez eu esteja exagerando. Só porque sempre tive um namorado não significa que tenho problemas, significa? Gosto de ter namorado. Gosto de andar de mãos dadas, beijar, ficar abraçadinha e ter para quem contar como foi o dia. Isso não significa que *preciso* de um o tempo todo.

Talvez eu só seja péssima em ter casos. Tenho certeza que muitas outras mulheres têm dificuldade em separar sentimentos de sexo.

Ainda assim, tudo isso é muito desanimador. Decidi que está na hora de ir embora. Não estou prestando atenção a uma palavra do que ninguém está dizendo, e agora meio que quero ir para casa e pesquisar "codependência" no Google, para ver se posso me autodiagnosticar.

Mas antes quero fazer xixi, então peço licença e caminho na direção do banheiro. Nem me incomodo de conferir se Dean está me seguindo, porque sei que está. Eu o vi, de rabo de olho, se desvencilhando de Penelope no momento em que me afastei da mesa.

Para minha frustração, a fila do banheiro feminino é inaceitavelmente longa. Não, não vou esperar trinta minutos para usar o banheiro. Não estou com *tanta* vontade assim. Mas sei que, se voltar, provavelmente vou dar de cara com Dean.

Sigo em frente, em direção à saída de emergência. Já saí por aqui antes, então não imagino que o alarme vá disparar, e não dispara. Assim que alcanço o beco nos fundos do Malone's, o ar frio envolve minhas pernas e braços nus. Visto o casaco depressa, no mesmo instante em que a porta se abre e Dean emerge.

"Vai embora", digo a ele.

Ele expande as narinas. "Não."

"Tudo bem, então pode ficar aqui fora. Tô indo pra casa." Me atrapalho com o fecho da bolsa. Preciso chamar um táxi e avisar Hannah que já fui. Dean toma a bolsa da minha mão, com um palavrão irritado. "Quer devolver a minha bolsa?", exijo.

"Não. Não até você me explicar por que tá brava comigo."

Não respondo.

"Para de agir feito uma criança e fala logo", ordena ele.

"Por que você não vai procurar a Penelope?", sugiro. "Tenho certeza de que ela vai ficar muito feliz de falar com você. Com sorte, ela pode até enfiar a língua de novo na sua goela."

Ele leva um susto momentâneo. Então começa a rir. "É ciúme da Penelope?"

"Não é ciúme", respondo friamente. "Só não gosto que mintam pra mim."

Dean fica boquiaberto. "Quando foi que eu menti pra você?"

Sinto o rosto esquentar. Que ódio. Ódio *dele*. Ódio de *mim*, por ter dado a ele o poder de me fazer sentir tão... tão... Deus, nem sei como estou me sentindo agora.

"Você prometeu me avisar se fosse ficar com outra pessoa", acuso.

"Não fiquei com ela."

"Hannah falou que vocês estavam se beijando."

"Não, *ela* estava *me* beijando. Ou tentando, pelo menos. Eu falei que não estava interessado."

"Falou?" Minha indignação vacila, mas me forço a não amolecer. Não importa o que Dean fez ou deixou de fazer. Já deixei esse caso caminhar numa direção na qual não estou confortável, e agora é hora de voltar para o caminho certo.

"É, falei", retruca ele, "porque ao contrário do que *você* acredita, sou um homem de palavra. E disse que não ficaria com ninguém."

"Bem. Acredito em você." Engulo em seco. "Posso ir agora?" Tento pegar minha bolsa, mas ele a mantém fora do meu alcance.

"Você ainda tá chateada comigo", diz, categórico.

"Não estou."

"Sou o rei da mentira, gata, sei direitinho quando alguém tá querendo me enganar", retruca ele.

"Tá dizendo que essa historinha de que 'foi ela que me beijou' é mentira?", revido.

"Não, tô dizendo que..." Ele cospe um palavrão exausto. Então expira, lentamente. "Tô dizendo que você não vai embora até me explicar o que tem de errado. E quer saber? Se alguém deveria estar chateado agora, sou eu."

Meu queixo cai. "Como assim?"

"Faz dois dias que, graças à sua cena na banheira, tá todo mundo me sacaneando", diz Dean, sombrio. "Ontem à noite, encontrei um frasco de lubrificante debaixo do meu travesseiro com um bilhete de Garrett dizendo 'Para a sua bunda'. Logan comprou uma caixa de limonada rosa e fica só mostrando o polegar para mim toda vez que bebe um copo. Grace não consegue me encarar nos olhos sem rir. Agora tô levando esporro, e você não faz nem a gentileza de me dizer por quê."

"Eu... Eu... argh, *cansei* disso." As palavras saltam de minha boca antes que eu possa detê-las. "Esse caso acabou, tá legal? Já chega."

Os ombros de Dean se enrijecem numa linha severa. "Por quê?"

"Porque tô falando que acabou."

"E *eu* não tenho direito a uma opinião?"

"Não."

"Até parece", rebate ele. "Você não pode simplesmente terminar tudo assim sem me dar um bom motivo."

Uma sensação de impotência invade minha garganta, porque *não tenho* um bom motivo.

*Tive um dia ruim e você foi a primeira pessoa para quem liguei.*

Dito em voz alta, isso soaria louco. Mas me conheço. Posso me ver caindo na armadilha do namorado, e preciso sair dela antes que a coisa se feche e estraçalhe meu pobre coração impotente.

"Você tá dizendo que não se sente mais atraída por mim? É isso?"

"Não, não é isso. Você sabe que me sinto. Mas..."

"Mas nada." Ele se aproxima, e minha respiração fica presa nos meus pulmões. Seus olhos estão ardendo, suas feições, torcidas num olhar feroz. Nunca vi Dean irritado antes. É gostoso pra burro. "Que tal recapitular o que aconteceu essa noite, hein?"

Num piscar de olhos, estou contra a parede de tijolos, e sua boca está a centímetros da minha. Estamos meio que escondidos entre uma pilha de caixas de leite e uma caçamba de lixo que, por sorte, está vazia. Não que isso fizesse diferença, porque, mesmo que estivesse transbordando, eu ainda não seria capaz de sentir outra coisa que não o cheiro forte e masculino de Dean. Toda vez que inspiro, a fragrância viciante deixa meu cérebro mais e mais aéreo.

"Você ouviu que eu estava no bar com outra garota e ficou com ciúme. Acertei?"

Cerro os dentes.

"E aí ficou apavorada porque teve ciúme, não foi isso? Continuo no caminho certo?" Fico em silêncio, e ele prende meu queixo com a mão. "O que tá se passando nessa sua cabecinha linda? Acha que isso significa que você vai se apaixonar por mim? Que, porque me quer só para você, isso significa que vamos casar e ter filhos?"

Seu tom zombeteiro me irrita. "Deixa de ser idiota."

Ele me ignora. "Bem, isso não significa nada, gata. Você ficou com ciúme. Grande coisa. Tem noção do ciúme que *eu* tô sentindo agora? Acha que gosto de ver todos os homens do bar babando nos seus peitos e enfiando a mão no bolso para reorganizar a ereção que você provocou aparecendo aqui vestida assim? Quero arrancar fora os olhos deles só de terem olhado pra você."

Ergo o rosto para ele, surpresa.

"Verdade", Dean me diz. "Mas *eu* tô perdendo a cabeça por causa disso? Não, porque isso não significa nada. Só que a gente ainda fica excitado um com o outro."

Ele enfia a coxa entre as minhas pernas, se esfregando em mim de forma que posso sentir sua ereção.

"Ainda te excito, não é?"

O volume rígido pressionando minha barriga me distrai, me impedindo de responder. Sinto a calcinha ficando úmida. Nossa, estou ridiculamente molhada. E meus mamilos de repente estão incrivelmente sensíveis e doloridos contra a renda do sutiã.

"Tudo bem. Não precisa responder. Sei que ainda te excito." Seus lábios tocam minha orelha, provocando uma onda de arrepios. "Se eu enfiar a mão debaixo desse vestido agora, nós dois sabemos o que vou descobrir. Que a sua boceta tá mais molhada do que nunca."

Não consigo respirar. Porque não tem mais ar. Dean está roubando todo ele com suas provocações. E suas mãos estão despindo meu casaco dos ombros. Fico imóvel, fascinada demais pela intensidade brilhando em seus olhos. Ele deixa meu casaco cair na calçada suja, em seguida levanta a bainha do meu vestido e me segura por entre as pernas. A onda resultante de prazer é o que me faz despertar do transe.

Estamos em público, caramba, mas Dean não parece se importar. E, embora esteja frio aqui fora, seus dedos estão surpreendentemente quentes ao passar sob o elástico da minha calcinha.

Rindo, ele esfrega a umidade que encontra ali. "Isso. Foi o que eu pensei."

Está zombando de mim de novo, e minha indignação volta a todo vapor. "Deixa de ser metido", murmuro. "Eu ficaria molhada com qualquer um me esfregando desse jeito."

"Até. Parece." Seu polegar roça o meu clitóris. Quase caio por cima dele. "Sou eu. Você *me* quer." Dean enfia um dedo dentro de mim, e meus músculos internos me traem, apertando-se em torno dele. "E, enquanto essa bocetinha faminta continuar pingando por *mim*, a gente não acabou."

Ai, nossa. Ele está me apalpando pra valer agora. O prazer é insuportável, concentrado entre minhas pernas, pulsando em minhas veias. Não consigo pensar em outra coisa.

"Dean..." De alguma forma, me lembro de como falar. "Qualquer um pode passar aqui."

"Ótimo. Que passem. Que vejam como você é safada."

Meu gemido é tão alto que chega a ser embaraçoso. Dean enfia outro dedo e mexe os dois dentro de mim, curvando-os até atingir um local que faz pontinhos brancos surgirem em minha visão. Me esfrego contra sua mão, abandonando qualquer protesto e recebendo avidamente o que ele me oferece.

"Que tal dar um show completo? Quer que eu te coma aqui, contra a parede?"

Minha visão fica embaçada. Seus olhos estão brilhando de desejo inconfundível. Sua mão livre paira sobre o zíper da calça. Ele inclina a cabeça, esperando a minha resposta.

Não sei que feitiço esse cara lançou sobre mim, e sei que eu deveria afastar essa mão. Dizer a ele para deixar a calça fechada e parar de ser babaca. Estamos em *público*. Qualquer um pode nos ver.

Então por que meu coração está batendo ainda mais forte?

E por que estou baixando a cabeça para dizer que sim?

Vejo um lampejo de aprovação em seus olhos, juntamente com uma dose de necessidade pura. Seus dedos saem de mim, e ele me vira de frente para a parede.

Fico tensa ao ouvir vozes abafadas se aproximando da rua que passa além do beco. E se formos pegos? E se formos pegos por um *policial*? As pessoas vão para a cadeia por isso, não vão?

Sinto o hálito quente de Dean no pescoço, enquanto ele levanta o meu vestido até a cintura. O frio da noite deixa as minhas coxas arrepiadas.

Tenho que interromper isso. Talvez. Quem sabe. Mas não o faço.

Ouço o som de uma embalagem de plástico se rompendo, o barulho de roupas sendo remexidas, e sua ereção desliza entre as minhas nádegas. Seu membro se aproxima mais e mais até a ponta cutucar a minha abertura.

"É melhor gozar logo", sussurra Dean, ao meu ouvido. "Você me deixou com tanto tesão que não vou durar muito."

Não sei se vou durar mais que uns *segundos*. Meu clitóris está tão inchado que é uma agonia. Meus seios também. Nunca dei uma rapidinha do lado de fora de um bar antes, e tudo sobre esse momento é diferente, emocionante e apavorante. O elemento adicional de perigo, o risco de alguém nos ver, transformou meu corpo num fio desencapado à espera só de uma faísca para inflamá-lo.

E a faísca vem na forma de uma investida profunda de Dean.

O grito que irrompe com o meu clímax é interrompido por sua mão, cobrindo a minha boca. Para alguém que acabou de me provocar por dar um showzinho, ele está subitamente consciente do nosso ambiente.

Eu, por outro lado, nem lembro em que continente estamos. O orgasmo vara meu corpo e me deixa sem fôlego. Afundo-me no membro de Dean com cada espasmo incontrolável, e ele solta um gemido quase inaudível e enterra a cabeça entre meu pescoço e o ombro, entrando em mim por trás.

Ele não estava brincando. Goza tão rápido que não sei se devo ficar impressionada ou provocá-lo sobre isso. Entra em mim uma última vez e treme violentamente, as mãos apertando meus quadris com força.

Também estou tremendo, mas não sei se é por causa do orgasmo ou do vento frio em minha bunda.

Quando vozes mais altas varam o silêncio, pulo para longe de Dean e baixo o vestido sobre minhas coxas. Uma espiada por sobre a caçamba de lixo revela figuras sombrias caminhando na calçada. Ninguém se volta para o beco.

Visto o casaco depressa, enquanto Dean enfia o pênis ainda duro dentro das calças. Ele joga a camisinha no lixo e me lança um olhar cauteloso.

"O que foi?" Minha voz não soa como a minha voz. Está grave. Gutural.

Seu olhar percorre o meu corpo da cabeça aos pés antes de se fixar nos meus olhos. "A gente não acabou", diz, rispidamente.

Mordo a parte de dentro da bochecha e digo: "Eu sei."

# 19

## ALLIE

De acordo com o mendigo Lou, do Brooklyn, um déjà-vu é só uma falha que acontece quando os alienígenas tentam acessar suas memórias. Acho que é isso que os homenzinhos verdes estão tentando fazer agora, porque, minha nossa, virei a rainha do déjà-vu.

A noite de sexta-feira começa da mesma forma que há duas semanas. Saio da academia com a bolsa de ginástica numa das mãos e o telefone na outra. Tem três mensagens não lidas de Sean esperando por mim.

Eu leio e solto um gemido. Ele precisa muito, *muito mesmo*, falar comigo. Droga.

Consegui, de alguma forma, evitá-lo por duas semanas. O sexo com Dean tem servido como uma bela distração, mas, essa noite, não vou ter esse luxo. Dean ainda está no rinque, no jogo do Hurricanes, e depois tem planos com Beau.

Preciso decidir o que fazer com Sean. Quero falar com ele? Adianta? Estou começando a achar que as separações anteriores não vingaram porque tentamos continuar amigos. É uma péssima ideia. Não dá para ser amiga de um ex, pelo menos não de cara. Megan insiste que é preciso no mínimo um período de seis meses sem contato nenhum até você poder sequer considerar a possibilidade.

Não que Megan seja uma especialista em relacionamentos. Na última vez em que falei com ela, ainda estava saindo com o médico de trinta e sete anos, mas continuava inventando desculpas para não conhecer a filha dele. Se ela não consegue se abrir com ele sobre seus medos e preocupações, como isso pode ser uma receita para uma relação saudável?

Mas eu deveria estar preocupada com a minha própria vida amorosa agora. Bem, minha *ex* vida amorosa, porque não amo mais Sean McCall. É assustador como meus sentimentos se extinguiram depressa.

Minha mãe costumava dizer que o tempo cura todas as feridas. Isso definitivamente é verdade. No ano seguinte ao da morte dela, bastava imaginar seu rosto para desencadear uma onda de dor angustiante. Agora, quando penso nela, ainda dói, mas de um jeito mais contido e nostálgico. Sinto sua falta, mas não tenho vontade de me enrolar em posição fetal e chorar o dia inteiro.

Mas isso é o luto. Acho que o amor demoraria mais tempo para desaparecer, o que me faz pensar se talvez o processo não começou muito antes de Sean e eu terminarmos. Talvez eu tenha deixado de amá-lo antes e não percebi.

E talvez tomar um café não seja uma ideia terrível. Acho que é possível usar a ocasião como uma oportunidade para avaliar como meu coração responde diante dele.

Subo as escadas do alojamento ainda considerando a questão. A Bristol House só tem quatro andares, por isso não tem elevador, são só quatro lances de escada carregando minha bolsa de ginástica.

Chego ao nosso corredor e fico paralisada ao ver Sean sentado diante da minha porta.

Mais uma vez, ele decidiu por mim.

Está com o pescoço curvado, o rosto colado ao telefone, mas ergue a cabeça ao ouvir meus passos. Em seguida, está de pé, andando na minha direção.

Meu coração *responde*, mas não da maneira como eu esperava. Sean não mudou nada — o cabelo escuro saindo pela lateral do boné do Red Sox com a aba para trás, os olhos castanhos profundos, a barba feita. Ver esse menino com quem passei três anos da minha vida não deveria fazer meu coração doer?

Mas tudo o que sinto é irritação.

"Não fica brava comigo", implora, em vez de dizer "oi". Sem dúvida notou meu desagrado. "Sei que não devia ter vindo sem avisar."

"Então por que veio?"

"Porque você não tá respondendo as minhas mensagens." Ele balança a cabeça com raiva. "Passamos quase quatro anos juntos, Allie. Você não tem cinco minutos pra falar comigo?"

"Não tenho nada a dizer." Abro a porta e jogo a bolsa no corredor. Quando Sean tenta me seguir para dentro do alojamento, fecho a cara e seguro a porta para impedi-lo.

Ele faz uma cara feia. "O quê? Tô proibido de entrar agora?"

"Não tem razão nenhuma pra você entrar. Desembucha, Sean."

"Não vou fazer isso no corredor, com o andar inteiro me ouvindo."

Inspiro fundo. Não sei por que estou sendo tão dura agora. Talvez porque vê-lo me faça lembrar da briga que levou à nossa separação. Todas as palavras injustas, insensíveis e cruéis que ele jogou na minha cara.

Eu me obrigo a expirar. Provavelmente estou sendo extremamente grossa porque o ensaio de hoje foi outra porcaria. A sessão de esteira a um ritmo alucinante também não ajudou.

"Olha, preciso desesperadamente de um banho, então por que a gente não se encontra na cafeteria em meia hora? Lá a gente conversa."

Ele continua chateado por não poder entrar, mas concorda. "Tá bom. Acho que tô precisando de um pouco de cafeína."

Faço que sim com a cabeça. "Daqui a pouco eu tô lá." Em seguida, fecho a porta e me recosto contra ela por alguns segundos. Merda, acho que não quero ter essa conversa, seja ela qual for.

Queria que Hannah estivesse aqui para me dar um conselho sobre como lidar com isso, mas ela está no ensaio. Com o festival chegando, duvido que a veja com frequência antes de sua apresentação.

No chuveiro, me lembro que terminei com Sean por uma razão. Bem, muitas razões. Queríamos coisas diferentes do futuro. Eu não estava feliz. Ele vivia com raiva.

Resumindo, era muito sofrimento e pouca gratificação. Gosto de imaginar que minha mãe concordaria comigo nisso. Sim, ela me encorajou a sempre tentar salvar meus relacionamentos, e sim, relacionamentos exigem esforço, mas eles não têm que ser hostis, né?

Não consigo imaginar uma coisa que Sean possa me dizer que me faça mudar de ideia.

Sean pegou para nós uma mesa nos fundos da cafeteria movimentada, meio escondida atrás de um vaso grande de cerâmica com uma espaçosa samambaia falsa. Não entendo muito bem a decoração deste lugar. Tem plantas demais — é uma temática de selva? Mas não estou nem aí. Adoro o cheiro de café moído na hora, e fico grata pela privacidade.

Sean desliza um copo alto de isopor na minha direção. "Pedi um café pra você." Sorri, com uma expressão amarga. "Café com leite sabor baunilha e uma dose extra de expresso."

Desta vez, meu coração reage de acordo, batendo apertado. Claro que ele sabe o que costumo pedir. Sean sabe tudo ao meu respeito, e vice-versa. Não preciso conferir o copo dele para saber que está bebendo um expresso de torra média, com creme, sem açúcar. E que a embalagem de papel sobre a mesa contém um muffin de mirtilo, que é o único tipo de muffin que ele come. Quando estávamos juntos, eu o obriguei a experimentar todos os muffins e tortas do balcão, mas ele insistiu que mirtilo é o único sabor que "encanta" as suas papilas gustativas.

Merda. Agora estou só triste.

"Tudo bem com você?", pergunta ele, em voz baixa.

Ai, não, vamos começar trocando amenidades? Seguro meu copo com ambas as mãos para não ficar remexendo os dedos. "Tudo certo. E você?"

"Já estive melhor, mas..." Ele dá de ombros.

Percebo que parece cansado. Será que não está dormindo bem? Engulo a pergunta antes que ela me escape aos lábios. Não estamos mais juntos. Se ele dorme ou não bem não é mais da minha conta.

"Sinto sua falta", murmura ele.

Dou um gole no café. Não respondo que também sinto, porque a verdade é que... *não sinto* falta dele. Assim que terminamos, claro que sentia. Mas, depois, estava com outras coisas na cabeça. A peça. Dean...

Diante da minha falta de resposta, ele segue em frente, o olhar abatido. "Andei pensando muito desde que você terminou comigo. Fiz um longo exame de consciência."

Finalmente encontro minha voz. "Isso é bom. Fico feliz."

"Estava pensando nos últimos seis meses e percebi o quanto estraguei tudo. Fui horrível com você, Allie." Sua expressão é séria. "Mas agora sei *por quê*."

Minha garganta se aperta. "Por quê?"

"Porque estava com medo."

Ah, merda. Vejo a vulnerabilidade boiando em seus olhos. Luto contra o impulso irresistível de estender o braço e apertar sua mão.

Não é mais meu trabalho cuidar dele.

"Você tem o futuro todo planejado desde que tinha doze anos. Sabia exatamente o que queria fazer, e isso é muito raro. Não é todo mundo que pode dizer isso." Seu tom torna-se triste. "Eu com certeza não posso. Não cresci sonhando em trabalhar para a companhia de seguros do meu pai. Mas é um trabalho garantido, e não é todo mundo que tem *isso*, principalmente logo depois de sair da faculdade, mas eu não estou exatamente contando os minutos até a hora de voltar pra Vermont."

"Você sem dúvida fez soar como se fosse", saliento.

"Porque é a única opção que tenho." Ele soa frustrado. "Estava tentando ficar animado com ela. E... sinceramente, imaginar você lá comigo tornava a ideia de voltar para casa mais suportável. Um remédio mais fácil de engolir, acho. Mas não foi justo com você. Não tinha o direito de insistir que você sacrificasse o futuro que quer só para eu me sentir melhor com o futuro ao qual estou preso."

Fico estupefata. Sean não dera qualquer indicação de que não queria ir para Vermont, mas acho que esse é só mais um sinal da falha de comunicação entre nós.

"No nosso primeiro encontro, você me avisou que planejava se mudar para Los Angeles depois da formatura. Você *continuou* me dizendo isso até o momento em que terminamos." Ele balança a cabeça, envergonhado. "Mas, neste verão, decidi não ouvir mais. Eu me convenci de que eu era a coisa mais importante da sua vida e que você iria para onde quer que tivesse que ir para ficar comigo."

"Não é justo ter essa expectativa de ninguém", digo, suavemente. "Você não pode *mandar* alguém colocar a felicidade em segundo plano em favor da sua própria."

"Eu sei, e errei em dar um ultimato. Como já disse, andei pensando muito." Ele respira. "E cheguei a algumas conclusões."

Ele enfia a mão no bolso do casaco, e meu coração sobe até a boca. Ai, meu Deus. *Por favor*, não deixe ele tirar uma caixinha de joias de veludo do bolso.

É maluquice o fato de que eu quase desejo que ele saque uma arma? Que planeje fazer todo mundo de refém até eu concordar em voltar para ele? Por alguma razão muito deturpada, acho que estou mais bem equipada para lidar com isso do que com um pedido de casamento.

Mas sua mão volta com um envelope fino. Ele o coloca sobre a mesa.

"O que é isso?" Fico olhando para o envelope como se contivesse Anthrax.

"Abra", insiste ele.

Puta merda.

"Por favor."

A sinceridade em sua voz me faz obedecer. Pego o envelope. Está lacrado, mas a aba está dobrada para dentro, então uso a unha para abri-la. Espreito o conteúdo e vejo uma única folha de papel, que retiro e desdobro, lutando contra a apreensão crescente.

Primeiro me vem o espanto. Depois a suspeita. Seguidos de uma angústia profunda, porque... o que vou dizer diante *disto*?

Estou segurando um recibo de confirmação da compra de duas passagens de avião para Los Angeles, Califórnia. O voo sai no dia seguinte à formatura.

Mordo o lábio e olho para Sean.

"Você e eu, linda", diz, fervoroso. "Era o que eu deveria ter feito desde o início. Foi idiota tentar forçar você a se mudar para Vermont. O que eu precisava fazer era engolir o meu orgulho e ir para *Los Angeles*. Com você."

Ai, Deus. Por que insisti em encontrar com ele em público? Em público é *ruim*. Em público significa que todo mundo está prestes a testemunhar a agonia e a humilhação de Sean quando eu disser...

"Não."

Uma incerteza perpassa seu rosto. "O quê?"

"Você não vai para Los Angeles comigo."

Sean abre a boca. Em seguida, fecha. E abre novamente. Dou um momento para digerir o que acabei de dizer. Infelizmente, é o mesmo momento em que meu telefone vibra. Vasculho a bolsa e... ótimo, uma mensagem de Dean.

Ele: *O jogo acabou. Hurricanes deu um show. Beau só vai poder sair mais tarde. Rapidinha?*

Nossa, como eu queria.

Eu: *Não posso. No meio d algo foda aqui.*

"Por que não?", Sean enfim pergunta.

"Porque..." Estou distraída.

Ele: *Td bem?*

Eu: *Td. Tomando café c/ Sean.*

Há uma pausa interminável.

Sean ainda está esperando minha resposta. Eu estou esperando a resposta de Dean. Percebo que provavelmente não deveria ter falado para Dean, mas estava digitando no piloto automático.

Ele volta com:

*Q merda.*

Eu: *Eu sei. *suspiro* Dps eu explico, tá?*

Não há mais resposta depois disso, e Sean está cada vez mais irritado. "Pra quem você tá escrevendo?", exige saber.

"Hannah", minto.

A pior parte de namorar alguém por tanto tempo quanto namorei Sean? A outra pessoa *sempre* sabe quando você está mentindo.

"Mentira." A raiva infunde seus olhos, escuros e ferozes. "É aquele cara? Com quem você dormiu?"

"Não, não é." Desta vez, nem me importo se ele perceber que é mentira. "E mesmo que fosse, não é da sua conta. Estamos separados." Inspiro. "E é por isso que você não pode ir para Los Angeles comigo."

A boca de Sean se achata. Seu rosto e pescoço adquirem um tom profundo de vermelho. Até as pontas das suas orelhas estão rubras. "Você não está falando sério."

"Quis. Sinto muito. Só acho que... chegou a hora de nós dois seguirmos em frente."

"Você quer dizer seguir em frente ou sair com outras pessoas?" A soberba de seu tom me faz eriçar os pelos. "Tipo esse cara que você não quer me dizer quem é?"

Eu poderia ser bem idiota e cuspir outro "não é da sua conta" na cara dele. Ou poderia dar uma de filósofa e usar o papo furado de que "se você ama alguém, deixe-o livre".

Não faço nenhum dos dois. Simplesmente deslizo as passagens de volta para ele e digo: "Sinto muito. Espero que você consiga um reembolso para isso. E torço muito para você descobrir a sua paixão, seja trabalhar para o seu pai ou fazer outra coisa." Droga, estou engasgando. "Desejo o melhor para você, Sean, de verdade. Quero que você seja feliz."

Ele não responde. Apenas fica ali. Petrificado.

Arrasto a cadeira para trás. Minhas mãos tremem ao vestir o casaco. Não perco tempo dizendo que ainda podemos ser amigos, porque sei que ele não quer ouvir isso agora. Além do mais, não vou fazer promessas que talvez não consiga cumprir.

"Tchau, Sean", digo, baixinho.

Vinte e quatro horas depois do doloroso encontro com meu ex-namorado, está na cara que Dean está me dando um gelo.

Mandei uma mensagem para ele depois que saí do café, perguntando se ainda queria me encontrar.

Nenhuma resposta.

Mandei outra mais tarde, perguntando se ele saiu com Beau.

Nenhuma resposta.

Mandei uma para dizer boa-noite.

Nenhuma resposta.

Mandei uma para dizer bom-dia.

Nenhuma resposta.

Agora, sentada sozinha na minha cama num sábado à noite, estou achando difícil dar uma folga a Dean. Na noite passada, estava totalmente disposta a assumir a responsabilidade. Claro que, quando descobriu que eu estava com Sean, Dean presumiu o pior, e não o culpo por ficar chateado com isso. Algumas horas de mau humor é uma reação perfeitamente razoável para alguém que achou que eu poderia ter reatado com meu ex.

Mas vinte e quatro horas? Aí já é palhaçada. Se Dean está com raiva de mim, tudo bem, que fique com raiva. Se cansou de mim, tudo bem, o que posso fazer? Mas que pelo menos tenha a coragem de *dizer* para mim. Ignorar alguém até a pessoa entender o recado é francamente um insulto, e não tenho paciência para isso.

Pego o laptop na mesa de cabeceira, porque preciso desesperadamente de uma distração, e não tem nada melhor para isso do que assistir a vídeos fofinhos no YouTube. Com alguma sorte, vai ter um bebê girafa por aí que desatou a tossir, ou um bebê hipopótamo que resolveu pular numa lagoa.

De alguma forma, acabo no Twitter. E ora, vejam só. Dean está vivo. Agora, não pode usar "tinha morrido" como desculpa para estar me desprezando, porque tem um aluno da Briar tuitando ao vivo o jogo em casa de hoje, e ele acabou de mencionar um gol de "Di Laurentis".

Fecho o navegador e pulo da cama. Talvez seja masoquista, mas ver o nome de Dean me faz querer ver *Dean*. Quero respostas, droga. Quero que ele me olhe nos olhos e me diga se este caso acabou.

Levo quase trinta minutos para caminhar até a arena, que fica na ponta oposta do enorme campus da Briar. Na bilheteria, apresento minha carteirinha de estudante para poder comprar com desconto. A aluna e vendedora diz: "Só tem lugar em pé", e desliza um bilhete sob o vidro.

Um minuto depois, estou na área reservada para quem veio assistir à partida de pé. O segundo período acabou de começar.

Olho o rinque, tentando lembrar o número da camisa de Dean. Não tenho a menor ideia, então começo a ler os nomes nas costas das camisas pretas e prata. O sobrenome de Dean é tão grande que deve ser fácil de achar, mas não, não o vejo no gelo. Talvez sua linha não esteja jogando agora? Mas ele também não parece estar no banco do time da casa.

Estranho.

Num impulso, abro o Twitter no celular e procuro o perfil que estava acompanhando antes. Talvez @BriarBryan38 tenha tuitado mais alguma coisa quando eu estava vindo para cá. Repasso seus últimos posts, até um me chamar a atenção.

Meu coração sobe até a boca.

Dean foi expulso.

# 20

## DEAN

Estou sentado no vestiário vazio, de cabeça baixa, com os ombros curvados. Contendo bravamente o impulso de pegar o objeto mais próximo — que vem a ser o meu capacete — e atirar longe na parede. Os nós dos dedos da minha mão direita estão rachados e sangrando graças ao murro violento que dei no queixo do atacante do St. Anthony, mas aperto as palmas das mãos contra as coxas e deixo o sangue manchar a calça do uniforme.

Odeio aqueles babacas do St. Anthony. Nossos times são rivais de longa data, então sempre que jogamos um contra o outro é esperada alguma tensão, além de um monte de provocações verbais. Mas a hostilidade piorou nos últimos dois anos. E, duas semanas atrás, uns caras do St. Anthony mexeram com uma das amigas de Grace, roubando o telefone dela e a impedindo de sair do quarto de motel decadente em que eles estavam hospedados.

Hoje à noite, a culpa é toda minha. A partida abriu com a provocação habitual na disputa pela posse do disco, patinação agressiva e entradas excessivamente físicas de ambos os lados. Mas eu já tinha entrado no jogo de cabeça quente, e quando aquele babaca me incitou a partir para cima dele simplesmente perdi a razão.

Fui expulso por conduta antidesportiva. Tá bom. Se os juízes tivessem ouvido metade da grosseria que Connelly estava cuspindo sobre nossas mães, tinham expulsado o desgraçado também.

Tal como as coisas estão, sou o único jogador expulso. Um soco num jogo já esquentado provavelmente não vai me render uma suspensão do time, mas agora estou preso no vestiário, proibido de sair até levar a bronca obrigatória do treinador Jensen.

Ou talvez ele delegue novamente e deixe a bronca a cargo de O'Shea. Que sorte a minha. *Dois* sermões daquele filho da mãe em vinte e quatro horas. O'Shea me chamou na sala dele ontem à noite quando eu estava voltando para casa do jogo do Hurricanes. Acrescente a isso a informação de que Allie estava com o ex, e adivinha? Acabei enchendo a cara com Beau.

Juro por Deus, se Allie tiver voltado com aquele idiota que não a merece, vou... o quê? Perder a cabeça de novo? "Terminar" com ela? Tudo o que fiz até agora foi evitá-la, porque sou um frouxo. Sinceramente, estou com medo do que ela pode ter para me dizer.

Ouço passos ecoando atrás da porta. Na mesma hora, fico tenso. Espera, é a porta errada. A que se abre para o corredor principal, e não para o gelo.

"Dean?" A voz de Allie me faz erguer a cabeça num sobressalto.

Como ela conseguiu entrar aqui? Em dia de jogo, a arena sempre tem uma equipe de segurança vigiando os corredores, para impedir que as pessoas invadam os vestiários e mexam no equipamento. Isso chegou a acontecer uns anos atrás — um torcedor fanático do time adversário entrou aqui e pichou um enorme PERDEDORES nos nossos armários. Não sabia que algumas faculdades admitiam crianças de cinco anos de idade.

Ouço uma batida suave. "Dean, você tá aí?"

Respondo, a respiração irregular. "Tô."

Allie passa a cabeça loura pela porta. Ela me vê no banco e caminha na minha direção. Está de jeans e suéter vermelho, os cabelos presos num coque bagunçado, e ou estou vendo coisas ou seus olhos estão vermelhos. Ela andou chorando?

"Como você passou pela segurança?", pergunto, bruscamente.

"Falei para o guarda que sou sua namorada e que precisava desesperadamente ver como você estava. Posso ter recorrido a algumas lágrimas de crocodilo no processo." Ela sorri com ironia. "A capacidade de conseguir chorar quando quero realmente é bem útil às vezes."

"E ele acreditou?"

"Acreditou. Sou muito convincente. Mas tive que mostrar a carteirinha da Briar para provar que não era uma sabotadora do time adversário." Ela senta ao meu lado. "Por que você foi expulso do jogo?"

Olho para a frente. "Dei um murro em outro jogador. Maior burrada da minha parte. Mereço estar aqui."

"Talvez. Mas continua sendo uma merda." Ela fica em silêncio por um momento. Posso sentir seus olhos azuis perscrutando a lateral do meu rosto. "Você tá me evitando."

Olho para ela de lado. "Só um pouco."

"Um pouco? Não dá para evitar alguém *só um pouco*, Dean. Ou você evita alguém, ou não."

"Não é verdade. Às vezes existem circunstâncias atenuantes. Variáveis inesperadas."

"Como o quê?"

Dou de ombros. "Não importa."

"Claro que importa", corrige ela, "mas a gente não precisa resolver isso agora." Ela aperta uma das mãos no meu rosto, em seguida, a desliza até o meu queixo e me vira na direção dela, me forçando a fitar seus olhos. "Sei que você tá chateado comigo porque encontrei com Sean."

"Não tô chateado. Você pode se encontrar com quem quiser." Opto por um tom de indiferença, embora, por dentro, esteja me mordendo de raiva. "Mas espero que você enxergue a hipocrisia disso tudo. A gente não ia avisar um ao outro antes de ficar com outras pessoas?"

"Não fiquei com ele."

"Não?"

"Não", repete ela, com firmeza. "E se o seu silêncio também tem alguma coisa a ver com você achar que eu e Sean voltamos a namorar, posso assegurar que não voltamos. Ele queria, mas eu disse não."

Não posso explicar o alívio que me invade o peito. "Bom saber", digo, simplesmente, mas o brilho nos olhos dela me diz que Allie sabe muito bem o quanto estou satisfeito.

Ela pega a minha mão e entrelaça nossos dedos. "Meu namoro com Sean agora é passado. Não quero ficar com ele, e foi exatamente isso que disse a ele ontem."

"Aposto que ele não ficou feliz."

"Não, mas vai ter que aceitar." Ela esfrega o polegar em meus dedos sensíveis. Não estão sangrando mais; no entanto, pela maneira como ela suspira, seria de imaginar que amputaram minha mão. "Você não devia brigar", me repreende, com firmeza.

"Jogadores de hóquei têm sangue quente, gata. Às vezes a gente briga. Não é o fim do mundo."

"O que o babaca disse pra você dar um soco na cara dele?"

"Nem lembro mais", admito. "Foi tudo tão rápido, e eu já estava com um humor de merda, pra começo de conversa."

Suas feições são tomadas pela culpa. "Por minha causa?"

"Não..." Aperto a mão dela na minha. "O'Shea tá no meu pé de novo por causa de outra foto que apareceu no Instagram." Rio com esforço. "Preciso começar a prestar mais atenção quando estiver no Malone's."

"O'Shea é seu assistente técnico? Aquele que te forçou a trabalhar de voluntário na escola?"

"Coordenador defensivo, e sim."

"Certo, e que foto foi essa? Espera, uma foto no Malone's? De *nós*?" Seu rosto fica pálido.

"Não", tranquilizo-a. "Eu e Penelope, a maria-patins que estava pendurada no meu pescoço. O'Shea tá morrendo de raiva."

"Por quê? É proibido ficar com marias-patins?" E ela acrescenta depressa: "Não que eu esteja dizendo que você ficou com ela — sei que era ela que estava dando em cima de você. Mas, só pra completar meu raciocínio, mesmo que você *estivesse* retribuindo, qual o problema disso?".

"Ele não estava reclamando disso. Na foto, tô segurando uma cerveja, e O'Shea tem uma política super-restrita sobre não podermos beber."

"Hum. Ele sabe que tá treinando um time de faculdade, não sabe? É impossível impor uma restrição dessas."

"Eu sei."

"E na foto você tá só segurando uma *cerveja*? Como assim? É diferente de ser pego cheirando cocaína nos peitos dela."

Um sorriso brinca em meus lábios. "Claro que não. E se eu fosse cheirar carreiras nos peitos de alguém, seria nos seus."

"Ah, obrigada. Que romântico." Ainda acariciando a palma da minha mão com os dedos, ela se aproxima e beija minha bochecha. "O'Shea é um babaca. Não deixa ele te abalar assim, tá legal? Principalmente a ponto de ficar tão irritado, sair batendo nas pessoas e sendo expulso de jogos."

Ela tem razão, preciso controlar melhor meu temperamento. Mas Frank O'Shea... droga. Só o som da sua voz afiada e condescendente me irrita.

Os lábios de Allie roçam meu queixo num beijo fugaz. Em seguida, ela solta a minha mão, visivelmente relutante. "Acho melhor eu ir, antes que alguém me veja aqui. O terceiro período já deve estar acabando."

"Por acaso você viu o placar antes de entrar?"

"Acho que estava empatado."

Merda. Bem, com sorte, os meninos vão conseguir transformar o empate numa vitória, porque estou cansado desse negócio de perder.

E, para falar a verdade, estou cansado de ter que ficar me escondendo com Allie.

No começo, dormir com ela em segredo foi emocionante, mas não estou mais curtindo isso. Quando ela apareceu no Malone's *daquele jeito* na outra noite, quis enfiar a língua na garganta dela na frente de todo mundo. Foi quase impossível fingir que ela não estava me afetando, e já estou cheio de ficar mandando mensagens às escondidas para ela, chamando para uma rapidinha e mentindo para os meus amigos sobre onde estou indo.

Amigos que, por sinal, agora acham que incorporei vibradores na minha rotina de masturbação. Quando Tucker me entregou um prato de bacon com ovos hoje de manhã, perguntou, inocente, se o meu "amiguinho cor-de-rosa" iria se juntar a nós para o café da manhã. Garrett quase quebrou uma costela de tanto rir. A coitada da Grace ainda não consegue olhar para mim sem ficar vermelha.

Sei que Allie não quer que nossos amigos saibam que estamos tendo um caso, mas queria encontrar um jeito de termos um pouco mais de liberdade. Talvez a gente pudesse marcar um hotel para o fim de semana e passar dois dias na cama sem se preocupar com...

Tenho uma ideia. "Ei, espera." Procuro sua mão antes que ela possa ficar de pé. "Já marcou sua passagem de trem para o feriado de Ação de Graças?"

Allie solta um palavrão. "Droga! Ainda não. Por que sou tão esquecida? Coloquei um lembrete!"

"Não marque."

"Por que não?"

"Porque tenho uma ideia melhor." Hesito. "Por que não vamos para Nova York juntos? Podemos ir no meu carro."

Ela parece assustada. "Ah. Você... hmm... quer passar o dia de Ação de Graças comigo? Hmm. Bem. Vou visitar meu pai..."

"Não tô me convidando pra jantar nem nada assim", interrompo. "Pensei em ficar na minha casa de Manhattan, enquanto você fica com o seu pai, e se você estiver livre na quinta ou na sexta à noite pode passar lá." Agito as sobrancelhas para ela. "A casa vai ser toda nossa."

"Bem, isso é interessante", comenta ela, devagar. "Que dia você precisa voltar pra Briar por causa do jogo?"

"Teria que sair no sábado de manhã. Que dia você estava pensando em voltar?"

"Sábado de manhã." Um pequeno sorriso curva os seus lábios. "O cronograma bate..."

"Isso significa que você topa?", pergunto, esperançoso.

"Uma carona de graça para Nova York e sexo selvagem no fim de semana? Claro."

"Ótimo. Mas tenho uma coisa pra pedir."

Ela inclina a cabeça, esperando que eu continue.

Meu estado de espírito, que antes era o pior possível, agora está tão radiante quanto o sorriso que abro para ela. "Não esqueça o Winston."

E é assim que acabo dirigindo para Nova York com Allie no banco do carona.

O sol já se pôs no momento em que pegamos a estrada, porque Allie tinha ensaio até as seis e precisou de uma hora inteira para fazer a mala. Eu trouxe uma mochila. Ela? Uma mala de rodinha empanturrada que mal cabe no meu porta-malas.

Tinha deixado a bolsa do hóquei no carro, porque literalmente não imaginei que ela fosse trazer tanta coisa para passar três dias. Por sorte, o estacionamento nos fundos da Bristol House está completamente deserto, o que significa que ninguém nos vê tentando enfiar a mala no carro. O silêncio no campus chega a ser sinistro, quase como se o apocalipse tivesse começado e todo mundo tivesse sido arrebatado para o céu. Está na cara que não fomos os únicos que decidiram viajar na véspera do feriado.

Hannah e Garrett voaram para a Filadélfia hoje de manhã, e Grace e Logan saíram algumas horas depois. Vão visitar o pai de Logan na clínica de reabilitação e depois seguir para a casa da mãe dele, em Boston, onde vão dormir antes de voltar para Hastings, para passar o feriado com o pai de Grace. Tucker ainda estava em casa quando saí, mas vai dirigir até a casa de Hollis, em New Hampshire, amanhã de manhã. Ainda bem, porque, se não tivesse para onde ir, a culpa teria me obrigado a convidá-lo a ir para Manhattan.

Quando Allie e eu enfim nos acomodamos nos bancos da frente, descubro que temos gostos musicais completamente diferentes. Depois de uns cinco minutos discutindo, chegamos a um acordo — cada um escolhe a música por trinta minutos, durante os quais a outra pessoa não pode reclamar. A criatura coloca até um alarme para garantir que ninguém está burlando as regras. E, claro, anuncia que quem começa é ela.

"Por que não posso começar?", contraponho.

"Porque estou dando a carteirada da vagina."

Sorrio para ela. "Supertrunfo. Estou dando a carteirada do pênis."

"Não é assim que funciona." Ela parece exasperada.

"Então como *é* que funciona? Porque, até onde sei, órgãos genitais não decidem quem escolhe a música primeiro."

"Ah, decidem sim, mocinho." Allie me trata como se eu tivesse cinco anos de idade. "Porque, se você fizer greve de sexo, vou ficar bem por meses. Anos até. Mas, se *eu* fizer greve de sexo, você vai ficar doidinho. Feito um náufrago se afogando no mar, desesperadamente agarrado a uma boia." Ela sorri. "Portanto, vagina ganha de pênis."

Meu sorriso desaparece, porque Allie está certa.

Como resultado, passo os primeiros trinta minutos da viagem ouvindo baladas cafonas dos anos 80, todas com a palavra "love" no título.

"I Want to Know What Love Is."

"I Just Called To Say I Love You."

"It Must Have Been Love."

Qualquer um se perguntaria se Allie não está sutilmente tentando me dizer alguma coisa, mas eu tenho quase certeza de que todas as músicas feitas nos anos 80 são sobre amor.

Na minha vez, escolho as faixas mais sujas de que sou capaz. Ol'

Dirty Bastard. Uns proibidões do Jay-Z. Cypress Hill. Boto até um Insane Clown Posse.

Allie revida com sucessos da Madonna.

Em vez de puni-la, decido me dar um prêmio e passo do hip-hop para a música country. É isso aí, o menino rico gosta de Tim McGraw. Me processem.

Ainda estamos na I-90, com cerca de duas horas de viagem pela frente, quando Allie pega o telefone e começa a digitar.

Mantendo os olhos na estrada, pergunto: "Escrevendo pra quem?".

"Dillon... uma amiga da escola. Faz faculdade na Flórida, mas tô torcendo pra que ela tenha vindo passar o feriado em casa. Ah, e eu deveria ver se Fletch também vai estar na cidade."

"Fletch?"

"Kyle Fletcher, mas chamo de Fletch", responde, distraída. "Ex-namorado."

Viro a cabeça na direção dela. "Tá fazendo planos com o seu ex-namorado?"

"Pode recolher as garras, gatinho. Fletch ainda é um bom amigo."

Não posso lutar contra a curiosidade. "Quanto tempo vocês ficaram juntos?"

"Três anos."

Assobio baixinho. "E depois três anos e meio com Sean... Você é viciada em compromisso, hein?"

"Não, não sou", protesta ela.

"Gata, você passou quase sete anos da vida namorando. E você só tem vinte e dois."

"Vinte e um. Faço aniversário no Natal."

"Sério? No vinte e cinco?"

"No vinte e quatro. Ou seja, na verdade, faço aniversário na véspera de Natal. Desculpa."

"Pode ir pedindo desculpa mesmo. Como se atreve a me enganar desse jeito?"

Ela revira os olhos. "Mas, enfim, você tem razão. É muito tempo mesmo." E faz uma pausa. "Quanto tempo durou o seu relacionamento mais longo?"

"Um pouco mais de um ano", respondo, sem mover o olhar da estrada escura.

"Sério?", exclama Allie, surpresa. "Muito mais do que eu esperava. Foi no colégio?"

Faço que sim.

"Por que vocês terminaram?"

Minha vez de revirar os olhos. "Porque estávamos no colégio."

"E daí? E se ela fosse a sua alma gêmea?", desafia Allie. "Você não acredita que primeiros amores podem dar certo?"

"Não. Acho que é impossível você saber o que quer ou o que precisa de um relacionamento com essa idade. Quando você está na escola, não tem nenhuma ideia do que é a vida real. Não entende o quanto ainda precisa crescer. Eu definitivamente não sou a mesma pessoa que era na adolescência. Cara, não sou a mesma pessoa que era no *semestre passado*."

"Claro que é." Ela sorri, docemente. "No semestre passado, você era um pegador, e continua sendo um pegador neste semestre."

"Verdade", digo, com uma risadinha.

Allie coloca o telefone no suporte de copo do painel e gira no assento para me ver melhor. "Você ainda fala com a sua namorada do tempo de colégio?"

Sinto a tensão varar meus ossos. "Não."

"Perdeu o contato?"

"Pode-se dizer que sim." Expiro lentamente, na esperança de aliviar o aperto em meu peito. "Na verdade, ela é o motivo pelo qual o treinador O'Shea me odeia. Miranda é filha dele."

"Ai, não. Você namorou a filha do treinador?" Allie adota um tom de repreensão. "Meu bem, essa é a regra número um no manual do namoro — nunca pegue a filha do chefe."

"E eu pareço alguém que segue as regras?" Mas meu sorriso desaparece depressa. "Não pude evitar", admito. "Na época, Miranda era o máximo. Impossível de resistir. Frequentava o colégio de graça, porque Frank dava aula lá, então não era uma criança rica. Era completamente diferente das meninas com quem eu saía na escola. Não dava a mínima pra imagem ou pra ser popular, não diminuía os outros pra se sentir melhor. Era pé no chão. Engraçada. Gostosa."

"Dã. Dean Heyward-Di Laurentis só traça gostosas."

"Não tracei Miranda. Pelo menos não de cara. Levamos um bom tempo até chegar lá, mas eu não estava com pressa." Dou uma piscadinha. "Nos divertíamos fazendo outras coisas."

"Então quando vocês chegaram nos finalmente?"

"Uns dois meses antes de terminarmos." Meus ombros se enrijecem de novo. Odeio lembrar daquela noite.

Allie percebe, porque seu tom se torna cauteloso. "O que aconteceu?"

Merda, por que eu fui abrir essa porta? "Com uns nove meses de namoro, as coisas ficaram... intensas." E por que ainda estou respondendo à pergunta? "Miranda começou a falar sobre continuarmos juntos na faculdade, o que nunca foi parte do acordo."

"Espera, O'Shea já sabia? Que você estava namorando a filha dele?"

"Sabia. Não ficou muito satisfeito com a história, mas disse que, desde que Miranda estivesse feliz, ele estaria feliz. O que não o impediu de pegar no meu pé. Toda vez que eu a buscava pra sair, ele me interrogava sobre onde estávamos indo, quem estaria lá, que horas a gente iria voltar. E uma vez ameaçou arrancar minhas bolas se eu não a tratasse com respeito."

"Meu pai fez a mesma coisa com Fletch, quando começamos a namorar. Vai por mim, é coisa de pai." A risada de Allie morre. "Então Miranda começou a falar da faculdade...?"

"O tempo todo, e eu fui ficando preocupado, porque, quando a gente começou, estávamos no mesmo pé. Eu não queria manter um namoro a distância durante a faculdade. Vi meu irmão e a ex-namorada passarem por isso, e também uns amigos que tinham se formado um ano antes. Passaram o primeiro ano inteiro se apegando a algo que deviam simplesmente ter deixado para trás. As ligações foram ficando menos frequentes, as visitas acabaram, o ciúme e insegurança se instalaram. Uma preocupação constante sobre o que a outra pessoa estava fazendo, com quem estava saindo. Eu não queria isso, nem Miranda. Ela estava planejando ir para a Duke. Eu estava pensando na Briar ou em Harvard. Nós dois concordamos que, se ainda estivéssemos juntos na formatura, iríamos terminar."

"Mas ela mudou de ideia?"

"Pois é. No começo, foi sutil. Ela comentava sobre alguma coisa que a gente iria fazer no futuro, eu lembrava que aquilo provavelmente não iria acontecer, e ela ria e dizia que tinha esquecido. Mas aí ela começou a ficar... controladora. Me ligava umas dez vezes por dia, e de repente ficou paranoica de que eu a estava traindo. O que, aliás, eu não estava — nunca traí ninguém com quem tive um compromisso sério."

"Então você terminou? Não, espera, primeiro transou com ela."

Ouço o tom de acusação na voz de Allie, e não posso negar que ela acerta em cheio. "Pois é. Transei." Minha boca fica seca. Tento engolir. "Antes de mim, Miranda namorou um outro cara por uns dois anos. Quando começamos a sair, ela me disse que já tinha feito sexo antes."

"Ai, não", murmura Allie. "Não tô gostando de onde isso vai dar."

"Fomos a uma festa, e ela estava toda controladora de novo, não me deixava falar com ninguém, não soltava a minha mão. Me seguia até a porra do banheiro. Eu estava frustrado e com raiva, e comecei a encher a cara de cerveja, porque era a única maneira de passar o tempo. Ela não queria ir embora, mas também não desgrudava de mim. Cheguei a pensar em terminar tudo ali mesmo, e acho que ela percebeu, porque, quando dei por mim, ela estava me arrastando para o segundo andar." O arrependimento lateja dentro de mim. "Eu estava nojento de bêbado, sem falar que era um adolescente de dezessete anos cheio de tesão, então não estava exatamente resistindo. A gente transou. E depois ela admitiu que era virgem."

"Merda."

"Se soubesse, teria sido mais... sei lá, cuidadoso? Mais gentil? Eu estava bêbado e desleixado, e o sexo foi exatamente assim, desleixado. Na *primeira* vez dela, Allie. Me senti um canalha completo no dia seguinte, mas Miranda não estava com raiva. Disse que se sentia mais próxima de mim do que nunca e, depois disso, entrou em modo controladora nível máximo. De repente, estava planejando visitas à faculdade e dizendo que a gente deveria pensar em ficar noivo, que um compromisso mais forte iria tornar mais fácil manter a fidelidade." Meu estômago se agita só de pensar nisso. Eu não tinha nem dezoito anos.

"Então, como qualquer adolescente faria, você se assustou e terminou tudo."

Faço que sim com a cabeça.

Ela suspira. "Não culpo você. Tenho certeza de que qualquer um teria se sentido pressionado numa situação dessas."

"Talvez. Mas... Miranda não lidou com o fim do namoro muito bem", confesso, lutando contra a náusea se instalando em meu estômago. "Acontece que ela já tinha batalhado contra a depressão no passado, mas nunca tinha me contado sobre isso. Eu também jamais teria imaginado, porque ela era tão feliz e descontraída o tempo todo. Mas depois descobri que era por causa dos remédios que estava tomando. Remédios que *parou* de tomar depois que a gente terminou."

"Merda", diz Allie, de novo.

"Ela mudou completamente. Chorava o tempo todo, gritava comigo nos corredores do colégio, me ligava no meio da noite ameaçando se suicidar. Não tive escolha, tive que envolver o pai dela, porque estava apavorado com o fato de ela poder se matar mesmo. Depois disso, Frank tirou Miranda da escola, e nunca mais vi nem ouvi falar dela desde então."

Allie fica boquiaberta. "É sério?"

"Frank não deixava." A frustração que senti na época retorna. "Ele me contou que Miranda tinha voltado a tomar os remédios e estava recebendo ajuda profissional. Ah, e, se eu tentasse entrar em contato com ela de novo, ele disse que iria cortar a minha garganta. Isso não me impediu de me preocupar com ela. Quer dizer, gostava dela, embora não estivéssemos mais juntos, então, mais ou menos um mês depois que ela saiu escola, encurralei o treinador no estacionamento e exigi ver Miranda." Minha mandíbula treme. "E ele me deu um soco na cara."

"Meu Deus. Alguém viu isso?"

"Não. Já era tarde, e ele estava saindo de uma reunião de equipe. Não tinha ninguém por perto. Mas sim, ele me acertou em cheio. Foi aí que descobri que Miranda contou pra ele que a gente tinha feito sexo. Ela também disse que eu estava caindo de bêbado quando isso aconteceu."

"Bem, isso não é certo", intervém Allie, com raiva.

"Nada do que aconteceu foi certo. Eu não devia ter me deixado seduzir por ela naquela noite, de jeito nenhum." A amargura obstrui minha garganta. "Mas ela deixou o pai acreditar que fui um bêbado canalha que se aproveitou dela, o que também não foi justo." Eu me forço a relaxar as mãos agarradas ao volante. "De qualquer forma, é por isso que O'Shea não quer me ver nem pintado de ouro. Acha que tirei vantagem da sua filha, que passei um ano tentando levá-la pra cama, e depois a larguei assim que consegui o que queria."

"E você não tem nem ideia de como ela está agora? Não tentou entrar em contato com ela?"

"Mandei um pedido de amizade no Facebook há um tempo", admito. "Ela não aceitou. Mas acho que está bem. O perfil diz que estuda na Duke."

"Acho que faz sentido O'Shea ser tão superprotetor", reflete Allie. "Deve ter sido muito difícil pra ele ver a filha lutar contra a depressão, vê-la começar a melhorar e depois voltar praquele lugar terrível de novo."

Talvez, mas me recuso a sentir empatia por aquele filho da mãe, não quando ele está tentando tornar o meu último ano na Briar um inferno.

"Você também faz mais sentido para mim agora", acrescenta ela.

"Como assim?" Não gosto do seu olhar pensativo, perscrutador.

"É por isso que você é sempre tão aberto quando se trata de sexo, né? Quer ter certeza de que as meninas com quem você sai estão no mesmo pé que você."

"Nunca mais vou enganar ninguém, isso é certo. Ou confiar piamente na palavra delas. Não me importo se isso faz de mim um canalha, mas nunca, jamais minto sobre minhas intenções. E não saio com virgens", acrescento, um pouco depois. "Nem alunas do primeiro ano, porque elas tendem a ser grudentas."

"A Vida de Dean sem dúvida tem muitas regras."

"Sem essas regras, a Vida de Dean não existiria."

"Imagino que não." Ela faz uma pausa. "Mas a coisa da virgindade é complicada. É muito fácil pra uma menina mentir sobre isso. Quer dizer, só andar a cavalo já deve ter rompido cinquenta por cento dos himens por aí."

Solto uma gargalhada. "Vai por mim, meu radar de virgem é infalível atualmente."

"Ah, é? E como você sabia que *eu* não era virgem?"

"Porque Garrett dorme no seu alojamento fim de semana sim, fim de semana não, e já ouviu você e Sean bimbando. Ele disse que você é do tipo que grita."

Ela puxa o ar, indignada. "Disse *nada*."

"Disse sim. Pode admitir, gata, você é barulhenta." Rio diante da sua expressão aflita. "Isso não é uma coisa ruim. Gritar é bom." Penso em seus gemidos guturais e nos *Ai, meu Deus* ofegantes, e, na mesma hora, começo a ficar duro. "Gritar é *muito* bom."

"Não, é constrangedor", murmura ela. Suas bochechas estão rubras.

"Ei, prefiro ir pra cama com uma mulher que grita do que com uma silenciosa. As que gozam sem fazer barulho são as *piores*. Dormi com uma garota uma vez que não deu um pio o tempo todo. Sério, não sabia nem se ela estava se divertindo. No final, ela virou pra mim e me agradeceu pelos orgasmos múltiplos."

Allie dá uma gargalhada. "Mentira."

"Eu não minto."

"Não... você não mente mesmo, né? Tô começando a achar que você pode ser a pessoa mais honesta que já conheci."

"Outra exigência da Vida de Dean. Seja sincero e se responsabilize pelo que diz."

"E faça o que quiser."

"E faça o que quiser", repito.

"Acho que gosto muito da Vida de Dean."

*Acho que gosto muito de* você, quase deixo escapar.

Felizmente, consigo conter o sentimento, porque... que história é essa agora? Gosto de *transar* com ela. Allie tem um papo bom e é boa de cama — é só isso. E considerando o quão inflexível está sendo sobre isso não passar de um caso, sei que concorda plenamente comigo.

Mas, algumas horas depois, quando paro na frente da casa de três andares com fachada de arenito vermelho no Brooklyn Heights, Allie me pega desprevenido.

"Quer jantar com a gente amanhã?"

O convite é alarmante e inesperado.

E alarmante.

Eu falei alarmante?

Meu mal-estar deve estar estampado em meu rosto, porque Allie se apressa em acrescentar: "Não vou ficar insultada se você disser que não. Sério, pode recusar. Só estava imaginando você sozinho em Manhattan no dia de Ação de Graças, enquanto sua família devora um peru tropical em St. Bart, e foi uma imagem tão solitária e deprimente que achei que podia te convidar".

"O que..." Limpo a garganta. "O que você vai dizer pro seu pai?"

Ela dá de ombros. "Que você é um amigo da faculdade que não tinha pra onde ir. Não vai ser nada demais, prometo. Vocês vão falar de hóquei, eu vou fazer o jantar, vamos ver um pouco de futebol, e tem quarenta por cento de chance de todo mundo pegar uma intoxicação alimentar. Só um bom e velho Dia de Ação de Graças na casa dos Hayes."

Deixo escapar uma risada. "Parece divertido." Penso na ideia. "Tá, eu topo. Que horas você quer que eu apareça?"

"Lá pelas quatro, mas a gente só deve comer perto de cinco."

Faço que sim com a cabeça.

"Certo. Beleza." Ela sorri, desanimada. "Agora me ajuda a tirar a minha mala do carro, por favor? Tenho certeza de que vou quebrar as costas se tentar levantar aquela coisa sozinha."

# 21

## DEAN

O pai de Allie me odeia à primeira vista.

Tenho certeza que se falasse isso para Allie, ela dispensaria minhas preocupações e diria coisas como "ele é só rabugento" ou "ah, ele é assim com todo mundo". Mas ela estaria errada.

Joe Hayes me odeia desde o instante em que abriu a porta e me viu de pé na entrada de sua casa. E, caramba, poucas vezes minha roupa pareceu tão inadequada para a situação. Allie me disse para vir "arrumadinho", então escolhi uma camisa branca de botão da Tom Ford e calças cinza Armani. Sem paletó, mas o casaco preto da Ralph Lauren recebe uma olhadela de desdém do pai de Allie, que está de calça de moletom e camisa de flanela.

"Você é o amigo da faculdade da A.J.?", ruge.

Franzo a testa. "A.J.?"

"Minha filha. Allison Jane?" O sr. Hayes parece irritado de ter que explicar.

"Ah, sim, senhor. Mas a conheço como Allie."

"E não sabia o apelido dela?" Ele faz um som de escárnio. "Grande amigo, hein?" Então murmura um "Entra" e se vira, com rigidez. Digo rigidez no sentido literal, porque anda com visível dificuldade, sustentando-se numa bengala fina.

Allie tinha me avisado que o pai tem esclerose múltipla. Ela também me aconselhou a não tocar no assunto, explicando que ele não gosta de falar disso e provavelmente vai arrancar a minha cabeça se eu disser alguma coisa. Então fico na minha, mas está na cara, mesmo para mim, que não sou médico, que ele está sentindo dor.

Sigo o sr. Hayes pelo surpreendentemente grande piso principal da casa, com um piso de madeira bem cuidado, além de portas e uma decoração toda em madeira que parecem ser originais, da época em que a casa foi construída. Allie e o pai ocupam os dois andares inferiores da casa, que, conforme sou bruscamente informado, contêm quatro quartos e três banheiros. Ou a família comprou o lugar antes de o bairro do Brooklyn Heights se tornar supersofisticado, ou olheiros de hóquei profissional fazem *bem* mais dinheiro do que eu imaginava.

Ele me leva até uma sala com uma sacada com vista para um pátio e um jardim impecável. "Você gosta de trabalhar no jardim?", pergunto, educadamente.

O pai de Allie fecha a cara para mim. "A mulher do andar de cima cuida do jardim."

Certo.

"Dean. Prazer."

Ah, graças a Deus. Allie aparece na sala, e fico aliviado de ver que está usando um vestido azul na altura do joelho. Nada muito chique, mas arrumado o suficiente para eu não me sentir como se tivesse vindo de smoking para um churrasco.

"Quer beber alguma coisa?", pergunta ela, depois de me cumprimentar com um abraço.

Olho para o sofá de couro marrom em que o sr. Hayes está se sentando lentamente. Ele apoia a bengala na beirada do sofá e pega uma cerveja da mesinha de centro. Sua mão treme freneticamente ao levar a garrafa aos lábios. Quando me pega olhando, franze a testa de novo.

"Hmm..." Engulo em seco. "Uma cerveja seria bom."

"Coors ou Bud?"

"Bud."

Ela assente. "É pra já."

Mais uma vez, sou deixado às garras do sr. Hayes, cujos olhos azuis agora estão colados no jogo do Lions na televisão. Devo ser uns treze centímetros mais alto e pesar quase quinze quilos mais que ele, mas o homem me aterroriza mesmo assim. Imagino que fosse violento no rinque. Tem o peito imenso e encorpado. E modos rabugentos.

"Tá esperando o quê, playboy? Senta de uma vez."

Playboy?

Droga. Por que fui aparecer de Ford e Armani? O pai de Allie no mínimo deu uma olhada na minha roupa cara e decidiu que eu era um riquinho idiota.

Bem relutante, sento na outra ponta do sofá em L.

Hayes me olha de lado, brevemente. "A.J. disse que você joga hóquei."

"Sim, senhor."

"Atacante?"

"Defesa."

"Quais as suas estatísticas até agora, nessa temporada?"

Faço uma pausa, incerto. Espera, ele quer mesmo que eu recite todos os meus números? Quantos gols, passes e minutos de penalidade? Acho que seria capaz, mas desfiar assim minhas próprias estatísticas parece arrogante.

"São decentes", digo, vagamente. "O time teve um começo difícil. Mas ganhamos o Frozen Four na temporada passada."

Ele assente. "Ganhei no terceiro ano de faculdade. Boston College."

"Legal. Hmm. Parabéns." Seu rosto não transmite a menor expressão, então não sei se isso é algum tipo de competição. Se fosse, eu provavelmente podia dizer que ganhei no ano anterior também. Mas fico de boca fechada. Felizmente, Allie volta com minha cerveja, e eu a seguro como se fosse um salva-vidas. "Obrigado, gata."

No instante em que a palavra salta de minha boca, nós dois congelamos. Merda. Espero que o sr. Hayes não tenha ouvido isso.

*Ele está sentado bem aqui. É claro que ouviu.*

Abro a chapinha da garrafa e tomo um gole muito necessário de álcool.

"Então, o que eu perdi?", pergunta Allie, a voz excessivamente alegre.

Seu pai zomba. "O playboy aqui estava me contando que ganhou o Frozen Four."

Puta merda.

Vai ser uma longa noite de Ação de Graças.

O jantar é horrível. Bem, não a comida — para alguém que diz ser péssima na cozinha, Allie fez um bom trabalho com a refeição. É o ato de ingerir tal comida que acho insuportável. A conversa é esmagadora. Hayes parece fazer o possível para me contrariar. Sua frase preferida esta noite tem sido "Aham, claro". Só que proferida num tom seco e condescendente que me faz desejar estar sozinho na casa de Hasting neste momento.

Quando Allie comenta que vou para a faculdade de direito no próximo outono, ele diz: "Aham, claro".

Quando diz que minha família tem um apartamento em Manhattan, ele diz: "Aham, claro".

Quando agradeço pelo jantar, ele diz: "Aham, claro".

Simplesmente. Esmagador.

Não me levem a mal, estou fazendo um esforço genuíno para ser educado. Pergunto como era a vida de olheiro profissional, mas sua resposta é um murmúrio de uma frase. Elogio o apartamento, e ele resmunga um "Obrigado".

Por fim, acabo desistindo, mas Allie não se importa em preencher o silêncio constrangedor. O sr. Hayes só parece voltar à vida quando ela conta ao pai sobre a peça em que está atuando, as aulas, os próximos processos de seleção e tudo mais que tem feito. É evidente que ele adora a filha — o sr. Hayes acompanha todas as palavras que ela diz como se contivessem os segredos para a vida eterna. Mas ele fecha a cara para ela em um determinado momento, depois que pergunta se Allie ainda mantém o contato com Sean, e ela admite que eles saíram para tomar um café.

"Nunca gostei do menino", murmura Hayes. Pela primeira vez, ele e eu concordamos em alguma coisa.

Allie mastiga a última garfada de purê de batata com molho antes de protestar. "Ah, isso não é verdade. Vocês sempre se davam bem quando a gente vinha visitar."

Seu pai ri. Olha, vejam só, ele tem senso de humor. Jamais teria imaginado.

"O garoto era seu namorado — eu não tinha outra escolha a não ser me dar bem com ele. Agora não é, então não tenho mais que fingir que gosto dele."

Encubro uma risada com o guardanapo.

"Sujeito carente", continua o sr. Hayes. "Não gostava da maneira como olhava para você."

"Como é que ele olhava para mim?", pergunta Allie, cautelosa.

"Como se você fosse o mundo inteiro."

Ela franze a testa. "E isso é uma coisa ruim?"

"Péssima. Ninguém deveria ser o mundo inteiro de ninguém. Isso não é saudável, A.J. Se a sua vida inteira for centrada numa coisa — numa pessoa —, o que vai acontecer quando essa pessoa for embora? Absolutamente nada." E reitera, bruscamente: "Não é saudável".

Joe Hayes tem um jeito muito prático de pensar. Estou estranhamente impressionado.

"Bem, agora você tá só me fazendo sentir mal por Sean. Vamos mudar de assunto. Dean, conta para o meu pai do seu último jogo."

Suspiro, pesaroso. "Sério? O que fui expulso?"

O pai dela grunhe: "Aham, claro".

A conversa fica tensa novamente. Quando enfim chega a hora de limpar a mesa, fico aliviado e levanto, ansioso para ajudar Allie a recolher os pratos. Ainda tem metade de um peru numa travessa, que Hayes pega, cambaleando em suas pernas.

"Não, pai", ordena Allie, com firmeza. "Vá ver o resto do jogo. Dean e eu damos conta aqui."

"Não sou um inválido, A.J.", resmunga ele. "Sou perfeitamente capaz de levar um prato para a cozinha."

Tão logo as palavras saem de sua boca, a travessa balança na sua mão. Ou melhor, sua mão treme, e a travessa acompanha o movimento, escorregando de repente e se espatifando no piso de madeira.

O prato de louça se espatifa em pedaços, e o peru escorregadio desliza pelo chão. Baixo o meu prato na mesma hora e corro em volta da mesa. Allie faz o mesmo, e nossas cabeças se chocam, quando ambos tentam pegar o mesmo caco.

"Droga", exclama o sr. Hayes. "Deixa que eu limpo."

"*Não.*" O tom de Allie deixou de ser rigoroso — é uma ordem clara. Ela toma o caco de cerâmica da minha mão e diz: "Dean, você pode levar o meu pai para a sala e mantê-lo lá?".

Seu pai me lança um olhar mortal capaz de fazer minhas bolas murcharem, mas de jeito nenhum vou enfrentar a ira de Allie agora. Abafando um suspiro, seguro-o de leve pelo braço e o conduzo para fora da pequena sala de jantar.

A carranca permanece fixa em seu rosto, mesmo depois que ele se acomoda no sofá. "Eu podia ter limpado sozinho", me informa.

"Eu sei." Dou de ombros. "Mas acho que acertamos ao sair de lá. Pra alguém tão pequena, sua filha sabe meter medo quando quer uma coisa."

Seus lábios se curvam de leve. Puta merda, quase consegui fazê-lo sorrir?

Mas, seja qual for a graça do meu comentário, ela desaparece num piscar de olhos. O sr. Hayes baixa a voz para um tom mortal e pergunta: "O que você quer com A.J.?".

Eu me ajeito no sofá, confuso. "Não entendi a pergunta."

"Também vejo o jeito como *você* olha para ela." Sua mandíbula começa a se contorcer, mas não sei se é de raiva ou por causa da doença. "Você gosta dela."

"Claro que gosto", respondo, sem jeito. "Somos amigos."

"Não me venha com esse papo. Estou vivo há muito mais tempo que você, playboy. Acha que não sei quando um homem deseja outra pessoa?"

E eu tinha achado a conversa do jantar desconfortável.

"Eu sei do que estou falando. A.J. é um ótimo partido. É inteligente, bonita como a mãe. Dedicada — dedicada demais, às vezes", admite ele. "Se te ama, vai sempre colocar suas necessidades à frente das dela." E sei que agora ele está falando da sua própria relação com a filha. É evidente que, por causa da esclerose, Allie coloca as necessidades do pai em primeiro lugar, além de mimá-lo mais do que ele gostaria. "Ela precisa de um homem que cuide *dela*." Sua voz se suaviza por um momento, mas logo depois volta a ficar gélida. "Você não é esse homem, garoto. Você é incapaz disso."

O insulto faz meu pelo eriçar. Quem é ele para fazer esse tipo de julgamento?

O sr. Hayes percebe minha cara feia e dá uma risada. "Fui olheiro de hóquei por mais de vinte anos — você acha que é o primeiro filho da mãe metido que conheci na vida? Mais metido que a média, aliás, porque veio de uma família rica. Já tem aquele ar de importante que só vem depois que um jogador assina o primeiro contrato de sete dígitos."

Faço força para evitar que minhas mãos se fechem em punhos. "Só porque minha família tem dinheiro não significa que sou uma pessoa ruim, senhor."

"Não estou dizendo isso." Ele dá de ombros. "Mas caras como você... você não sabe nada dos problemas do mundo real. Se a merda estoura, você joga um pouco de dinheiro no problema e *puf* — tudo resolvido." Os olhos azuis, um tom mais escuros do que os de Allie, me esquadrinham da cabeça aos pés. "Você não é o que ela precisa, Dean. Na hora do vamos ver, você não daria conta do recado." Uma pausa. "Não confio em você para cuidar da minha filha."

Com essa observação final, ele se volta para o jogo de futebol americano.

# 22

## DEAN

No dia seguinte, Allie me liga ao meio-dia para dizer a que horas deve chegar. “Oi, tô num táxi. Chego aí em quinze ou vinte minutos, dependendo do trânsito.”

Acabei de sair do chuveiro, então estou enrolado numa toalha, caminhando pelas janelas do meu quarto, que vão do chão ao teto, equilibrando o telefone no ombro. “Por que não veio de metrô? Teria sido mais rápido.”

“Estava com vontade de me espalhar num banco de carro, em vez de vir toda espremida num vagão de metrô.”

“Entendi.”

“Tem algum ponto de referência para quando eu chegar aí? Em que andar é?”

Entro, distraído, no closet e pego uma calça de moletom de uma prateleira. “É só falar na portaria quem você é, e alguém vai te trazer aqui. O elevador precisa de uma chave para a cobertura.”

Ela suspira. “Você mora na cobertura do Heyward Plaza Hotel?”

“Moro.” Deixo a toalha cair sobre a madeira polida. “Ei, o que você acha — isso vai fazer o seu pai me odiar mais ou menos?”

Sua risada faz cócegas em meu ouvido. “Ah, cala a boca. Ele não te odeia.”

Claro que não. Ela não estaria falando isso se tivesse ouvido o discursinho que ele fez na sala de estar ontem à noite.

*Não confio em você para cuidar da minha filha.*

Droga. Com esclerose ou não, o velho ainda é capaz de dar um nocaute.

Afasto a conversa irritante da cabeça e digo: "Até daqui a pouco". Então volto para o quarto e começo a recolher itens aleatórios de roupa do chão.

A equipe de limpeza arrumou o apartamento hoje de manhã — eles aparecem pontualmente duas vezes por semana, mesmo que não tenha ninguém em casa —, mas tenho o estranho hábito de acumular bagunça mesmo que só tenha passado algumas horas no lugar. Vera, a nossa empregada, me chama de Desastre Ambulante.

Vinte minutos depois, a portaria interfona para me avisar que minha visitante chegou, e caminho até o elevador, que se abre dentro da sala de estar.

As únicas pessoas a me visitarem aqui foram os meus amigos de escola, e como as casas deles são igualmente... luxuosas... nenhum deles nunca deu muita bola para este apartamento.

Allie arregala os olhos diante do que vê.

No instante em que sai do elevador, seu queixo está no chão de mármore e as sobrancelhas se arqueiam mais altas que o pé-direito de mais de quatro metros.

"Minha mãe do céu", arqueja ela. Seu olhar espantado percorre a antessala, a sala de estar e o terraço voltado para o norte, antes de se voltar para mim. "Certo. *Exijo* um tour na casa."

Dou uma risada autodepreciativa. "Vai demorar", aviso.

"Pode levar cinco horas. Quero ver cada centímetro deste palácio, sua majestade."

Ao apresentar a cobertura para ela, me pego vendo-a por seus olhos. Em cada cômodo que entramos, ela fica boquiaberta, ofega ou solta um palavrão — a biblioteca com painéis de nogueira na parede, a cozinha de última geração, o salão de ginástica, a adega... tá bom, acho que este lugar pode ser mesmo um *pouquinho* exagerado.

"Cadê os quartos?" Ela parece confusa, quando chegamos à sala de estar novamente e paramos junto da imensa lareira com sua prateleira esculpida à mão.

"Ah, isso foi só o primeiro andar", digo, meio sem jeito.

"Este lugar tem *dois* andares?"

Murmuro: "Três."

"*Três* andares?" Allie me encara como se eu tivesse acabado de sair de uma nave alienígena. "Acho que quero te socar agora."

"Acho que *eu* quero me socar." Não gosto dessa pontada indesejável de constrangimento. Ou melhor, não gosto de me sentir como se fosse o babaca mais mimado do planeta.

De repente, a voz do pai de Allie ecoa em minha cabeça. Depreciativa e fria, me desprezando por não saber nada "dos problemas do mundo real".

Droga. Por que estou deixando isso me afetar? Posso ter nascido numa família rica, mas sei o que significa lutar e se sacrificar e... merda, quem estou tentando enganar? A Vida de Dean é uma delícia. Sempre foi. Mas mesmo assim sou capaz de ter empatia por pessoas com menos sorte do que eu. Posso "dar conta do recado" quando alguém precisa de mim.

Subimos a escadaria de mármore em curva, e ela para um instante para admirar um dos quadros abstratos preferidos da minha mãe. Apesar de toda a pompa e circunstância do lugar, meus pais não exageraram na decoração. A cobertura tem um design clean e moderno, e a maior parte das pinturas nas paredes está longe de ser cara. Minha mãe é a favor de ajudar artistas locais.

"Seu quarto fica no segundo andar?", pergunta Allie.

Faço que não com a cabeça. "Aqui fica o quarto dos meus pais." Aponto para a esquerda. "Ali, os de visita." Aponto para a direita. "Quer ver algum desses ou a gente pode pular este andar?"

"Vamos pular." Ela já está saltando os degraus de novo.

Levo-a até o meu quarto. Allie admira cada centímetro do enorme cômodo, desde a cama de carvalho feita sob medida até as prateleiras embutidas e a vidraça límpida que ocupa toda uma parede.

"Sem cortina?" Parece um pouco atordoada.

"Persiana automática", explico. "Acionada por controle remoto."

"Uau." Ela caminha pelo cômodo, analisando cada detalhe, e a luz do sol ilumina seu cabelo dourado, solto sobre os ombros. Allie estuda as fileiras intermináveis de livros na estante, em seguida, vira para mim. "Tá legal. Admita."

"O quê?"

Ela aponta um dedo acusatório para mim. "Você é inteligente."

Dou uma gargalhada. "Claro que sou inteligente."

"Você sem dúvida não age como tal." Allie cruza os braços dentro do suéter listrado e largo. "Na verdade, parece que faz de tudo para as pessoas acharem que é burro. O jeito como chama as meninas de 'gata' e essa sua boca suja."

Abro um sorriso. "Até parece. É só meu jeito de falar, gata."

Seus olhos parecem achar graça. "Aham. Então por que nunca fala da faculdade de direito?"

"O que tem pra falar? Ainda não tô na faculdade de direito." Sento na beirada da cama, que fiz às pressas, antes de ela chegar.

"Mas não tá animado com ela?", pressiona Allie.

"Hmm. Não muito." Rio baixinho, diante da sua testa franzida. "Tenho certeza de que vou ficar animado quando estiver lá. Sou do tipo que curte o presente, lembra?" Dou uma palmadinha no colchão, então a chamo com o indicador. "Quer vir logo pra cá?"

"Me dê uma boa razão pra isso."

Escorrego a mão pela virilha e seguro o pau. "Míni Dean tá se sentindo ignorado."

Rindo, Allie sobe no meu colo e pousa as mãos na minha nuca. Ela aproxima a boca da minha. "Tadinho. Será que precisa de um carinho?"

"Tá louco por isso", murmuro.

Nossos lábios se encontram num beijo no mesmo instante em que deslizo as mãos sob sua camisa. Solto um gemido quando seus seios nus preenchem as palmas das minhas mãos. Adoro quando ela não usa sutiã. Fica muito mais fácil de levantar sua camisa e colocar um mamilo gostoso na boca.

"Hmm", geme ela. "Isso é bom."

"Está prestes a ficar muito melhor, gata." Deslizo a outra mão por entre nossos corpos e a seguro por cima da legging. "Droga. A gente tem que tirar essas roupas."

O olhar de Allie voa para as janelas. "Não é melhor fechar a persiana? Cadê o controle remoto?"

Estou inteiramente concentrado na deliciosa tarefa de sugar seu mamilo, brincando com a língua sobre a pontinha dura.

"Dean", protesta ela. "Estamos praticamente numa caixa de vidro! E se tiver alguém com um telescópio olhando pra cá de um dos outros edifícios?"

"Então vai presenciar um espetáculo e tanto." Belisco ambos os mamilos e sou recompensado com um ruído gutural.

Suas objeções morrem à medida que a deito no colchão e começo a tirar todas as suas roupas. Ela arranca minha calça de moletom, e então estamos pelados, beijando e rolando na cama enorme, até perder o fôlego.

"Tudo bem se a gente deixar as preliminares pra depois?", sussurro contra seu pescoço, antes de levar a língua de volta para os seus seios.

"Aham. Entra logo em mim", sussurra ela de volta.

Pego uma camisinha e me acomodo diante de sua boceta encharcada, agradecendo a Deus e a qualquer outra divindade disposta a ouvir minha gratidão pelo fato de Allie estar com tanto tesão quanto eu. Nossa compatibilidade sexual é fora do sério. Nós dois soltamos um suspiro de prazer à medida que entro em casa. *Em casa*? Paro no meio do movimento.

"Não para agora."

A ordem rouca faz meu saco se contrair. Estou desenvolvendo uma resposta pavloviana ao seu catálogo de sons. Gemidos arfados, suspiros roucos, e já começo a ficar duro, ou até fico completamente duro. Ruídos felizes, risadas, e estou sorrindo de volta. É... diferente.

Ela bate no meu ombro, impaciente. "Precisa de alguma instrução? Porque Míni Dean não entrou todo ainda."

Abafo uma risada contra seus seios exuberantes e entro em casa. Pronto. Falei. *Em casa*. Estamos transando, cacete. Não preciso ficar analisando isso. Não com Allie. Ela me quer por inteiro, transando até perder os sentidos, e é isso que eu quero também.

"Ah, entrou sim, gata. Entrou tão fundo e tão forte que você vai sentir por dias." Faço um movimento para frente forte o suficiente para ela deslizar em cima do colchão. Ela escora as mãos na cabeceira acolchoada e me lança, sob pálpebras pesadas, um olhar de *vem me pegar*.

Ela me deixa louco. E vou retribuir o favor.

As paredes de sua vagina me apertam no abraço mais erótico do mundo. Luto contra o meu orgasmo. Não vou gozar agora, de jeito nenhum. Quero ver esses olhos lindos virando para trás em seu rosto. Quero seu queixo caindo e a sua boca aberta, e aquela expressão vítrea e entregue que ela tem quando está tão absorta no sexo que sei que não consegue pensar em mais nada além de mim.

Empurro seu cabelo para trás, enredando os dedos nos fios grossos e puxando sua cabeça para beijá-la direito. Ela ataca a minha língua, chupando-a para dentro da sua boca, me deixando comê-la com ela e com o pau ao mesmo tempo.

Estamos ficando os dois suados. Nossos corpos escorregadios se movem um contra o outro num ritmo perfeito, um ritmo que me deixa extasiado.

"Você é uma delícia. Parece um sonho", digo a ela por entre os dentes. O esforço para não gozar está exigindo minha última gota de autocontrole.

"Isso. Aí. Me fode bem *aí*", grita ela, pontuando suas ordens com as unhas nos meus ombros. Reúno todas as minhas forças, os cotovelos ao lado de sua cabeça, o joelho fincado no colchão para ter apoio, e ofereço tudo o que tenho. Em investidas medidas e poderosas, levo-a a um estado irracional de prazer, até Allie estar tremendo e gritando sua satisfação para os quartos vazios da cobertura.

Ela ainda está trêmula quando a viro e a como por trás. Meu saco bate contra a sua coxa, e sua boceta apertada pelo ângulo quase faz meus olhos lacrimejarem de prazer. Ela emite sons incrivelmente sensuais que incluem as palavras "Dean", "ai, Deus" e "isso", formando uma estranha espécie de música, em que ela geme a melodia, nossos corpos dão a batida e nossos corações entram na harmonia, até ser *a minha vez* de perder o controle. Todos os meus sentidos são tomados por ela — seus sons, seu cheiro, seu toque. *Ela.*

Completamente pelado, entrando nela, não estou nem aí se tem um telescópio lá fora assistindo. Que vejam o quanto amo estar dentro desta mulher.

Passamos o dia na cama. Bem, não só na cama. Também transamos no boxe enorme do meu banheiro, sob a ducha de quatro chuveiros de teto e dos vários jatos de parede.

E chupo Allie na cozinha, com ela esparramada na bancada de mármore.

E ela me faz um boquete no salão de jogos.

E fazemos um meia nove na sauna.

Já falei que este é o melhor dia da minha vida?

Às nove da noite, estou oficialmente exausto. Exaurido. Não tem uma gota de sêmen sobrando no meu corpo. Allie Hayes chupou e fodeu tudo de mim.

"Você é uma maníaca sexual", resmungo, ao sentir sua mão acariciando a minha coxa. Acabamos de jantar — hambúrgueres com batata frita trazidos pelo serviço de quarto e consumidos na cama —, e agora estamos deitados nos meus lençóis de um milhão de fios, nos recuperando da mais intensa maratona de sexo que já tive em muito tempo. Ou que já tive, ponto.

"Não consigo me conter", protesta Allie. Ela senta na cama, e fico chocado com como está linda. As bochechas coradas, os cabelos desgrenhados, os olhos nebulosos. "A Vida de Dean me deixa toda excitada."

Meu telefone toca, e suspiro de alívio. "Ai, graças a Deus. Tomara que seja alguém para me salvar, antes que você quebre o meu pau." Aparentemente meu salvador é Beau, e atendo com o habitual: "Qual é a boa, Maxwell?".

"Nós dois", responde Beau, animado. "Nós dois nos acabando numa pista de dança hoje à noite."

"Hum. Tá me chamando para dançar?" Faço uma pausa. "E você não devia estar em Wisconsin, com a sua avó?"

"Minha avó deu cano na gente — foi pra um cruzeiro de idosos, em vez de passar o feriado com a família. Como ousa, né? Aquela *vaca*." Beau ri, o que tomo por uma indicação de que está brincando. Senão eu ficaria com pena da avó. "Joanna e eu estamos em Nova York, com nossos pais. Vamos nos encontrar."

"Como você sabe que também estou em Nova York?", pergunto, desconfiado. Meu celular é de Boston, e não falei para ele que vinha para Manhattan, então não tem motivo para ele imaginar que estou aqui.

"Tenho um aplicativo para rastrear amigos. Mostra onde eles estão o tempo todo."

Genial. Estou sendo seguido por um dos meus melhores amigos.

"Vamos para uma balada no SoHo. Topa?"

"Espera um segundo." Cubro o bocal e olho para Allie. "Tá a fim de sair? Beau e a irmã estão na cidade e vão pra uma balada."

Vejo a relutância vincar sua testa. "O quarterback da Briar?"

Sei exatamente o que está pensando, e sou rápido em aplacar seus medos. "Ele não vai contar nada se nos vir juntos. É sério. Maxwell sabe manter a boca fechada."

Depois de uma longa hesitação, ela enfim assente com a cabeça, um pequeno sorriso surgindo em seus lábios. "Faz muito tempo que não vou pra balada."

Afasto a mão do telefone. "Estamos dentro."

"Estamos?"

"Vou levar uma amiga."

"Beleza. A gente se vê em uma hora?"

"Parece bom." Desligo e percebo que Allie parece agitada. "O que foi?"

"Não trouxe nenhuma roupa de noite." Ela morde o lábio inferior. "A gente pode passar no Brooklyn primeiro pra eu me trocar, ou vai ser muito ruim?"

"Não precisa", digo, puxando-a para fora da cama. "Pode pegar alguma coisa da minha irmã. Você e Summer são mais ou menos do mesmo tamanho."

"Tem certeza que ela não vai se importar?", pergunta Allie, meio nervosa, enquanto atravesso o corredor com ela até o quarto da minha irmã. "Algumas meninas são muito ciumentas das suas roupas."

"Vai por mim, ela não vai se importar."

Quando entramos no armário de Summer, o rosto de Allie se enche de espanto. E, por armário, quero dizer o cômodo imenso que é quase do tamanho da casa do pai de Allie.

"Isto é um *armário*?", exclama Allie. Ela entra e dá um gritinho. "Meu Deus. Sua irmã tem toda uma *parede* de sapatos. Agora quero dar um soco nela."

Rio. "Não tentaria isso. Summer joga sujo. Vai enfiar o dedo no seu olho e puxar seu cabelo."

Allie examina outra arara repleta de cabides. "Se eu olhar qualquer uma dessas etiquetas vou encontrar palavras como Prada, Kors e Lagerfeld?"

"Vai."

"Então, por favor, me leva para a seção barata; não quero que sua irmã me mate se eu derramar bebida no seu precioso Versace."

"Gata, você precisa confiar em mim quando digo que ela não vai se importar. Ou perceber, aliás. Summer deixou tudo isso pra trás quando foi para Brown", lembro-a. "Sem falar das roupas no armário de Connecticut. Basta escolher qualquer coisa que você gostar."

"Tudo bem, então. Bem, como provavelmente nunca vou ter a oportunidade de usar um vestido Valentino de novo, pelo menos não até ele desenhar o meu figurino para a noite do Oscar...", o que me faz rir mais uma vez, "... vou escolher este." Ela levanta um vestido curto de renda preta e decotado, em seguida olha para a parede de sapatos. "E vou combinar com... hmm, esses sapatos são Jimmy Choo?"

"Essa é minha deixa para sair daqui", anuncio. "Me encontre quando estiver pronta."

Deixo Allie se entretendo no armário de Summer e vou me vestir. O que leva cinco minutos inteiros. Escolho um suéter cinza e a mesma calça que vesti na noite passada, em seguida, deito na cama para ver uns vídeos no YouTube pelo celular, enquanto espero por Allie. Em algum momento na marca dos vinte minutos, ela voa pelo meu quarto num borrão preto de roupa de marca, pega um nécessaire de maquiagem da bolsa e desaparece no meu banheiro.

"Ei?", me chama poucos minutos depois, a cabeça surgindo atrás da porta. "Minha amiga Dillon acabou de mandar uma mensagem. Ela chegou ontem à noite e quer encontrar com a gente. O namorado tá aqui também. Posso chamar os dois pra balada?"

"Claro, vá em frente."

Meu telefone vibra, e desligo o YouTube para ler minhas mensagens.

Logan: *Encontrei o presente d natal perfeito p vc em Boston.*

A imagem surge na minha tela, arrancando um gemido alto de minha garganta. O idiota me mandou uma foto de um vibrador do Meu Querido Pônei. A porcaria é rosa-choque com um arco-íris na base.

Logan: *É recarregável! Vc não vai ter q comprar baterias. PERFEITO!*

Eu: *Hahahaha. Vc = comediante.*

Então escrevo para Grace: *Fala pro seu namorado parar d me zoar.*

Ela responde com uma carinha feliz. Traidora.

"Tô pronta."

Ergo a cabeça e, minha nossa, fico sem respirar por um instante. Cara, ela devia abandonar a carreira de atriz e virar maquiadora, porque essa menina tem a capacidade de se transformar completamente, dependendo do que faz no rosto. Quando estava me acostumando a pensar nela como uma menina comum, de maquiagem sutil e brilho nos lábios, de repente ela apareceu na Malone's mais sensual que tudo, os olhos grandes esfumaçados e os lábios vermelhos.

Hoje, seu visual é uma combinação dos dois — natural, com um toque de glamour. Lábios cor da pele, sombra dourada e rímel, o que faz os cílios parecerem incrivelmente longos.

"Que tal?" Ela pousa uma das mãos no quadril e faz uma pose sensual.

"Altamente comível." Pulo da cama e caminho na direção dela, puxando seu corpo junto do meu e me curvando para um beijo rápido. Seu perfume invade minhas narinas. Inspiro fundo, tentando identificar o cheiro. Morango? Manga? Rosas? Não sei dizer, mas é viciante.

"O que foi?"

Fico surpreso de encontrá-la franzindo a testa para mim. "Como assim?"

Seu olhar torna-se mais desconfiado. "Você estava me encarando."

Estava? Merda, nem tinha percebido. "Desculpa, viajei por um segundo." Abro um sorriso descontraído, fazendo o possível para ignorar a vibração estranha em meu estômago.

E o pequeno arrepio engraçado subindo pela minha coluna.

E o jeito como meu peito de alguma forma parece apertado e leve ao mesmo tempo, o que é tão desconcertante quanto o perfume indecifrável de Allie.

Engolindo em seco, me obrigo a ignorar o paradoxo em meu peito, e sigo a bunda gostosa de Allie para fora do quarto.

# 23

## ALLIE

Estava tensa com a reação de Beau Maxwell quando me visse chegando com Dean, mas não precisava ter me preocupado. Beau nem sequer pisca quando Dean me apresenta como "melhor amiga e colega de alojamento da namorada do G.". Talvez ele tenha se perdido no meio da longa explicação. De qualquer maneira, ele simplesmente parece muito feliz de que tenhamos vindo à boate.

A irmã de Beau, Joanna, é igualmente animada, e joga os braços em volta de Dean. "Di Laurentis! Ainda bem que você veio. Tô muito perto de matar esse idiota do meu irmão, você não tem nem ideia."

"Que nada, você não quer me matar", comenta Beau, com um largo sorriso. "Você ama o seu irmãozinho e sabe disso."

Joanna mostra o dedo médio para ele, mas também está sorrindo. É tão atraente quanto Beau, alta e escultural, com olhos azuis reluzentes e cabelo escuro na altura do queixo. Dean me contou que tem um papel secundário num musical da Broadway, o que é a primeira coisa que pergunto a ela quando entramos na boate, depois de passar pela fila. Digo, depois de simplesmente ignorar a fila, pois Dean sussurra uma palavra na orelha do segurança, e a corda de veludo se levanta para nós como que por mágica.

Lá dentro, as luzes estroboscópicas estão a toda e a música é ensurdecedora. Joanna e eu precisamos berrar para continuar a conversa. Dean e Beau, andando à nossa frente, são imediatamente engolidos pela multidão frenética.

"Perdemos os meninos", grito no ouvido de Joanna.

Ela nega com a cabeça e aponta para a escada em espiral à esquerda. Lá estão eles, subindo os degraus de metal. Dean olha para trás por cima do ombro, nos vê no meio da multidão e gesticula para os acompanharmos.

Descubro que a escada leva à área VIP. Chegamos ao topo a tempo de ouvir Dean abordar o segurança imenso na entrada. "Dean Heyward", grita ele. "Tony me conhece."

O segurança toca o pequeno Bluetooth em seu ouvido. Seus lábios se movem, mas não consigo identificar o que está dizendo. Um segundo depois, nosso pequeno grupo passa por mais uma corda de veludo.

Felizmente, a música aqui em cima não é tão alta, então não preciso mais gritar feito uma louca. "Dean Heyward?", provoco. "Não estamos mais usando o Di Laurentis?"

Ele passa o braço a minha volta, e o cheiro forte de sua loção pós-barba infunde meus sentidos, me fazendo tremer. "Di Laurentis funciona melhor em *country clubs* ou eventos de caridade. Heyward abre mais portas em Manhattan."

Sem dúvida. Não só temos acesso ao salão VIP como somos levados a uma mesa grande junto da varanda de ferro que dá para a pista de dança. Pego o telefone e vejo que Dillon mandou uma mensagem. Ela e o namorado daqui a pouco vão estar aqui. Respondo avisando para os dois subirem quando chegarem, então tento acompanhar a conversa à minha volta.

Joanna está provocando o irmão sobre alguém chamada Sabrina, mas ele está insistindo que a relação acabou, o que parece perturbar a irmã.

"Deixa de ser burro! Sério, Beau, você precisava de alguém como ela, para manter você na linha."

Como Dean ainda está com o braço à minha volta, posso senti-lo ficando tenso. Fito seu perfil emburrado, e aperto sua coxa de leve. "Tudo bem?"

"Ah, não liga pra ele, não, gata", comenta Beau, com uma risada. "Dean sempre fica assim quando o assunto Sabrina vem à tona. Acho que ainda tá de mau humor porque ela traçou o meu amigo aqui e depois jogou fora."

Não fico surpresa em ouvir que Dean já dormiu com essa menina, quem quer que seja. O que me surpreende é a minha completa falta de ciúme.

O mesmo aconteceu durante a viagem de carro. Ouvir Dean falar sobre "mulheres que gozam em silêncio" e casos passados não me deixou chateada como na noite em que vi Penelope se jogando em cima dele no Malone's. Mas não me senti ameaçada nesse caso. Talvez porque elas fossem obviamente memórias para ele, e não fantasmas no nosso presente capazes de interferir com o que temos aqui. Não sei muito bem qual é o motivo, mas gosto dessa confiança estranha e inesperada que sinto nele.

Na cadeira a meu lado, Dean revira os olhos em resposta à provocação de Beau. "Vai por mim, fico feliz de ter sido desprezado."

Espero pela continuação. Mas o fato de que ele fica quieto aumenta a minha curiosidade, então dou um cutucão na lateral de seu corpo e digo: "Bota pra fora, lindinho. Quero ouvir mais sobre esse cabo de guerra que tá rolando aqui". Como Hannah seria capaz de atestar, sou curiosa demais para o meu próprio bem.

"Eu também", concorda Beau.

Dean dispensa o assunto com um gesto de mão. "Foi uma bobeira no segundo ano. Nada demais."

"Ah, claro, se ainda te incomoda, dois anos depois", ressalto.

Ele franze a testa. "Resumindo? Eu estava com dificuldade numa disciplina, mas, toda vez que achava que tinha ido mal na prova ou escrito um artigo de merda, ganhava uma nota alta. Burro que sou, não associei isso ao fato de que estava comendo a professora assistente."

Beau dá uma gargalhada. "Demais!"

Solto um suspiro. "Ah, não."

"Pois é, maior burrada", diz Dean, penitente. "De qualquer forma, Sabrina e eu fizemos dupla no projeto final. Cada um de nós fez metade do trabalho e recebeu notas separadas. A minha parte merecia, no máximo, cinco, e nós dois sabíamos disso, só que quando as nossas notas voltaram eu tirei nove. E Sabrina, sete." Sua mandíbula se enrijece. "Ela ficou furiosa. Foi fazer queixa com o professor, e ele acabou relendo todos os trabalhos e provas que fiz na disciplina — todos avaliados pela assistente que eu estava pegando. No final das contas, eu tinha que ser reprovado. Mas estava só tirando nota alta."

Dean soa tão revoltado que me assusta. Antes de ficar com ele, achava que era o tipo de cara que levava a vida se dando bem por causa da aparência e do dinheiro. A história que está contando corrobora isso. Mas a raiva em sua voz revela algo mais — ele não *quer* o caminho do privilégio.

"Fiquei revoltado", admite, confirmando minhas suspeitas. "Falei pro professor me reprovar. Podia muito bem repetir a disciplina no verão. Mas o filho da mãe não aceitou."

"Por que não?", pergunta Joanna, ao mesmo tempo indignada e perplexa.

"Conhecia o meu pai", murmura Dean. "Os dois fizeram direito juntos, e ele me disse que ia fazer vista grossa como um favor ao meu pai. Respondi que não concordava com aquilo de jeito nenhum. Discutimos por um tempo, até que ele enfim aceitou diminuir a minha nota para oito. Foi 'o melhor que podia fazer'."

A expressão de Dean é mais sombria que uma nuvem de tempestade.

"Eu devia ter reprovado a porcaria da matéria, mas o nome Di Laurentis me comprou uma nota, e Sabrina nunca me deixa esquecer isso. Acha que sou um babaca rico que consegue o que quer." Seu tom volta a ficar desdenhoso. "Tanto faz. Ela pode achar o que quiser. O que importa é o que eu acho, certo?"

Posso ver além do sorriso descontraído que abre. Dean se incomoda que as pessoas pensem que ele é um playboy rico que recebe tudo numa bandeja de prata. E sim, reconheço esse lado dele — A Vida de Dean é uma delícia —, mas também já vi outras facetas de sua personalidade ao longo desse mês.

Ele é obstinado. Sério, o cara não desiste nunca quando quer uma coisa.

Ele se preocupa com os amigos e os colegas do time. Nesta semana, não nos vimos na segunda nem na terça, porque ele tinha pedido tempo extra de gelo para ajudar um cara chamado Hunter a treinar suas habilidades.

Ele tem mais livros que a biblioteca pública do Brooklyn, e, pelo desgaste dos exemplares, sei que de fato leu todos eles.

Ele...

"Sua bolsa."

Ergo a cabeça. "O que tem?"

Dean aponta para a bolsa preta de festa no banco entre nós. "Está vibrando."

Desperto da lista bizarra que estava compondo de *Por que Dean é o máximo* e abro a bolsa para encontrar meu telefone zumbido.

Coloco a cuba libre na mesa. "Meus amigos chegaram. Vem buscá-los comigo? Talvez você precise falar com o segurança de novo."

Ele solta um suspiro exagerado. "Sabia. Você só tá me usando por causa das minhas conexões."

"É isso aí", respondo, alegremente.

Voltamos até a escada, e dou um gritinho quando identifico um rosto familiar atrás da corda.

"Eles estão com a gente", diz Dean ao segurança.

Um minuto depois, tem uma morena baixinha igualmente histérica se atirando nos meus braços.

"Meu Deus! Que *bom* ver você!", grita minha melhor amiga da escola. "Você não me liga mais!"

Sorrio e digo: "Nem você". E então estamos nos abraçando animadas de novo, até que reparo na sombra ameaçadora sobre nós.

Dillon se solta do meu abraço e apresenta o namorado. "Este é Roy."

Na última vez que nos falamos por telefone, ela comentou que estava namorando um jogador de futebol americano. Mesmo que ela não tivesse me dito isso, eu teria imaginado, porque Roy é um monstro. Deve ter pelo menos dois metros de altura, os braços grossos feito troncos de árvores e as coxas maiores que o meu torso. E talvez eu esteja imaginando coisas, mas ele é igualzinho ao...

"Cara, alguém já te falou que você é igual ao Samuel L. Jackson jovem?", pergunta Dean, roubando as palavras da minha boca.

Roy estufa o peito gigante. "Ah, entendi, porque nós negões somos todos iguais, é isso?"

Me viro, alarmada, para Dillon, porque o olhar ameaçador distorcendo as feições de Roy é absolutamente aterrorizante. E sua voz é mais grave que a linha de baixo ressoando na boate.

"E o que mais?", rosna Roy. "Vai dizer que não posso sair com uma menina branca elegante? É isso?"

Dean está imperturbável. "Pois é, cara, você me pegou. Sou um grande racista." Incrédulo, ele balança a cabeça e continua a olhar para Roy. "É impressionante. Vocês são *iguaizinhos*."

Estou a segundos de tapar a boca de Dean com a mão, antes que esse monstro quebre ele ao meio, mas, para minha surpresa, a expressão sinistra de Roy se suaviza.

"Tô brincando com você, cara. Ouço isso o tempo todo." Roy abre um imenso sorriso. "Ganhei dez mil dólares no verão passado num concurso de imitações de celebridades — meu Sam Jackson ficou em primeiro lugar. Fiz o discurso de *Do fundo do mar* pouco antes de ser engolido pelo tubarão."

"Muito bom." Dean abre um sorriso travesso. "P.S.: Mais um pouco de racismo vindo na sua direção — você tem a voz do James Earl Jones."

Roy joga a cabeça para trás e solta uma gargalhada retumbante. Então dá um tapa no braço de Dean e diz: "Até que você não é mal, branquelo".

E, simples assim, os dois são melhores amigos, conversando animadamente enquanto seguem adiante.

Dillon suspira e passa o braço no meu. "Roy gosta de assustar as pessoas", se desculpa.

Solto um risinho. "Não se preocupe, Dean não se assusta facilmente."

"Dean, é?" Seus olhos se acendem. "Por que você não me disse que tinha um namorado novo?"

"Porque não tenho. Estamos só nos divertindo. Nada sério."

"Rá! Até parece, A.J. Com você é *sempre* sério."

Tenho vontade de dizer que não dessa vez, mas, assim que chegamos à mesa, as vozes dos homens abafam a nossa conversa. Beau e Roy já estão falando de futebol, e, como o namorado da minha amiga é um gigante, ocupa o espaço de pelo menos três pessoas no banco. Dillon se acomoda ao lado dele, o que deixa zero espaço para mim.

Sorrindo, Dean me puxa em seu colo e passa um braço forte em volta da minha cintura. "Pode sentar aqui, gata."

"Ah, obrigada, docinho."

Nós seis formamos um grupo tão improvável que, de repente, me vejo em *Clube dos cinco*. Beau, o quarterback da Costa Leste. Dean, o jogador de hóquei. Roy, o linebacker de Louisiana. Joanna, a atriz da Broadway. Dillon, a universitária de finanças. E eu, a futura atriz de comédias românticas.

Apesar disso, a conversa mantém-se sempre animada. Dillon e eu colocamos o papo em dia sobre o que andamos fazendo nos últimos meses. Depois que entrei para a faculdade, perdi contato com a maioria dos meus amigos da escola, mas a amizade de Dillon é uma que eu estava determinada a preservar.

Enquanto converso com ela, estou muito ciente de Dean me tocando. O tempo todo. Acariciando meu ombro. Deslizando a mão em minha coxa. Cheirando meu pescoço. Num determinado momento, ele chega a roçar os lábios em minha bochecha, o que provoca um assobio alto de Beau.

"Nossa, Bella", se maravilha ele. Quando meus olhos encontram os seus, vejo que está se divertindo enormemente. "Que feitiço você lançou no meu Dean? Nunca o vi assim com uma garota antes."

"Meu nome é Allie", corrijo.

Isso o faz rir ainda mais.

Dean suspira, em seguida, se aproxima e pergunta, baixinho: "Quer dançar?".

"Depende... Você dança bem?"

"Todo homem dança bem."

Dou uma risada. "O dedo do pé que quebrei na escola não concorda com isso."

"Desculpa, o que devia ter dito é — todo homem é *capaz* de dançar bem." Suas mãos me seguram pela cintura, e ele me coloca de pé. "Homens só precisam saber um passo para mandar bem numa pista de dança."

"Ah, é? Qual?", pergunto, curiosa.

Dean entrelaça os dedos nos meus, enquanto descemos a escada. "CJS", grita ele, porque a música está mais alta aqui em baixo.

Fico na ponta dos pés para levar a boca até junto do seu ouvido. "O que é isso?"

"A única das siglas malucas de Logan que incorporei em minha vida — CJS." Sua boca se abre num amplo sorriso. "Chegar junto e sarrar."

O riso brota em bolhas de minha boca, transformando-se num grito de prazer quando Dean me levanta em seus braços. Passo as pernas em volta de sua cintura e me seguro firme, enquanto ele me leva para a pista. Então me coloca de pé, pressiona o corpo delicioso no meu e me prova que o CJS é de fato o único movimento que importa.

Com a batida sensual e pulsante se espalhando em meu sangue, jogo o cabelo para o lado, movo os quadris e corro as mãos para cima e para baixo no peito musculoso de Dean. A luz estroboscópica pisca na boate escura, oferecendo vislumbres tentadores das feições esculpidas de Dean, os olhos verdes hipnóticos, a curva sexy da boca.

Dançamos por horas. Ou, pelo menos, é o que parece. Os outros se juntam a nós na pista, e não me lembro da última vez em que me diverti tanto. Danço com Beau, que agarra minha bunda toda vez que tem uma chance. Danço com Roy, que tem movimentos alucinantes para um homem tão grande. Danço entre Dillon e Joanna. Danço com Dean, e o abraço erótico de seus quadris me deixa excitada, sedenta e feliz.

Dillon e eu viramos dois shots no bar, mas não estou bêbada, só deliciosamente alegre. Dean também parece estar pegando leve, mas os outros estão a meio caminho de um pileque. Principalmente Beau, que está com as bochechas vermelhas, os olhos brilhando e quase comendo em pé uma ruiva maravilhosa na pista de dança.

Joanna vai embora lá pelas onze e meia, dizendo que tem ensaio cedinho na manhã seguinte. Dillon e Roy vão logo depois; no instante em que Dillon começa a enrolar a língua, Roy se prova não apenas um adulto responsável, como um namorado cuidadoso, e a leva prontamente para casa. Por volta de meia-noite, depois que Beau ressurge parecendo mais embriagado do que nunca, Dean decide que é hora de irmos também.

"Cadê sua amiga?", pergunto a Beau, olhando por sobre o seu ombro, em busca da ruiva.

"Foi pra casa, atrás do marido."

Contenho uma gargalhada. Dean, que a esta altura é praticamente a única coisa mantendo Beau de pé, ri alto.

Saímos da boate e entramos no ar da noite fria. Beau está se apoiando em mim agora, porque Dean está junto do meio-fio, chamando um táxi. Como Joanna já foi, fico preocupada se Beau vai chegar em casa com segurança, por isso insisto que pegue um táxi com a gente.

"Melhor você levar Beau lá em cima", digo a Dean. "Ter certeza de que ele chegou em casa direito."

Um táxi aparece como que por milagre. Entro primeiro, seguida por Beau, que geme, fecha os olhos e desmaia com a cabeça no meu ombro. Dean entra por último e passa o endereço de Beau para o taxista. Ele olha para o amigo dormindo, em seguida, encontra meu olhar por sobre a cabeça dele.

"Os pais dele estão em casa, né?", pergunto, lentamente. "Será que vão ter um troço se virem o filho assim?"

"Talvez." Dean suspira. "Beau diz que são meio rigorosos. Estudou em colégio católico a vida toda."

Mordo o lábio. "Então talvez a gente não devesse levá-lo pra casa."

"Provavelmente não." Dean se inclina para a frente e bate no assento do motorista. "Esqueça o primeiro endereço. Leva a gente para o Heyward Plaza, por favor." Ele olha para mim. "Ele pode dormir na cobertura até passar a bebedeira."

Quinze minutos depois, estamos no elevador do hotel. É estranho, mas, poucas horas numa boate, e, de alguma forma, já esqueci que Dean mora numa porcaria de um palácio. Mais uma vez sou surpreendida pelo luxo ao meu redor, e Beau também, arregalando os olhos azuis ao tropeçar para fora do elevador.

Ele fica boquiaberto, encarando o janelão interminável com vista para as luzes da cidade. "Puta merda. Me sinto um príncipe."

"Pois é, eu também!", digo a ele.

Ainda balançando a cabeça de espanto, ele cambaleia em direção à enorme poltrona perto do sofá de couro em forma de C e desaba sobre ele. Em poucos segundos, está roncando.

Dean me abraça por trás e beija meu pescoço. "Hora de dormir?", pergunta.

Viro para ele. "Não tô cansada", confesso. "Topa ver um filme?"

"Na verdade, tenho uma coisa melhor." Ele arqueia as sobrancelhas, provocante. "Vai botar uma roupa mais confortável. Vou preparar aqui."

Preparar o quê? E espero que "confortável" signifique *confortável* mesmo, e não que ele esteja esperando que eu apareça de lingerie de renda e cinta-liga.

Deixei a mochila com minhas coisas no quarto de Dean, então subo depressa as escadas até o terceiro andar — ainda não acredito que este lugar tem três andares — e coloco um short de algodão e uma camiseta. Quando volto à sala de estar, encontro Dean deitado no sofá com o controle remoto na mão. Está sem camisa. Que novidade. Mas as calças de cós baixo exibem o V sensual de seus quadris, e minha língua formiga com o desejo de lamber todo esse corpo delicioso.

Umedeço os lábios repentinamente secos e caminho na direção dele. "O que vamos ver?"

"Veja você mesma." Ele clica no controle remoto, e levo um susto quando os créditos da abertura de *Solange* aparecem na maior tela que já vi fora de uma sala de cinema.

"Como assim? Você roubou os DVDs do meu alojamento?"

"Não. Liguei com antecedência antes de sairmos da Briar e pedi ao pessoal da portaria para arrumar a segunda temporada para a gente."

Estou pasma. Quando encontrei por acaso essa série navegando no YouTube, paguei uma menina do meu alojamento para baixar todos os episódios e gravar em DVD para mim. *Solange* é um sucesso na França, mas ninguém aqui nunca ouviu falar, o que significa que é quase impossível encontrar na internet, e encomendar os DVDs na Amazon não adianta, porque eles só funcionam em aparelhos europeus.

"Você deu um telefonema e conseguiu todos os episódios de uma série francesa obscura?" Olho para ele, embasbacada. "Caramba. A Vida de Dean é mesmo o máximo."

"Eu te disse." Deitando-se de costas, ele estende a mão e me convida para se juntar a ele.

Não perco tempo em me aconchegar a seu lado, descansando a cabeça em seu ombro. Seu peito nu é quente e robusto, e seu cheiro é divino. Nem me importo de perguntar que loção pós-barba ele usa, porque, no mínimo, nunca vou ter ouvido falar nela e custa mil dólares a gota.

Ficamos deitados, assistindo à série, que agora tem todo um elenco de novos personagens causando problemas para Solange.

"Sabe", comenta Dean, "se Marc fosse minimamente inteligente, largava Christine e ficava com Monique."

"Gosto de Christine", protesto. "Ela é fofa."

"Ela tá enganando ele, querida. Ninguém é tão fofa o tempo todo."

"*Eu* sou."

A risada de Dean vibra contra a minha bochecha. "Tá bom. Você deve ser fofa uns vinte por cento do tempo. No máximo."

Finjo estar magoada. "Você acha mesmo isso?", pergunto, baixinho.

Ele acaricia minhas costas suavemente. "Que nada", diz, a voz rouca. "Não se preocupe. Você é cem por cento fofa."

"Rá. Não estava preocupada. Só queria ouvir você dizer isso."

Ele ri e me aperta um pouco mais. O episódio vai se desenrolando, e ficamos mais absortos na história, caindo em silêncio. Dean está me acariciando distraído, os longos dedos roçando a lateral do meu seio a cada movimento lento da mão. Acho que não está nem percebendo, mas isto está me deixando... bem, está me deixando excitada.

"Escuta o que tô falando, ela tá tramando alguma coisa." Os olhos verdes de Dean estão focados na televisão, mas sua mão continua me acariciando.

Na tela, Christine está sentada a uma mesa de um bistrô ao ar livre, sussurrando em seu celular. A conversa parece bastante agradável. Mas, até aí, é toda em francês, então quem pode saber?

"Aposto que tá contratando um matador." A unha de seu polegar roça o meu mamilo.

Agora estou completamente distraída.

Ele continua falando. "A gente precisa encontrar uma versão disso com legenda em inglês."

Seu polegar se afasta do meu mamilo, então volta mais uma vez.

"Sei que você tá tentando aprender a língua, gata, mas não saber o que tá acontecendo me deixa louco..."

"Dean."

"Hmm?"

"Para com isso."

"Isso o quê?"

"Você tá tocando o meu peito."

"Ah. Tô?"

Me ergo em meu cotovelo para ver seu rosto. Sua expressão travessa me diz que ele não estava tão indiferente quanto eu imaginava.

"Você sabia exatamente o que estava fazendo", repreendo. "E agora tem que parar."

Ele lambe os lábios. "Por quê? Tá te deixando toda animadinha?"

"Tá."

Dean responde com uma risada grave e nos gira no sofá, até estarmos deitados de lado, um de frente para o outro. Ele segura meu peito esquerdo e aperta suavemente. Desta vez, quando as pontas dos dedos encontram meu mamilo, é com determinação absoluta. Ele esfrega a pontinha cada vez mais rígida. Em seguida, solta o meu peito e desliza a mão para dentro do meu short.

Lanço um olhar assustado na direção de Beau. Não está mais roncando, mas seus olhos continuam fechados.

"Beau tá logo ali", sussurro para Dean.

"Tá dormindo." Seus dedos levantam o elástico da minha calcinha e deslizam para dentro dela. Quando seu polegar pressiona o meu clitóris, tenho que morder o lábio para não gemer.

"Dean", murmuro, nervosa.

"Allie", murmura ele de volta.

A ponta do polegar circula meu clitóris de leve, enviando um arrepio quente por minha coluna. Ele esfrega e me provoca até eu estar inchada, dolorida e meus quadris moverem-se involuntariamente para a frente, buscando um contato mais profundo. Ele ri de novo.

"Dean..." É um aviso.

"Allie." É uma provocação.

Sua mão desce mais um pouco, a palma calejada raspando minha boceta em seu caminho. Um dedo hábil desliza para dentro de mim. Um misto de gemido e suspiro escapa dos meus lábios, mas é interrompido na mesma hora, quando Dean pressiona os lábios nos meus.

Beijo-o avidamente, incapaz de resistir a ele. Dean Di Laurentis está no meu sangue agora. Não esperava essa química intensa entre nós, mas ela existe e é viciante, e não sei se um dia vou conseguir ignorá-la. Ele esfrega a palma da mão contra o meu clitóris, e a pressão deliciosa faz minhas coxas se apertarem. O prazer se acumula entre minhas pernas, fazendo todo o meu corpo tremer.

Estou muito consciente dos sons que estamos fazendo. A respiração pesada. O dedo úmido dentro de mim. Peço a Deus que Beau não tenha o sono leve.

"Sempre sei quando você tá chegando perto", sussurra Dean.

"Como?" As investidas metódicas do seu dedo são perturbadoras. Começo a me contorcer, os músculos internos apertando-o com o prazer que se intensifica e se espalha por minha carne aquecida.

"Suas bochechas ficam vermelhas, e seus olhos... eles reviram." Seus lábios quentes descem até o meu queixo e seguem para o meu pescoço. "Seu sangue lateja... bem aqui...", ele lambe o centro do meu pescoço, "... e sua boceta me aperta com força, como se estivesse tentando prender meu dedo dentro dela."

Minha respiração fica ofegante. Minha mente, nebulosa. A voz grave e a mão mágica são tudo em que consigo me concentrar, mas quando ele curva o dedo e começa a se mover mais depressa, meu cérebro desliga por completo.

"Isso aí", pede Dean, a voz rouca. "Goza pra mim, gostosa."

Fecho os olhos e deixo as sensações assumirem, ofegando baixinho quando a pressão por fim se desfaz, e flutuo numa nuvem de felicidade. Suspirando, descanso a bochecha contra seu peitoral, enquanto uma última torrente de prazer percorre meu corpo.

"Vocês sabem que tô acordado, não sabem?"

A voz irônica de Beau desencadeia uma onda de horror misturado com o calor da vergonha. Enterro o rosto contra o peito de Dean, mortificada demais para olhar para a poltrona.

"E agora tô duro feito pedra", acrescenta Beau, a voz alegre. "Então, vou só perguntar... Alguma chance de vocês deixarem eu me juntar?"

Ergo a cabeça indignada, mas não posso deixar de rir quando vejo o brilho intrigado nos olhos de Dean.

"Nem pense nisso", ordeno, enfiando um dedo em seu peito. Sento no sofá para encarar Beau com o mesmo olhar severo. "Pode ir tirando o cavalinho da chuva, Maxwell. Porque não vai acontecer."

Seu sorriso é puro descaramento. "Hoje ou nunca?"

"Nunca."

"Me dê um bom motivo", desafia Beau.

"Porque a) não quero, e b) imagina a cena: Dez anos se passaram. Sou uma estrela de Hollywood, vencedora de três Oscars, a atriz mais cobiçada do cinema... e a última edição da revista *People* chega às bancas. E sabe qual é a manchete?" Desenho um arco no ar com as mãos, imaginando as palavras impressas. *Celebridade tem passado tórrido revelado: Allie Hayes, rainha universitária do sexo a três.*"

Beau cria a própria manchete. "*Nas palavras do campeão do Super Bowl, Beau Maxwell: 'Melhor noite da minha vida'.*"

Suspiro e me volto para Dean, que está obviamente tentando não rir. "E *agora* é hora de dormir. Dê boa-noite para o seu amigo, meu bem."

"Boa noite, Beau", cumprimenta Dean, obediente.

# 24

## ALLIE

Dean e eu chegamos de volta ao campus ao meio-dia do dia seguinte. Como o ônibus do time vai sair à uma hora da tarde para o jogo em Burlington, ele deveria sair voando desse estacionamento se ainda pensa em passar em casa e trocar de roupa. Mas Dean permanece grudado ao banco do motorista.

"O que foi?" Não consigo decifrar sua expressão.

"Posso te ver hoje?" Sua voz é rouca, e contém um quê inexplicável de... alguma coisa...

"Tenho ensaio, então depende da hora em que Steven nos liberar. Me liga quando voltar de Vermont, aí a gente vê se dá."

Ele assente com a cabeça. Continua imóvel.

"Pode me ajudar com a mala?"

Outro aceno.

Luto contra uma pontada de intranquilidade ao sairmos do carro. Não tem ninguém no estacionamento para nos ver tirando a mala do carro, mas não é isso que está me deixando apreensiva. É a intensidade que Dean está irradiando. É como se quisesse dizer algo, mas não soubesse como abordar o assunto.

"Tá tudo bem?", pergunto, baixinho.

Seus olhos verdes me analisam tão intensamente que fico constrangida. Sei que meu cabelo está uma bagunça, e tenho certeza que tem uma espinha pequena nascendo no meu queixo. Espero que não seja isso que ele fique encarando tão fixamente.

"Tudo bem, gata", diz, enfim, despertando de seja qual for o pensamento profundo em que havia mergulhado. "Vem aqui me dar um beijo de boa sorte. Precisamos desesperadamente ganhar este jogo hoje."

Meu olhar corre pelo estacionamento. Seus lábios se franzem de leve, e ver a expressão em seu rosto desencadeia em mim um lampejo de culpa. Acabamos de passar três dias juntos. Nos agarramos na frente de Beau, pelo amor de Deus, e estou com medo de beijá-lo num estacionamento vazio?

Elimino a distância entre nós e me inclino na ponta dos pés para roçar os lábios sobre os dele. "Boa sorte", sussurro. Então dou um pouquinho de língua e sorrio quando sua respiração se acelera.

Ele geme baixinho. "Provocante."

Meu sorriso se alarga à medida que dou um passo para trás. "Obrigada pela carona. E pela noite."

"E pelo sexo muito, muito selvagem", me lembra ele.

"Um 'muito' teria bastado." Só que não, estou errada. O que fizemos neste fim de semana exige, *no mínimo*, dois 'muitos'. Quatro talvez fossem mais adequados.

"Tem certeza que dá conta desse negócio?", pergunta ele, enquanto puxo a mala empanturrada na direção do caminho de paralelepípedos.

"Tenho. É de rodinha."

"E as escadas?"

"Eu me viro", insisto. "Anda logo, ou você vai perder o ônibus."

No instante em que tento despertá-lo com um empurrãozinho de leve, uma voz familiar ecoa atrás de nós.

"Oi, Allie."

Minha mão congela no peito de Dean. Deixo-a cair depressa para junto do meu corpo, em seguida me viro para cumprimentar a figura que se aproxima. É Jim Paulson, um dos colegas da fraternidade de Sean. Meus nervos se agitam em minha barriga, enquanto me pergunto o quanto ele pode ter ouvido. E visto...

Merda. Será que me viu beijar Dean?

"Oi", digo, forçando um sorriso. "Como foi de Ação de Graças?"

"Foi tudo bem." Jim volta o olhar na direção de Dean. "E aí, cara?"

"E aí?", cumprimenta Dean, contido.

"De onde vocês estão vindo?" Seus olhos nitidamente desconfiados fitam a minha mala.

"Nova York", respondo, casualmente. "Dean é de Manhattan, e eu, do Brooklyn, então peguei uma carona. Vamos salvar o meio ambiente!" Finjo agitar uma bandeirinha, mas Jim nem sequer abre um sorriso.

"Legal." Ele continua a me estudar. "Bem, então tá... bom te ver."

Seu sorriso de despedida é amigável o suficiente, mas, ao vê-lo partir, não consigo controlar a bola de medo que se aloja na minha garganta. Merda. Tenho um péssimo pressentimento sobre este encontro. Com certeza Jim vai contar para Sean. Uma parte de mim não se importa, porque Sean não é mais meu namorado.

Mesmo assim, a ansiedade remoendo em meu estômago se recusa a ir embora, e sei que vou passar o dia todo preocupada com isso. Esperando a bomba estourar.

A bomba estoura à uma da manhã. Com toda a força. E num estrondo. Acordando-me rudemente de um sono profundo pelas batidas violentas em minha porta.

Levanto assustada e olho ao redor, porque meu cérebro ainda enevoado leva alguns segundos para compreender o que está acontecendo. Uma vez que registra que os sons estão vindo da porta da frente, corro para fora do quarto e cambaleio até a área comum. Duas figuras sombrias emergem do quarto de Hannah ao mesmo tempo. Minha colega de quarto e o namorado param abruptamente ao me notar.

*Bang.*

*Bang, bang, bang.*

"Que merda é essa?" Garrett parece grogue ao virar a cabeça na direção do barulho.

Meu pulso acelera quando ouço a voz de Sean.

"Allie!", grita ele por trás da porta. "Eu sei que você tá aí! Deixa eu entrar, porra!"

E, de uma hora para a outra, Garrett está alerta e marchando até a porta. Dou um gritinho de susto, mas ele não abre a porta, simplesmente bate o punho contra ela algumas vezes. "Cala a boca, idiota. Vai acordar o andar inteiro."

"Tô nem aí!", é a resposta furiosa de Sean. "Preciso falar com a Allie."

"Então pega o telefone e liga, como uma pessoa *normal*", rebate Garrett. "E faz isso amanhã de manhã. A Allie tá dormindo."

Hannah se aproxima e pousa a mão no meu braço. Minha pele está gelada, e sei que ela percebe, porque faz um carinho suave e reconfortante. "Garrett vai se livrar dele", sussurra.

Mas ela está subestimando a teimosia de Sean. "Ela não tá dormindo", berra ele. "Conheço a minha namorada..."

*Ex-namorada*! Quase grito.

"... e ela tá de pé atrás dessa porta, sei que tá." As batidas recomeçam. *Bang. Bang, bang, bang.* "Allie! Abre a porta! Precisamos conversar!"

Recuo. Hannah envolve um braço em volta dos meus ombros.

"Bata na porta mais uma vez, e vou chamar a polícia", ameaça Garrett.

*Bang, bang, bang.*

Minha garganta se fecha. Droga! Ele não vai embora. Sei que não vai, e de repente sou tomada por imagens da equipe de segurança do campus e uma brigada de polícia invadindo a Bristol House feito um esquadrão de elite para deter um ladrão de banco. O que, além de humilhante, seria um enorme transtorno. Deste dia em diante, todo mundo no alojamento pensaria em mim como a garota do ex-namorado alucinado.

"Deixa ele entrar", digo, baixinho.

Garrett se vira, os olhos cinzentos em chamas. "De jeito nenhum, Allie. Ele tá bêbado."

"Eu sei, mas ele vai se acalmar depois que entrar." Meus ombros murcham, infelizes. "Ele vai passar a noite aí fora, Garrett. Deixa ele entrar, e eu tento acalmá-lo. Prometo que dou conta."

O namorado de Hannah permanece cético. Não o culpo. Sean está agindo feito um maníaco neste momento. Mas passei quase quatro anos com o cara, sei que ele dá uma de durão, mas não morde.

Nunca me machucaria fisicamente.

Garrett aponta um dedo para mim. "Se tentar alguma coisa, vou encher ele de porrada."

Faço que sim com a cabeça.

Xingando baixinho, ele abre o ferrolho e puxa a porta. Fico como que esperando Sean irromper na sala dando uma cambalhota antes de ficar de pé, como um comando do Exército numa missão especial. Mas ele entra a passos lentos, que parecem acompanhar o ritmo de sua respiração irregular. Seus olhos castanhos logo me acham.

"Precisamos conversar", murmura.

Garrett se posiciona grudado em Sean. Hannah fica colada a meu lado.

Engulo em seco, nervosa, me soltando do abraço de minha melhor amiga. "Vocês podem nos dar um minuto?"

"De jeito nenhum." A expressão de Garrett é inundada pela incredulidade.

"Por favor. Tá tudo bem. Só vamos conversar." Lanço um olhar mordaz na direção de Sean. "Não é?"

Sua mandíbula se tensiona, mas ele concorda. "É isso aí. Só quero conversar."

Vários segundos se passam. Então Garrett solta outro palavrão e fecha a cara para Sean. "Não vai fazer nada estúpido, cara. É só olhar feio pra ela, e quem vai conversar com você é meu punho."

Sean acena novamente. O namorado de Hannah é mais de dez centímetros mais alto e vinte quilos mais pesado que ele, e é claro que Sean leva a ameaça a sério.

Hannah aperta o meu braço. "A gente vai voltar lá pro quarto. Qualquer coisa, grita."

Não acho que vamos chegar a esse ponto. Sean parece ter se acalmado, a respiração está estável, seu olhar não arde mais de raiva. No momento em que a porta de Hannah fecha, ele se joga no sofá e faz um barulho baixo e agonizante.

"Dean Di Laurentis?", murmura, e a dor e a traição piscando em seus olhos me atingem como uma lâmina cega. "Tá brincando comigo, Allie?"

Meu coração dispara à medida que me aproximo. Não sento ao lado dele. Fico de pé na sua frente, os joelhos tensos, os braços cruzados com força em meu peito, porque meu corpo inteiro está tremendo tanto que é o único jeito de não cambalear sobre minhas pernas. Não sei o que dizer, então não digo nada.

"Vocês estão juntos?" Sua voz de repente se enche de uma repulsa gélida.

Engulo em seco, incapaz de formar qualquer palavra. Por que ele ainda tem esse poder sobre mim? Sempre sabe quais botões apertar, exatamente quanto nojo e desaprovação injetar em seu tom para fazer com que eu me sinta culpada, desconfortável, péssima.

"Estão?", insiste.

Coloco as cordas vocais para funcionar. "Sim e não. Não somos um casal. Estamos..."

"Dormindo juntos", termina Sean, seco.

Faço que sim, o que provoca outro lampejo em seus olhos.

"Então é só sexo, é isso?" Um assobio escapa de sua boca. "Você não faz só sexo! Você não é assim."

Minha pele se eriça com a ofensa. "Assim como?"

"O tipo de garota que dorme com qualquer um. Levamos *quatro meses* para transar pela primeira vez. Desde quando você pula na cama de alguém em questão de dias? Ou foram horas? Quanto tempo você levou para se jogar no pau do Di Laurentis?"

Estremeço como se tivesse levado um soco. Sei que está bêbado, por causa das bochechas rosadas e dos olhos turvos, mas não está enrolando as palavras, e dispara cada uma delas fora como uma bala de revólver, acertando o alvo e reacendendo o desconforto que sempre senti quando se trata de sexo casual.

"E de todos os caras que você podia ter escolhido, escolheu *ele*? Tem noção da quantidade de vagabundas em que ele enfiou o pinto? Ele vive na merda do posto de saúde do campus, de tanto remédio que tem que tomar por causa de doença venérea!"

Fico rígida. "Para com isso. Você tá muito grosseiro."

Mas Sean não está nem perto de ter terminado. "Você transou com ele quando a gente estava junto?", exige saber.

Meu queixo cai. "*Não.* Claro que não."

"E eu tenho que simplesmente acreditar nisso." Num pulo, ele fica de pé. Dou um passo instintivo para trás, mas Sean não avança na minha direção. Em vez disso, começa a andar de um lado para o outro, passando as mãos pelos cabelos como se estivesse tentando arrancá-los da cabeça. "Então agora preciso fazer um exame? É isso? Preciso ver se tenho alguma *doença*, porque a minha namorada me traiu com o babaca imundo do Di Laurentis?"

A raiva sobe em minha garganta. "Não traí você", exclamo. "E você tá sendo ridículo! Você não tem doença nenhuma..."

"Mas *você* pode ter", me interrompe ele. Em seguida começa a rir baixinho, com crueldade. "Tá dormindo com o cara mais rodado da faculdade. É uma *vagabunda*."

Vacilo diante da acusação cruel, mas de alguma forma consigo manter a respiração sob controle. E de alguma forma consigo não pular em cima dele e lhe dar um murro. "Não sou uma vagabunda", digo, friamente. "E não traí você. Agora tá na hora de você ir embora."

"Quer saber? *Ainda bem* que você me largou. Não quero mais nada com você." Sua voz se eleva, e me encolho, porque sei que Hannah e Garrett devem estar ouvindo tudo, mesmo com a porta fechada. "Que *idiota* eu fui de tentar te reconquistar! Que *merda* eu ia querer com uma piranha imunda como..."

"*Chega!*"

A interrupção retumbante de Garrett chega tarde demais. O último comentário de Sean já causou o dano desejado. Tropeço para trás como se tivesse acabado de levar um tapa. Nossa, a sensação é exatamente essa. Minhas bochechas ardem. Meu lábio inferior treme com muita intensidade, e é preciso enfiar os dentes nele para fazê-lo parar. Tenho que lutar contra o soluço estrangulado que está desesperadamente tentando pular da minha garganta.

Tenho uma vaga impressão de que Garrett está agarrando meu ex-namorado pelo colarinho. Carregando-o até a porta. Sibilando uma ameaça. Mas meu rosto está em chamas, e minha visão, desfocada, o que torna difícil me concentrar no que está acontecendo.

Tenho um sobressalto ao sentir um par de braços macios me abraçando. É Hannah, me apertando com força. Minha cabeça cai em seu ombro, e pisco por sobre as lágrimas que ameaçam vir à tona.

"Você está bem?", pergunta ela, preocupada.

"Não." Minha resposta é abafada contra a sua manga.

"O Garrett desceu com ele. Vai chamar um táxi e esperar com o Sean para ter certeza de que o filho da mãe foi embora." Ela esfrega minhas costas com ambas as mãos. "Allie. Fala comigo. Preciso saber que você está bem, amiga."

Por alguma razão, a simpatia em sua voz estraçalha meu último fio de controle. As lágrimas transbordam e escorrem por meu rosto. Um soluço me escapa, e tremo em seu abraço. Como ele pôde dizer coisas tão horríveis, tão cruéis? Ficamos juntos por anos. Ele me *amava*. Ele me *conhece*. Sabe que não sou uma... Engulo outro soluço... Uma *piranha imunda*.

Com a vergonha inundando meu corpo, afasto Hannah e corro para o meu quarto. Ouço seus passos atrás de mim, alcançando a minha porta assim que desabo na cama. Eu me aninho em posição fetal e enxugo as lágrimas com a manga da camiseta, mas elas continuam caindo mais rápido, ardendo em minhas pálpebras e deslizando até a minha boca.

"Allie", diz Hannah, baixinho.

Ignoro-a, soluçando enquanto estico a mão e vasculho a mesinha de cabeceira. Preciso... Deus, preciso de *Dean*. Preciso dele para me envolver com seus braços fortes e me fazer aquele discurso de novo, aquele sobre apagar a palavra *piranha* do meu vocabulário e não deixar gente mesquinha me convencer que fiz algo de errado.

Meus dedos colidem com meu telefone, e solto um gemido ao descobrir que está sem bateria.

"Allie." Hannah soa excessivamente preocupada. "Fale comigo."

Inspiro, trêmula. "Pode fazer um favor?"

"Qualquer coisa", afirma ela, na mesma hora. "Me diz o que você precisa."

"Você pode..." Falo por sobre o nó apertado em minha garganta. "Pode ligar para o Dean e pedir pra ele vir aqui?"

Não olho para o seu rosto para avaliar sua reação. Não preciso, porque ouço a perplexidade em alto e bom som na sua voz.

"Dean?" Ela faz uma pausa. "Dean Di Laurentis?"

"É." Me enrolo na cama de novo, enfiando a cabeça no travesseiro.

"Quer que eu ligue para o Dean?"

"É."

"Dean Di Laurentis?"

"É." Umedeço os lábios secos, salgados pelas lágrimas. Malditas lágrimas que não param de cair. "Por favor... só liga pra ele. Eu..." Sinto o rosto inteiro se desfazendo de novo. "Preciso dele."

# 25

## DEAN

"Cadê ela?" Forço minha entrada, antes mesmo de Garrett terminar de abrir a porta. Meu olhar a procura pela sala de estar, mas Allie não está aqui. Wellsy está, e fica de pé assim que me vê.

"Tá no quarto..."

Sigo na direção do quarto, apenas para ser interceptado pela morena baixinha.

"Espera um segundo", ordena Hannah, plantando a palma da mão no meu peito. "Você só entra depois que me disser que *merda* tá acontecendo aqui."

"Me diz você", rebato, impaciente. "Foi você quem me ligou à uma da manhã e me disse para vir porque Allie precisava de mim. O que aconteceu?"

"Sean apareceu aqui", explica Garrett, com ar sombrio. "Bêbado e batendo na porta e exigindo falar com ela. Eu deixei entrar..."

"Você deixou entrar?!", exclamo.

"Ela me mandou", resmunga ele. "Disse que dava conta."

Hannah interrompe, cheia de raiva. "Você precisava ouvir a maneira como ele gritou com ela. Chamou de vagabunda, disse que ela podia ter alguma doença..."

*O quê?*

A fúria sobe por minha coluna, chegando em minha garganta sob a forma de um rosnado ameaçador. "Sai da minha frente", digo a Hannah.

"Dean", protesta ela, à medida que corro na direção do curto corredor. "O que você tá fazendo aqui..."

O martelar pesado de meus passos abafa sua pergunta. Irrompo no quarto de Allie e paro junto à porta ao vê-la encolhida na cama. Allie levanta a cabeça ao me ouvir entrar, e o olhar desolado em seus grandes olhos azuis parte meu coração em vários pedaços.

"Linda", digo, baixinho.

Ouço um suspiro assustado atrás de mim. Rangendo os dentes, viro e bato a porta nas caras atônitas de Hannah e Garrett. Eles não existem para mim agora. Só Allie existe, e, antes que ela possa se dar conta, estou na cama, puxando-a em meus braços e aninhando-a junto ao meu corpo. Allie esconde o rosto em meu peito, e posso senti-la tremer.

"O que aconteceu?"

"Sean veio aqui." A resposta é abafada contra meu casaco.

"Eu sei, o G. me contou. Mas *por que* ele veio aqui?" Lembro o nosso encontro com Paulson hoje de manhã e solto um palavrão. "Aquele amigo dele... Paulson contou que viu a gente junto?"

Ela faz que sim, batendo a cabeça na minha clavícula.

"Babaca", murmuro. Então inspiro fundo e corro a mão por seu cabelo sedoso. "Imagino que Sean estava com raiva."

"Ele..." Sua voz falha. "Ele me chamou de piranha imunda."

Uma fúria em brasa me atinge feito uma entrada violenta no rinque. Preciso usar de toda a força para afastá-la, expurgá-la de meu corpo. Quero matar o desgraçado por dizer isso.

"Você... não é...", inspiro de novo, "... uma piranha imunda. Tá me ouvindo, linda? *Não* é. Nunca foi. Não sei nem por que o filho da mãe diria..."

"Por sua causa", sussurra ela.

Minhas mãos cerram em punhos contra seus ombros. "O quê?"

"Ele acha que você tem um monte de doença, porque... tem uma vida sexual ativa..."

"Tô limpo", interrompo. Minha voz é baixa, tomada pela ansiedade. Merda, espero mesmo que ela acredite em mim agora. "Nunca fiz sexo desprotegido na vida, Allie. Fiz o teste antes de a temporada começar, mas posso fazer de novo se você...", paro. Foda-se. Vou fazer de qualquer jeito, mesmo que ela não peça, só para esmagar qualquer semente de dúvida que aquele zero à esquerda do Sean possa ter plantado na sua cabeça.

"Confio em você, Dean. Sei que tá limpo, tá legal? Não foi a parte da doença que me chateou. Foi a outra parte. A maneira como olhou para mim..." Seu pequeno corpo estremece. "Estava com tanto nojo. Foi como se, naquele momento, ele realmente me visse como uma piranha e me odiasse por isso."

A fissura em meu coração se rompe, enviando estilhaços até o meu estômago. Sean devia estar agradecendo à sua estrela da sorte por não estar aqui agora. Minha vontade é de envolver os dedos em seu pescoço e espremer a vida para fora dele.

"Linda..." Engulo a raiva. "Linda, olha para mim."

Lentamente, Allie ergue os olhos até encontrar os meus.

"Não dou a mínima pro que o Sean diz, ou pro que ele pensa... você não fez nada para merecer um ataque verbal, entendeu? Você não é uma piranha. Você é..." *Perfeita*, quase digo, mas não tenho a chance, porque ela está tremendo de novo.

"Então por que me sinto como uma?" Ela pisca depressa, como se estivesse tentando não chorar. "Deus. Odeio isso. Eu te disse, não sou feita para fazer sexo casual."

As palmas das minhas mãos ficam úmidas. Não quero que ela continue. Estou apavorado com o que ela vai dizer.

"Não sei se posso continuar com isso."

Merda.

"É confuso demais... dormir com você, sem nem estarmos juntos..."

"Estamos juntos", interrompo.

Ela se assusta. "O quê?"

Sinto como se alguém tivesse enfiado um punhado de cascalho na minha boca. Engulo em seco. "Estamos juntos", repito.

Ela parece perplexa. "Estamos... por quê?"

"Porque estamos." Uma resposta sem sentido, mas é tudo o que tenho. Não quero que isto acabe. Não posso explicar por quê, mas só sei que não quero que isto acabe.

"Você quer..." O sulco em sua testa se aprofunda. "Você quer namorar comigo?"

Meu batimento cardíaco torna-se errático. Faz anos que não tenho uma conversa assim com uma menina. Desde Miranda. Mas Allie não é

Miranda. Allie é... ela é... merda, não consigo nem organizar os pensamentos. Exceto um. A certeza profunda de que *não posso* deixar isto acabar.

"Dean?"

Aperto-a com força, enterrando o rosto na curva do seu pescoço. "Quero ficar com você", murmuro. "Então isso significa que estamos juntos, tá legal?"

Um riso instável faz cócegas na minha bochecha. "Você tá me assustando agora."

"Eu tô *me* assustando." Com um gemido, ergo a cabeça e seguro seu queixo delicado com ambas as mãos. "Por que você pediu pra Wellsy me chamar?"

Allie vacila. "Porque..." Ela morde o lábio. "Porque queria que você me dissesse que Sean tá errado. Porque precisava..." Ela hesita, como se estivesse tão assustada com isso quanto eu. Sua incerteza só me deixa mais seguro.

Deslizo o polegar ao longo da linha de seus lábios, suavizando a pequena marca que ela fez com o dente. "Você quer isso também. Ficar comigo?"

Allie permanece quieta por tanto tempo que fico nervoso de novo. Em seguida, assente com a cabeça.

"Me diz por quê", peço, a voz rouca. "Preciso saber que não é só porque sexo casual faz você se sentir mal. Que não é só porque tá insegura sobre o que Sean disse."

Allie desliza lentamente uma das mãos sobre minha bochecha. "Não é." A ponta dos dedos toca a barba por fazer em meu queixo. "Quero estar com você porque parece certo."

A tensão em meu peito se dissipa, substituída por uma estranha onda de calor que não poderia explicar nem que tentasse. Não falamos mais depois disso. O que é igualmente estranho, este longo e inexplicável silêncio que não precisa ser preenchido. Solto-a apenas o suficiente para tirar o suéter e a calça jeans. Estico o braço e desligo a lâmpada de cabeceira.

A escuridão cai sobre nós. Allie entra debaixo das cobertas. Sem uma palavra, desloca-se na cama para abrir espaço para mim.

Deito atrás dela, envolvendo seu corpo esbelto com um braço e puxando-a mais para perto. Ela faz um barulho contente e aconchega a bunda em minha virilha, as costas em meu peito. Seu cabelo faz cócegas em meu queixo. Adormeço com o som da sua respiração suave e a batida constante do seu coração sob a minha palma.

Na manhã seguinte, quando saio do quarto, Hannah e Garrett estão na cozinha. Estão segurando as canecas cor-de-rosa mais ridículas que já vi — a de Wellsy diz "Melhor amiga da Allie!", numa letra cursiva roxa. E a de Garrett, "Melhor amiga da Han-Han!".

Sufoco uma risada. Por que tenho a impressão de que essas canecas são coisa da Allie?

Como já estava esperando um interrogatório, não fico surpreso quando os dois me atacam no momento em que me veem.

"Que tipo de joguinho você tá fazendo com a minha melhor amiga?"

"Eu avisei *especificamente* para você manter o pau longe dela, cara."

Sigo o aroma de café fresco até a bancada estreita. Não são nem nove horas. Ainda não estou acordado o suficiente para ter essa conversa.

Infelizmente, meu esforço obstinado em ignorá-los não tem efeito. Os dois continuam disparando perguntas na minha direção enquanto me sirvo de um pouco de café.

"Há quanto tempo isso tá acontecendo?"

"Por que você não me contou?"

"Por que ela não me contou?"

"Isso vai arruinar toda a nossa dinâmica de grupo, sabia?"

"Você acha?" Hannah volta a atenção para Garrett. "Se for só um caso, provavelmente não vai mudar nada."

"Sua amiga não é do tipo que tem só um caso, amor. Ela adora um compromisso."

A mesma observação que fiz sobre Allie no carro, a caminho de Nova York, mas ouvir Garrett dissecar os hábitos sexuais da minha namorada me faz ficar todo eriçado.

A minha namorada. Nossa. Nunca achei que diria *isso*. Mas é assim que as coisas são agora, e decidi deixar rolar.

"Ei, tenho uma ideia." Eu me recosto contra a bancada e fito os dois por sobre a borda da minha caneca. "Que tal vocês cuidarem da sua vida?"

Wellsy deixa a mandíbula cair.

Garrett arregala os olhos.

Uma risada contida vem do corredor. Um momento depois, Allie aparece na sala. "Bom dia", diz, casualmente.

Há uma pausa. "Bom dia", responde Hannah.

Allie se aproxima da bancada e pega a cafeteira. Quando se inclina na ponta dos pés para alcançar uma caneca no armário de cima, não consigo me conter e dou um tapa na sua bunda saliente.

Hannah me lança um olhar mordaz.

Garrett balança a cabeça.

"O que foi?" Minha expressão é inocente.

Allie dá um gole no café, em seguida, abraça a caneca com ambas as mãos e fala para todos nós. "Certo. O negócio é o seguinte, pessoal." Ela olha para Hannah. "Dean e eu estamos juntos. Pronto. É isso. Podem começar com as perguntas."

Hannah fica de boca fechada. Para alguém com tantas dúvidas há tão poucos minutos, seu silêncio é surpreendente. Preocupante. Seus olhos verdes inquietos me dizem que não está feliz com este novo arranjo.

"Ninguém? Não tem nada que vocês queiram saber?" Allie leva a caneca aos lábios. "Tá bem, então."

Escondo um sorriso e me volto para Garrett. "Hunter e eu temos uma hora a mais de gelo hoje. O treinador liberou. Quer vir com a gente?"

Ele esfrega a mão no queixo, coçando a barba escura por fazer. "Ainda tá ajudando o Davenport? Trabalhando mano a mano?"

Faço que sim. "Ele é dedicado, trabalha duro. Mas acho que umas dicas de outro atacante poderiam ajudar."

Garrett concorda com a cabeça. "Beleza, vou também. Posso ajudar com o posicionamento dele durante as penalidades. Errou muito nesse jogo com o Burlington ontem."

"Pelo menos a gente ganhou."

"Verdade. Mas a campanha ainda tá uma merda."

"É desolador, cara. Meus garotos do Hurricanes estão fazendo uma campanha melhor, e eles não têm nem quinze anos."

"*Seus* garotos?" Ele sorri. "Cara, admita. Você tá apaixonado por esses meninos."

"Vai à merda. Só me divirto treinando..."

"Vocês dois, fora!", anuncia Wellsy, uma mistura de irritação e exasperação em seu rosto.

Garrett fica visivelmente magoado. "Tá me expulsando?"

"Desculpa, meu amor. Te amo com todo o meu coração, mas agora tá na hora de as meninas conversarem, e, na última vez que chequei, você não era menina. Portanto, você precisa ir." Ela fecha a cara para mim. "Você também, Dean."

Não sou nem maluco de discutir com Hannah Wells quando ela está determinada desse jeito. Ela quer a gente fora daqui, então é isso que vamos fazer.

Viro o café, coloco o copo vazio na pia e olho para Allie. "Te ligo mais tarde?"

"Beleza." Ela caminha na minha direção e me dá um beijo na bochecha, mas de jeito nenhum vou sair daqui sem algo um pouco mais substancial. Capturando seu queixo em minha mão, deito sua cabeça para trás e pressiono a boca na dela. O beijo é profundo e apaixonando, além de envolver um monte de língua e durar o suficiente para fazer Hannah gritar.

"Tá legal, já chega!", ordena ela.

Quando Allie e eu nos separamos, lanço um sorriso na direção de Wellsy. "Ah, relaxa, gata. Tô só dando um beijinho de língua na minha gata. Ninguém morreu."

Hannah fica boquiaberta. Em seguida, aponta para a porta e rosna: "*Fora*".

## ALLIE

"A *gata dele?*", exclama Hannah, no momento em que Dean e Garrett saem pela porta. "Quero uma explicação, Allison. Tô falando sério. Quero. Uma. Explicação."

Engulo um pouco mais de cafeína. Se vamos ter esta conversa agora, preciso colocar o cérebro para funcionar. Embora, honestamente, não sei se *consigo* me explicar. Nem sei o que pensar dessa coisa com Dean.

Ele disse que sou sua gata, certo?

E isso significa que ele é o meu homem?

Porque somos um casal agora?

Resumindo: não esperava que a noite passada terminasse do jeito que terminou. Depois da maneira como Sean perdeu completamente o controle e me tratou como merda de cachorro na sola do seu sapato, eu deveria ter jurado nunca mais tocar em homem nenhum, mas, de alguma forma, terminei a noite ganhando um namorado. A vida às vezes é fascinante.

"Quando isso aconteceu?" A voz de Hannah se suaviza, à medida que ela analisa o meu rosto. "E por que você não me contou?"

Dou de ombros, sem jeito. "Estava com vergonha."

"Com vergonha? Por quê?"

Suspirando, carrego a xícara de café para o sofá e desabo nele. Sento sobre as pernas cruzadas e espero Hannah se juntar a mim. "Porque... porque é o *Dean*. Dean Di Laurentis, o maior pegador da história." Eu me sinto mal dizendo isso, mas sempre fui honesta com Hannah. "Ele é irritante e ridículo e não faz meu tipo nem um pouco."

Ou pelo menos isso é o que eu costumava pensar, antes de conhecê-lo. Claro, ele continua sendo irritante e ridículo na maioria das vezes, mas Dean tem muito mais a oferecer do que eu jamais poderia ter imaginado.

Hannah franze os lábios. "Tá. Começa do começo. Quando aconteceu?"

"Quando você acha?", pergunto, irônica. "Na noite em que dormi na casa deles."

Seu rosto empalidece. "Ai, meu Deus. Então é minha culpa? *Eu* fiz isso com você?"

Dou uma gargalhada. "Não, eu fiz isso comigo mesma. Fiquei bêbada e acabei na cama dele. Tudo minha culpa."

"E agora vocês estão juntos?" Ela parece pasma. "Como isso é possível? Você mesmo disse, ele é o maior pegador da história. Por que você ia querer namorar ele?"

"Porque gosto dele", digo, simplesmente.

"Tem certeza de que não tá só tentando esquecer seu relacionamento com Sean?"

Dou de ombros. "Pode ter começado assim. Não nego que receber a atenção do Dean me fez sentir bem. Era... diferente da atenção do Sean. O Sean sempre precisava de mim, mas de uma forma que eu nunca era capaz de satisfazer. Nada do que eu fazia era bom o suficiente. Ele estava sempre com raiva e decepcionado, e parte de mim sabia que não éramos certos um para o outro, mas... Gosto de estar num relacionamento." Essas últimas palavras pairam entre nós com o peso de uma bigorna. Nem sequer preciso olhar para Hannah para antecipar sua próxima pergunta.

"Tem certeza de que não tá entrando num relacionamento novo às pressas porque *precisa* estar com alguém?" Seu ceticismo está abrindo um buraco no que ontem à noite parecia certo, no que ainda hoje de manhã parecia certo.

Aflita, olho para ela. "Não sei. Tentei dizer não para o Dean. Depois da primeira noite...", uma noite inesquecível, de virar a cabeça e não me deixar pensar em mais nada, "ele ficou me ligando e mandando mensagens, pedindo uma segunda rodada, e eu ficava rejeitando, até uma hora em que pareceu ridículo. Eu queria dormir com ele, ele queria dormir comigo, então por que não?"

"Mas não podia ser só sexo?"

Solto um gemido. "Eu tentei, de verdade, mas não fui feita pra isso, Han-Han. E não sei como aconteceu, mas comecei a gostar dele, mais do que só daquele pau mágico." Ela dá uma risada, mas continuo. "Ele é bom para mim. É ótimo em ouvir os outros. É uma companhia divertida. O sexo é mais que surpreendente."

Espera, acabei de botar o sexo em *quarto* nessa lista? Aparentemente sim. Mas isso é porque... bem, porque sexo não é mais a primeira coisa que me vem à cabeça quando penso em Dean. Não somos mais só dois corpos suados em busca do orgasmo. Assistimos juntos a uma série francesa da qual só entendemos uma a cada três palavras. Dançamos juntos. Nos divertimos. Ele encontrou minha amiga da escola. Meu *pai*...

"E ele é a primeira pessoa com quem você quer falar quando tá chateada", acrescenta Hannah, muito perspicaz.

Aperto os lábios com força. Mesmo que quisesse, não posso negar o que aconteceu ontem. Meu primeiro instinto foi o de colocar os braços de Dean à minha volta, como se ele fosse a única pessoa capaz de consertar tudo. E ele consertou. Acalmou meu orgulho ferido, meus sentimentos machucados, e me apoiou a noite inteira. Eu não teria dormido um minuto da noite passada se ele não tivesse vindo.

"Tá preocupada que ele vai me machucar?", pergunto, com um suspiro.

Hannah esfrega a borda da sua caneca de café algumas vezes antes de responder. "Não. Acho que tenho que me preocupar com o Dean. Ele não costuma ser a pessoa que está sempre lá para os outros. Não tô dizendo que é egoísta. É um bom amigo, mas sei que Garrett recorreria ao Logan antes de chamar o Dean."

"Não sei por quê", respondo, irritada. "O Dean daria a qualquer um a roupa do corpo. Sem questionamentos."

"O Logan é de confiança."

"E o Dean não é? Só porque é um pouco obcecado por sexo, isso não faz dele uma pessoa não confiável!" Bato a caneca na mesa, espirrando algumas gotas mornas de café.

Hannah começa a rir, e o som indesejável me segue até a cozinha, onde pego umas folhas de papel-toalha para limpar minha bagunça.

"Qual a graça?", pergunto, jogando o papel sujo no lixo.

"Você e a sua defesa desnecessária do Dean." Ela se levanta do sofá e se junta a mim na cozinha, apertando meu ombro de leve. "Olha, se quer ficar com o Dean, fique com o Dean. Só me preocupo porque você não é de dormir com caras só pra se divertir. Não tô dizendo que dormir com ele logo depois de terminar com o Sean é errado ou feio, de forma nenhuma. Só não é *você*."

Murcho contra a bancada. "Sei que não. Continuo me dizendo isso, mas... que droga, gosto de estar com ele."

"Tá apaixonada por ele?"

"Não. Não sinto aquela moleza quando se trata dele. Não como eu tinha com..." Deixo a frase morrer. Ia dizer *não como eu tinha com o Sean*, mas não consigo lembrar a última vez em que senti algo bom por Sean. Os únicos sentimentos de que me lembro são cautela, irritação, impaciência e, na noite passada, dor.

Hannah coloca outra caneca de café em minha mão. "Para de pensar demais e deixa rolar, para ver onde isso vai dar."

# 26

## ALLIE

Na semana seguinte, sigo o conselho de Hannah e tento desligar o cérebro. Dean e eu começamos a sair como um casal. Não dizemos nada explicitamente. Não tatuamos na testa, mas nossa interação torna tudo muito claro.

Quando saímos, ele me toca o tempo todo, mas não de uma forma que me faz achar que está tentando marcar território ou se mostrar. Ele é só muito físico. Se estou perto dele, sua mão está em algum lugar do meu corpo. Em geral, sua palma está colada na base da minha coluna, mas às vezes ele joga meu cabelo para trás e brinca com o dedo no meu ombro. E beija minha têmpora e a bochecha. Nem por um momento me sinto como se ele estivesse me prendendo.

Dos nossos amigos, Garrett é o mais preocupado. Hannah quer que eu seja feliz e, contanto que eu esteja sorrindo, está satisfeita. Garrett, por outro lado, se divide entre a preocupação e a aceitação cautelosa. Está convencido de que Dean vai me magoar, o que vai acabar criando um problema entre a sua namorada e um de seus melhores amigos.

Já tentei tranquilizá-lo de que sou adulta e que posso lidar com uma separação, mas a conversa acaba voltando para Sean, que só quero esquecer. Dean torna isso muito fácil.

Quando não está em aula ou no gelo, está comigo. Às vezes, lê um livro enquanto ensaio minhas falas, às vezes me ajuda, lendo a parte da outra personagem. Sua voz aguda feminina me faz morrer de rir, então geralmente precisamos repetir várias vezes até conseguir terminar uma cena, e, quando conseguimos, ele está com tesão. Por causa do meu riso, diz ele. Embora eu tenha a impressão de que eu poderia fazer qualquer coisa, e Dean estaria pronto para outra.

A coisa mais importante é que estamos felizes — eu, por exemplo, bem mais feliz do que estive em muito tempo. Isso é maravilhoso. Se alguém tivesse me dito há seis semanas que Dean Di Laurentis e eu estaríamos não só namorando, mas *felizes*, eu teria rido até me estourar.

"O que você vai fazer depois do ensaio hoje?", pergunta Dean, da cama. Está recostado contra os travesseiros, o cabelo despenteado, parecendo o deus do sexo que é. Afasto a atenção dele, tentando me concentrar no espelho e em não me machucar com a haste do rímel.

"Nada. Talvez jantar num dos refeitórios. Por quê? O que você vai fazer?"

"Tenho que resolver uma coisa e, depois, marquei um tempo de gelo com o Hurricanes."

Meu estômago revira de leve. Não vou vê-lo esta noite? Tento não demonstrar a decepção. Só porque estamos juntos não significa que precisamos viver grudados.

"Quer jantar depois?", acrescenta ele.

Meu coração vibra. "Claro."

"Legal. Pode me encontrar na arena? Tem um restaurante lá perto que acho que você vai gostar. É italiano, mas tem uma decoração toda de filme antigo." Sua mão desliza sob os lençóis, que o cobrem até a cintura.

Espeto o olho. "Quer parar de se tocar?" Pouso o rímel na mesa e pego um lenço de papel para limpar a mancha preta que fiz no canto interno da pálpebra, porque não consigo tirar os olhos de Dean.

"Qual o problema, gata? Tá com ciúmes? Estava pensando em como você tá gostosa." Ele gira de lado. "Toda vez que você passa maquiagem no olho, faz um pequeno círculo com a boca. Tá praticamente implorando pra eu enfiar o pau nela."

Não, meu relacionamento com esse cara não tem nada de meloso e sentimental. Lanço um olhar incrédulo para ele. "Acabamos de fazer sexo", eu o lembro. E faço duas linhas rápidas com o rímel, antes que a mão de Dean sob os lençóis possa causar mais danos.

"Isso já tem meia hora. Você já tomou banho, já exibiu esses peitos e essa bunda pelados na minha frente enquanto se vestia e depois ficou fazendo boca de boquete. Então, sim, tô com tesão de novo. Me processe."

Visto o casaco e me apoio com um dos joelhos na cama para um beijo de despedida. "Você vai ter que bater uma então, porque tenho aula e não quero me atrasar."

Ele se ergue e beija primeiro o meu pescoço, depois os meus lábios. "Vou dar uma agora para durar mais de noite."

Droga. Agora *eu* estou com tesão.

Dean está no gelo quando chego à pequena arena da escola de Hastings. Sempre imaginei que os treinadores ficassem na lateral, dando ordens, mas ele está no meio do rinque, a atenção fixa numa figurinha de patins cor-de-rosa. *Cor-de-rosa?* Achava que o Hurricanes era da liga dos meninos.

"Você tá levantando muito o tronco. Abaixa o corpo para distribuir melhor seu peso." Ele se agacha até a própria cabeça estar pouco mais alta que a da minijogadora e sua bunda estar roçando o gelo.

Maravilhada, observo-o patinar alguns metros antes de esticar a perna e fazer a volta. Sua leveza no gelo é surpreendente.

"Vamos. Tenta de novo."

A patinadora se desequilibra para a frente.

"Lembre-se, quando você tá perfeitamente reta, tá, na verdade, de pé na parte de dentro e de fora da lâmina. O meio da lâmina é curvo." Dean desenha um U de cabeça para baixo com o dedo. "A ideia é usar as extremidades para impedir suas pernas de se abrirem demais. No começo é estranho, mas prometo que você vai pegar o jeito."

Um pé de patim cor-de-rosa desliza para a frente, incerto, seguido pelo outro, e o movimento todo é repetido até a figura passar por Dean, agachado.

"Tá certo assim?", pergunta a menina. "Tô fazendo direito?"

"Certíssimo." Ele observa atentamente a menina deslizar no gelo. "Você tem o dom, Koty."

"Quem é Koty?", pergunta ela.

"Você é Koty. Ou, espera, talvez... Dakota-y? Todo mundo precisa de um apelido."

"Qual é o seu?" Dakota pousa os pequenos punhos nos quadris inexistentes.

"O maioral. Eu sou o maioral." Ele pisca para ela e então segura suas mãos, e os dois patinam juntos. Ou devo dizer, Dean patina para trás, e Dakota se agarra a ele. Seus olhos estão fixos no rosto dele, dois pontinhos devotos saboreando cada movimento de Dean.

Apesar do ar frio na arena, me sinto completamente aquecida. A paciência de Dean com essa menina está fazendo meus ovários explodirem. É um lado dele que nunca vi antes e com o qual nunca pensei que fosse me preocupar.

A fofura se espalha dentro de mim, preenchendo vazios que eu nem sabia que existiam e me pegando completamente de surpresa.

*"Tá apaixonada por ele?"*

*"Não. Não sinto aquela moleza..."*

Penso na minha conversa com Hannah e... merda. O que estou sentindo, então? Por que é que tudo o que ele faz provoca um sorriso bobo em mim? Por que recorri a ele primeiro quando estava desesperadamente triste? Por que...

Um apito estridente interrompe meus pensamentos tolos, e fico grata pela distração. A arena é tomada pelo som do que parece ser uma centena de tacos batendo contra o gelo. Vejo uma linha de jogadores de hóquei em miniatura do outro lado do rinque.

Dean os chama na sua direção, e todos eles disparam, levantando uma parede de gelo raspado ao frearem na linha central.

"Enquanto Dakota pratica sua patinação, quero que vocês se dividam em dois grupos. O primeiro grupo vai levar o disco, seguir até a linha azul e voltar. O segundo grupo fica no meio do gelo. Sem se mexer, marcar ou tentar roubar o disco. É só ficar parado. Quando o primeiro grupo voltar para a linha azul, vocês trocam. A parte mais importante do exercício é manter a cabeça erguida."

Dean arruma os alunos que vão servir de obstáculo em diferentes pontos ao longo do rinque e então fica no meio da ação, enquanto o time se divide em dois e começa a patinar de um lado para o outro no gelo, desviando cuidadosamente dos colegas.

"Ele tá fazendo um ótimo trabalho com eles", me diz uma voz masculina grave. Viro-me e vejo um homem mais velho se juntando a mim na arquibancada.

"Dean?", pergunto. O homem assente com a cabeça. "É, parece que está se divertindo."

"Está. Sou Doug Ellis."

Apertamos as mãos. "Allie Hayes. Amiga do Dean. Ele estava se gabando de como o Hurricanes está indo bem este ano. Melhor que o time dele."

Ellis ri com ironia. "A Briar não vai conseguir chegar à final do Frozen Four este ano, o que é muito ruim. Como o Dean está encarando isso?"

"Tudo bem, acho. Quer ganhar, mas... Não acho que o hóquei seja a sua vida. Ele tá planejando ir pra faculdade de direito no ano que vem." Dean nunca falou em virar jogador profissional, não do jeito que Garrett faz. Pelo que posso perceber, ama o esporte, mas o hóquei não o define, o que vejo como uma coisa boa. Às vezes, Garrett fica muito cansativo com todo aquele papo de hóquei. Não sei como Hannah aguenta, mas acho que quando se está apaixonada você ignora coisas assim.

Ao meu lado, Ellis suspira. "Um desperdício esse negócio de faculdade de direito. Tá escrito 'professor' na testa dele."

Observamos os jogadores executarem o treino, enquanto Dean conversa com alguns alunos que não são tão rápidos ou leves como os colegas. Ele não levanta a voz, mas as crianças o ouvem com atenção. Ele dá um tapinha na cabeça ou nas costas de cada um deles antes de liberá-los.

"Você é pai de um deles?" Aponto o rinque com a cabeça.

"Não mais. Tenho um filho que jogou no Hurricanes, mas agora está no ensino médio. Um dos outros professores de educação física se ofereceu para assumir minha posição depois que Wyatt passou de ano, mas não abriria mão disso por nada. Crianças dessa idade são especiais. Estão com fome de aprender, ainda acham que a figura de autoridade está lá para ajudar, e não para atrapalhar, e ameaçar funciona tão bem quanto punir."

"Depois dessa idade, então, é só ladeira abaixo?"

"Você não tem ideia." Ele balança a cabeça em desolação fingida. "Quanto mais velhos ficam, mais pensam que sabem tudo. Mas o Dean tem um dom. Tem uns alunos mais velhos que ficam no rinque só para ouvi-lo falar com o Hurricanes. E não são só os meninos que são loucos por ele." Ellis aponta para Dakota. "Aquela garotinha olha para o Dean como se ele tivesse inventado a Lua, e isso foi antes de ele comprar os patins cor-de-rosa. Ele é paciente e fala com as crianças como se elas fossem importantes. Não é todo aluno universitário que é assim. Cara, é difícil encontrar um adulto que seja assim." Ellis dá de ombros. "Seria ótimo para Dean se ele se interessasse em dar aulas, mas acho que passar os dias com crianças não é um trabalho tão glamoroso quanto ser advogado."

"Dean não escolheu o direito por causa do glamour", contraponho, sentindo a necessidade de defendê-lo mais uma vez.

"Então você deveria conversar com ele sobre dar aulas ou virar treinador, qualquer coisa que lhe permitisse trabalhar com crianças. Ele nasceu para isso." Ellis começa a se levantar, mas eu o interrompo.

"Por que tá me dizendo isso?"

"Porque você também olha para ele como se ele tivesse inventado a Lua. E tenho a sensação de que ele sente o mesmo por você." Ellis baixa a cabeça num cumprimento e vai embora, patinando na direção de Dean e dos meninos.

## DEAN

"O que você e Doug estavam conversando tão sérios?", provoco, entrelaçando os dedos nos de Allie, enquanto atravessamos o estacionamento na direção do meu carro. Aperto o botão no chaveiro. "Por favor, não me diga que ele estava dando em cima de você."

Ela empalidece. "Ai, Deus, não. Na frente das crianças? Seria tão impróprio."

Não posso deixar de rir. Para alguém tão desavergonhada na cama, sua obsessão com decoro e rótulos é meio ridícula. "Então, o que ele queria?"

Entramos no carro. Allie ainda não respondeu à pergunta, o que me faz franzir os lábios. O.k., agora estou começando a pensar que ela mentiu para mim e que o treinador Ellis *deu* em cima dela. Mas Allie abre a boca e me assusta, dizendo: "Ele acha que você deveria ser professor".

Arregalo os olhos. "Ele falou isso?"

Ela confirma com a cabeça. "Professor, treinador ou qualquer trabalho com crianças. Palavras dele. Pessoalmente, acho que você deveria pensar em ser professor de educação física. Aí poderia usar um apito e shorts minúsculos de ginástica. Sua bunda ia ficar linda." Um leve sorriso curva sua boca. "De qualquer forma, acho que Ellis viu *alguma coisa* em você."

"*Alguma coisa?*"

"Foi o que aconteceu comigo quando eu tinha doze anos", explica ela. "Participei da minha primeira seleção, e a diretora de elenco disse que viu *alguma coisa* em mim. Foi o que me convenceu a continuar fazendo testes e tentando virar atriz."

Dou uma risada. "É, gata, mas, pra começo de conversa, você era talentosa. Eu só dei umas aulas de patinação e passei uns exercícios pros meninos."

O que foi muito divertido, não posso negar. Mas a ideia de fazer carreira correndo de um lado para o outro num ginásio e apitando para crianças é... uma loucura. Uma loucura, não é?

"Não sei...", provoca Allie. "Talvez jogar queimada seja o seu destino. Ou virar treinador, pelo menos. Você seria ótimo. Adora trabalhar com esses meninos."

Verdade. Mas... ai, pelo amor de Deus, por que estamos discutindo isso? Vou para a escola de direito no outono que vem.

Ligo o carro e saio da vaga de ré, mudando de assunto antes que Allie me provoque de novo. "Como foi o ensaio?"

"Até que foi bom. Mallory decorou o último ato, então Steven tá feliz. Mas ainda tô um pouco preocupada."

"Por quê?"

"Porque vamos ficar três semanas sem ensaiar por causa das festas de fim de ano. E se ela entrar num coma induzido por peru de Natal e esquecer todas as falas?"

Rio. "Vai dar tudo certo. Quando é a estreia?"

"Primeira semana de fevereiro." Ela faz uma pausa. "Até lá, provavelmente já vou saber também se passei no piloto da Fox."

Não ouço entusiasmo em sua voz e me viro para ela, franzindo a testa. Allie me contou que tinha mandado um vídeo com um teste para os produtores em Los Angeles, mas não falou nada sobre o papel, e não acho que esteja ligando para o agente para pedir notícias.

Mas ela deve estar doida por notícias, não? Não entendo muito de show business, mas um piloto na Fox parece importante.

"Você *quer* o papel?", pergunto, lentamente.

Sua hesitação é mais reveladora do que qualquer coisa que ela poderia ter dito.

Piso no freio ao nos aproximarmos de um sinal vermelho. "Fala comigo, gata. O que tá te incomodando nesse projeto?"

Allie dá de ombros. "Só não caí de amores pelo papel. E... bem, ultimamente tenho pensado que talvez queira me afastar das comédias e pegar papéis mais dramáticos. Ou quem sabe fazer teatro. Talvez em Nova York."

A confissão me assusta, mas quando penso um pouco percebo de onde veio a ideia. "Você quer ficar perto do seu pai."

Ela se vira para mim com olhos azuis tristes. "Isso me influencia muito. Ele tá piorando, e viver do outro lado do país não tá me parecendo uma boa ideia. E se acontecer alguma coisa e ele precisar de mim? Vou ter que assinar um contrato — não posso simplesmente chegar para os produtores e dizer, *desculpa, tenho que ir a Nova York por algumas semanas. Vai filmando aí sem mim.*"

"E contratar uma enfermeira?", sugiro.

"Nossa, não. Ele jamais toparia. Na verdade, levantei a bola no ano passado. Ele ainda não estava precisando — só estávamos discutindo opções pro futuro —, mas ele ficou louco. Disse que podia cuidar de si mesmo, muito obrigado."

Luto contra um sorriso, porque quase posso ouvir a voz enfezada de Joe Hayes proferindo as palavras em minha cabeça.

Ela morde o lábio. "É verdade, ele ainda pode cuidar de si mesmo. Mas a dormência nas pernas tá muito pior do que no ano passado. A visão também. Agora ele tá usando a bengala, mas e se acabar precisando de uma cadeira de rodas? E se ele ficar paralítico? Cego? Se isso acontecer, ele *vai* precisar de alguém. Talvez não vinte e quatro horas por dia, mas não gosto da ideia de deixar ele sozinho no Brooklyn."

Estico a mão por cima do câmbio e aperto a sua. Está fria. Trêmula. Percebo que Allie está com medo. Medo de perder o pai, como já perdeu a mãe. Não sei o que dizer para fazê-la se sentir melhor, porque a verdade é que ela tem todo o direito de ter medo.

Tanto meu pai como minha mãe são saudáveis e ativos, então não passo muito tempo me preocupando com a morte deles. Quando estou com os dois, não vejo uma nuvem de desgraça pairando sobre suas cabeças.

Mas o sr. Hayes está sofrendo de uma doença que consome o seu sistema nervoso lentamente. Há anos que lida com ela, enquanto a filha, impotente, a vê avançar.

Nossa. De repente, fico chocado com a força dela. Não tinha entendido, não até este momento, como deve ser difícil para Allie.

"Vamos mudar de assunto. Isso tá me deixando deprimida." Sua voz fraqueja, mas em seguida volta a se firmar. "Me conta mais desse restaurante a que você tá me levando."

Depois do jantar, dirigimos até a minha casa. Ontem, dormi com Allie no alojamento, então hoje é a vez de ela vir para cá. Temos um combinado bom e justo, exceto quando Allie dá a cartada da vagina, e aí o combinado vira *faça o que a sua namorada quer*.

Minha namorada. Quem diria. Ainda me espanto. Mas não estou reclamando. Allie e eu nos divertimos muito. Também fazemos sexo selvagem e suado regularmente. Então tento me concentrar nisso e não pensar muito no resto.

Pena que meus amigos não podem fazer o mesmo. Garrett está convencido de que vou fazer alguma besteira e estragar a relação, e que ela vai acabar numa enorme bola de fogo explodindo bem nas nossas caras. Às vezes, queria que ele me desse mais crédito.

*Diz o homem que quase levou alguém ao suicídio.*

A memória dolorosa aperta meu coração, evocando a imagem de Miranda e suas lágrimas, e o angustiante telefonema tarde da noite em que ela ameaçou se matar e me acusou de arruinar sua vida.

Cristo. Toda vez que penso nisso, fico mal, então afasto a memória indesejável. Lembro que ela nunca aceitou meu pedido de amizade no Facebook. Acho que isso não chega a ser uma surpresa.

Allie e eu entramos pelo corredor apertado de casa, que cheira quase tão bem quanto o restaurante de onde viemos. Tucker deve estar em casa.

"Tuck? Cadê você?"

"Na cozinha", responde, ao longe.

Tiro a jaqueta e penduro num dos ganchos da parede. Allie faz o mesmo antes de se abaixar para abrir as botas de couro. Dou um tapa na bunda dela, então sorrio diante da sua cara de reprovação. "O que você tá fazendo?", grito para Tucker.

"Sopa", grita ele de volta. "E assando pão."

Suspiro. "Às vezes me preocupo com ele", digo para Allie. "Quanto mais doméstico fica, maior o risco do seu pau cair."

Ela estala a língua, em desaprovação. "Seu babaca machista."

"Acho que você quis dizer babaca *sexy*", digo, solícito.

"Não, fico com a primeira opção."

Caminhamos em direção à sala de estar, e a porta da rua se abre atrás de nós. Viro o corpo e tenho literalmente um segundo para reagir ao furacão louro que voa na minha direção e se joga em cima de mim.

"*Surpresa!*", grita o tornado, jogando os braços em volta do meu pescoço. "Adivinha quem veio passar o fim de semana?"

Estou tão confuso e surpreso que retribuo o abraço no instinto. De canto de olho, vejo Allie fechar a cara. Merda. Sei a que conclusão acabou de chegar e preciso desfazer o mal-entendido logo.

Quando Allie limpa a garganta forçosamente, a intrusa gira a cabeça e diz: "Ah. Oi. E você é...?".

"A namorada do Dean", responde Allie com firmeza. "E *você*?"

Em vez de responder, Summer se volta para mim de novo. "Você tem uma *namorada*? Que merda, Dicky! Por que sou sempre a última a saber dessas coisas?"

Allie faz um barulho. Acho que pode ser um rosnado. "Você acabou de chamar meu namorado de *Dicky*?"

"Chamei, e daí?", desafia Summer.

Intervenho depressa, antes que dê briga. Quer dizer, briga de mulher em geral é um tesão, mas não quando sou parente de uma delas. "Summer, esta é Allie. Allie, Summer." Suspiro. "Minha irmã mais nova."

# 27

## ALLIE

Estou brava comigo mesma por não ter percebido mais cedo. Claro que a menina vibrante e linda é irmã de Dean. Agora que minhas garras se retraíram, posso ver claramente a semelhança: o cabelo de Summer é do mesmo tom de louro e seus olhos têm o mesmo verde vívido. É bem mais baixa que Dean, mas muito mais alta que eu. Pelo menos um metro e setenta e cinco, se eu tivesse que chutar.

"O que você tá fazendo aqui?", Dean dirige a pergunta à irmã, que não se deixa perturbar.

"Eu falei que vinha te visitar, lembra?"

"Não, você falou que *queria* me visitar." Ele faz um barulho irritado. "Você não pode simplesmente aparecer na casa das pessoas sem avisar, Summer. E se eu não estivesse aqui?"

"Mas você tá." Ela sorri. "E agora eu também. Tá vendo? O universo sempre conspira a favor."

Ele arqueia a sobrancelha. "E o universo por acaso avisou que tenho um jogo fora amanhã? E que o ônibus sai às oito da manhã? E que provavelmente não vou voltar antes da meia-noite?"

A decepção invade os olhos de Summer. "Droga. Vou embora cedo no domingo." Ela fica em silêncio por um momento, em seguida sua expressão se ilumina. "Não tem problema. Só significa que precisamos colocar o papo em dia hoje. Onde ponho a minha mala?"

Aperto as costas da mão contra a boca, para abafar uma risada. Tenho a impressão de que não há nada neste mundo capaz de abater Summer Di Laurentis. Ela parece o tipo de garota que dorme sorrindo.

Dean responde numa voz tensa, como se encarasse a visita surpresa da irmã como uma grande inconveniência. “Eu meio que tinha planos pra hoje, sua pentelha.”

Pentelha?

“Mudança de planos”, diz ela, animada. “Eles agora me incluem.” Seus olhos verdes viram-se na minha direção. “Tudo bem eu ficar com você e Dicky hoje, namorada?”

A risada que estava tentando conter me escapa. Na verdade, é mais um uivo, porque, ai, meu Deus, por que ela chama o irmão de *Dicky*?

“Por mim, tudo bem”, asseguro. Encontro o olhar irritado de Dean e acrescento: “Você vai explicar o apelido ou devo criar minha própria interpretação?”.

Summer sorri para mim. “Na verdade, a história não tem a menor graça. Quando era pequena, não sabia falar o nome dele. E chamava Nick, o nosso irmão mais velho, de Nicky, então só substitui a primeira letra e *voilà*... Dicky.” Ela me lança uma piscadela conspiratória. “Ele odeia.”

Não o culpo. Posso bem imaginar uma garota atrevida como Summer se divertindo horrores por atormentar o irmão mais velho com um apelido constrangedor desses.

“E aí, o que a gente vai fazer hoje?”, pergunta Summer, ansiosa. Ela joga o cabelo louro e comprido para trás do ombro e dá uma voltinha. Minha nossa. A menina é energia pura. “Tem alguma boate por aqui? Um bar? Trouxe minha identidade falsa, então...”

“Então é melhor passar pra cá”, interrompe Dean. “Porque de jeito nenhum vou aliciar uma menor.”

Sua irmã bufa. “Para de palhaçada. Com treze anos você já enchia a cara.”

“Eu era muito maduro pra minha idade.”

“Você não é maduro pra sua idade *hoje*.”

“Pelo menos não fui expulso da Brown por tacar fogo em togas.”

“Não fui expulsa da Brown e *não* taquei fogo em nada.”

“Como é que vou saber? Nem sei por que você foi expulsa, ninguém nessa merda de família me explica.”

“Não fui expulsa!”

Minha cabeça se move de um lado para o outro. Todos os irmãos são assim? Se forem, ainda bem que sou filha única. Essa provocação toda parece desgastante.

"E se você parar de gritar comigo", resmunga Summer, "então talvez a gente possa sentar feito dois adultos, e eu te explico por que tô de sobreaviso." Ela ergue uma das mãos, exibindo as unhas feitas. "Mas vamos deixar isso pra depois. Tô em clima de festa. Vai ter alguma coisa numa das fraternidades hoje? Espera, o que eu tô falando? Claro que alguma república vai dar uma festa. É o único jeito de aqueles tarados conseguirem transar com alguém, não é?"

Engasgo com outra risada.

Nunca vi Dean tão irritado, os punhos fechados junto do corpo, como se estivesse tentando não estrangular a irmã. "Não vamos a uma festa hoje. Já falei, tenho que acordar cedo pra pegar o ônibus. O que significa que vamos ficar em casa. Uma noite calma e tranquila", diz ele, firmemente.

Claro que, assim que termina de falar, a porta da frente se abre de novo e quatro jogadores de hóquei entram. Ou talvez três e um aluno que não é atleta, porque, embora eu conheça Logan, Fitzy e Hollis, não identifico o quarto sujeito. Tem o cabelo escuro espetado e parece pequeno demais para jogar hóquei.

"Oi." Logan nos cumprimenta e tira o casaco. O corredor não é grande o suficiente para acomodar tantas pessoas, e me vejo esmagada contra a parede à medida que os rapazes abrem caminho.

"Essa é a minha irmã", diz Dean, num tom resignado que me faz esconder um sorriso.

Eles assentem e dizem oi, mas estão com muita pressa para chegar à sala de estar. Logan olha para nós por cima do ombro. "Morris arrumou uma versão demo do último *Mob Boss*. Não foi nem lançado ainda. Provavelmente vamos ficar acordados até tarde."

Ao meu lado, Summer irrompe num largo sorriso.

"Pega leve. O ônibus sai amanhã às oito", Dean lembra seu colega de república.

Logan dá de ombros. "Vou dormir no ônibus." Então desaparece na sala de estar.

Summer está praticamente vibrando de empolgação agora. Ela se aproxima de mim e sussurra: "Quem era *aquele?*".

Franzo a testa. "Você quer dizer Logan? Ele mora aqui. Mas não adianta se empolgar. Tem namorada."

"Não, ele não." Ela o dispensa com um gesto desdenhoso da mão. "O cara grande, cheio de tatuagens. Não gravei o nome dele."

"Ah. Fitzy. Colin Fitzgerald", explico. "Colega de time do seu irmão."

Seus olhos verdes cintilam. Ela joga o cabelo para o lado de novo e anuncia: "Quero ele".

"Summer!", exclama Dean, exasperado, enquanto tento desesperadamente não rir.

"O quê? Só tô sendo sincera." Sua irmã pisca, inocente. "'Seja honesto, não seja um babaca' — foi você que me ensinou isso quando eu tinha doze anos, lembra? Depois que roubei sua camiseta preferida e deixei cair sem querer no esgoto?"

"Como você deixou uma camiseta cair *sem querer* no esgoto?", interrogo.

"Eu não estava *vestida* com ela. Caiu da minha mochila." Ela sorri para Dean. "Aí eu menti sobre o que aconteceu, e você me fez um discurso sobre honestidade, lembra? Bem, parabéns, Dicky. Sou super-honesta agora." Ela aponta o dedo para a sala de estar. "Aquele é o cara *mais* gostoso que já vi. E quero ele."

"Um dia ainda vou te matar dormindo", Dean avisa a irmã. "Juro por Deus."

Seu sorriso é o epítome da doçura. "Ah, Dicky, você jamais faria isso. Quer saber por quê?"

"Por quê?", resmunga ele.

"Porque você me ama."

Honestamente? Acho que eu também.

## DEAN

Estou apavorado do que vou encontrar quando chegar em casa hoje à noite. Fiquei fora só por dezesseis horas, mas Summer Heyward-Di Laurentis é capaz de causar danos estratosféricos em dezesseis *minutos*.

Quando ela tinha treze anos, Nick e eu ficamos sozinhos com ela em casa. Foi só virarmos as costas para ela uns vinte minutos no máximo e, quando entramos na sala de estar, o armário de bebidas estava caído no chão, tinha vidro quebrado por toda parte, e Summer sorriu para nós e disse: "Ops".

Ela explicou que queria provar um pouquinho de álcool para ver qual era a graça. E destruiu milhares de dólares em bebida alcoólica no processo.

Tudo bem que minha irmã já tem vinte anos agora. Mas acham que eu confio nela? De jeito nenhum. Só estou torcendo para que Allie encontre um jeito de controlá-la. Sim, contratei minha namorada para ficar de babá da minha irmã hoje. Jamais iria deixar Summer solta no campus sem um acompanhante.

Nas cinco horas de ônibus até Scranton, Allie vai me contando sobre como está indo o dia, enquanto repete como a minha irmã é engraçada e me enche de "kkkkk" toda vez que Summer revela um detalhe constrangedor da minha infância.

*Tomando café da manhã na lanchonete.*

*Kkkkkk, sua primeira palavra foi "peito"? Por que isso não me surpreende???*

*Indo pro salão. Summer quer fazer a unha.*

*Vc tem medo d agulha d tatuagem??? Summer acabou d dizer q vc qse fez uma c/ 18 anos, mas desistiu pq tava c/ medo. Huahuahuahua.*

Odeio a minha irmã.

Durante o jogo, meu telefone permanece no vestiário do time visitante, e nem os olhares gélidos de O'Shea e suas críticas rosnadas podem me abater hoje, porque saímos do rinque depois do terceiro período com uma vitória nas costas.

Meu bom humor me acompanha na saída da arena e no caminho até o ônibus, e me acomodo para a longa viagem, aliviado pela última sequência de mensagens que encontro.

*No carro, indo almoçar em Boston. Summer quer fazer compras.*

*Delícia d almoço. Voltando p/ casa.*

*Aaahhh, tá nevando! Summer e eu saímos p/ caminhar.*

*Em casa. Relaxando e batendo papo. Fala pro Tuck q a sopa de tomate dele tá ótima.*

*Vi no twitter q vcs ganharam! PARABÉNS!*

*Maratona d filmes. Vou botar o cel no mudo. Até +.*

A última mensagem chegou lá pelas oito horas. Ótimo. Espero que isso signifique que Allie e Summer estão no sofá da sala, debaixo de um cobertor, assistindo a um filme, e não por aí, causando problemas.

Hmm. E Allie estava certa. *Está* nevando. Depois que o ônibus cruza a fronteira do estado de Massachusetts, vejo de repente uns flocos brancos dançando lá fora. Amo o inverno, então aprovo inteiramente a visão.

Chegamos à nossa arena quase meia-noite. Entro na BMW com Tuck, enquanto Garrett e Logan seguem para os alojamentos, para passar a noite com as namoradas.

Dez minutos depois, estaciono diante da nossa casa. Todas as janelas estão apagadas, mas noto a luz da televisão piscando atrás da cortina da sala.

Entramos em casa, e o corredor está um breu total. Caminho à frente de Tucker, tirando os sapatos enquanto procuro pelo interruptor na parede.

Não chego a acendê-lo, porque, de repente, um grito de gelar o sangue corta o silêncio.

Antes que possa reagir, levo um banho da cabeça aos pés com o que parece uma tempestade de líquido morno. Outro grito arrebenta meus tímpanos, e ainda estou lutando para entender o que está acontecendo, quando algo acerta com força a minha têmpora esquerda.

*Crack.*

A dor invade minha cabeça, e bato no chão feito um saco de batatas.

# 28

## DEAN

Fato n. 1: o departamento de polícia de Hastings tem uma equipe de cerca de oito policiais.

Fato n. 2: Acho que todos eles estão na minha casa agora.

"Quer dar queixa?" O chefe da equipe se aproxima de Allie numa postura protetora e exibindo um sorriso sarcástico, ao se virar na minha direção com olhos acusatórios.

Do meu canto no último degrau da escada, sustento seu olhar. O paramédico examinando minha têmpora faz um som de reprimenda quando viro a cabeça na outra direção, mas eu o ignoro. Porque o que está acontecendo agora é simplesmente ridículo.

"Se alguém tinha que dar queixa, sou eu", exclamo, incrédulo.

O policial levanta a mão para me silenciar. "Estamos falando com a senhorita Hayes, senhor."

Ah, sim. A srta. Hayes. A louca que por acaso é minha namorada. A mestre kung-fu que me nocauteou com um peso de papel do Wayne Gretzky.

Mas, vejam só, pelo menos as luzes estão acesas. Assim a rua inteira pode testemunhar a minha humilhação.

"Você tá falando com a pessoa errada", murmuro entre dentes. "Fui eu que fui atacado."

Uma das policiais femininas estreita os olhos para mim. "Pelo que podemos ver, senhor, as vítimas são as moças aqui." Ela aponta para o chão. "Entramos aqui e encontramos você deitado numa poça de sangue..."

"Era sopa! Sopa de tomate!"

"... e gritando obscenidades para a senhorita Hayes e a senhorita Di Laurentis."

"Porque elas *me nocautearam.*"

"Elas obviamente se sentiram ameaçadas e tomaram medidas para incapacitar você", comenta outro policial, friamente. Ele franze os lábios, e seu bigode de predador sexual se contrai em seu rosto.

Ai, meu Deus. Vou matar as duas. No instante em que esses policiais saírem, vou *matar* as duas.

"Senhor, estamos fazendo um interrogatório", interrompe o chefe da equipe. "Por favor, permaneça calado a menos que alguém faça alguma pergunta a você."

Tucker, recostado na parede a alguns centímetros de distância, parece prestes a fazer xixi nas calças de tanto rir. Sua risada é do tipo silencioso, que faz seus ombros largos tremerem e seu rosto ficar completamente rubro.

Pelo menos Allie tem a decência de parecer envergonhada. Summer só parece entediada.

"Eu exagerei", confessa Allie.

"Conte o que aconteceu", pede a policial mulher, com gentileza.

Ranjo os dentes, e Allie inspira fundo. Enquanto isso, o paramédico ao meu lado tateia a minha nuca como se estivesse tentando me dar um orgasmo.

"Eu tinha acabado de esquentar uma tigela de sopa na cozinha. Bem, não muito quente, porque prefiro sopa morna, senão queima o céu da minha boca, e odeio quando isso acontece." Ela suspira. "Desculpa, não vem ao caso. Enfim, estava voltando para a sala de estar. As luzes estavam todas apagadas, porque estávamos vendo um filme. Ouvi passos do lado de fora e, de repente, alguém entrou como se morasse aqui..."

"Eu *moro* aqui", rosno.

Allie evita meu olhar furioso. "Pensei que fosse um ladrão."

"Um ladrão que tinha a chave da casa?", pergunto, sarcasticamente.

Os policiais me encaram de novo. Fecho a boca.

"Joguei a tigela na cabeça dele e peguei a primeira arma que encontrei." Ela aponta para o peso de papel que usamos para impedir que as cartas na mesinha do corredor voem toda vez que alguém abre a porta da frente. Agora ele está no piso de madeira, do lado de uma enorme poça de sopa de tomate. Estou surpreso que os policiais não tenham colocado bandeirinhas de evidência do crime ao lado dele. "Não foi culpa do Dean", insiste Allie. "Sério, foi tudo minha culpa. Me assustei por nada." Ela enfim olha para mim. "Tá vendo? Por isso que não gosto de filme de terror! Você vê *um* filme de terror quando é criança, e, de repente, todo mundo que aparece na sua porta é um *serial killer*."

"Você tá brincando comigo? Você topa assistir a um filme de terror com a minha *irmã*, mas não comigo? *A gente* tem que ver o filme do *câncer*?"

"Dicky", me repreende Summer. "Deixa de ser rabugento."

Encaro minha irmã com raiva suficiente para fazê-la estremecer. "Nem uma palavra sua", exclamo. "E não vai achando que não senti você me dar um chute antes de eu desmaiar. Quem faz isso, Summer? Quem chuta um homem que já tá no chão?"

De canto de olho, vejo Tucker afundar no chão. Ele enterra o rosto nas mãos, tremendo de tanto rir.

O paramédico bloqueia minha visão agachando-se na minha frente. "Preciso examinar você para ver se tem alguma concussão."

Ah, pelo amor de Deus.

Ele saca uma lanterna e me cega com ela. Allie aparece logo atrás, a preocupação marcando sua testa. "Ah, não. Será que ele tá com uma concussão?" Ela se ajoelha e toca meu braço. "Melhor ligar para o seu treinador?"

Sua pergunta chama a atenção do chefe de polícia. "Seu treinador? Merda. Você é um dos meninos do Jensen?"

Respondo com um aceno mal-humorado. Ainda quero esmurrar estes idiotas por me tratarem como suspeito em vez de vítima.

"Qual é o seu nome?"

"Dean Di Laurentis."

"Ah, é, agora eu tô te reconhecendo." Ele parece animado. "Que vitória no Frozen Four na última temporada, hein, filho! Você jogou muito."

O policial do bigode se aproxima. "O time não anda muito bem esses dias. O que tá acontecendo?"

"Mas aquele tal de Davenport é *rápido*", elogia outro policial. "Alguma chance de Jensen colocá-lo na linha com Graham?"

Pelos dez minutos seguintes, os policiais me atormentam sobre o time e nossas chances de ganhar outro título nacional, enquanto o paramédico me força a aguentar o seu protocolo desnecessário de concussão até enfim determinar que não preciso ir para o pronto-socorro. Ele reúne seu material de trabalho e sai de casa com os outros policiais. No momento em que passam pela porta, fico de pé.

Minhas meias molhadas fazem um barulhinho nojento a cada passo que dou. Meu torso está inteirinho manchado de vermelho, e meu cabelo pinga sopa de tomate à medida que avanço na direção das meninas. Bem, de Allie, a pessoa empunhando a arma que me nocauteou.

"Vou tomar um banho", aviso. "E, quando sair, você e eu vamos ter uma conversinha sobre como você é louca."

Suas bochechas coram. "Desculpa, tá legal? Já admiti que exagerei."

"Jura?" Me equilibro num pé e depois no outro, arrancando as meias nojentas. "É sério. Ainda tô com raiva de você, então é melhor estar me esperando no meu quarto quando eu sair do chuveiro."

"O que você vai fazer, bater em mim?"

Rosno. "Não me tente, sua engraçadinha."

"Eca", interrompe Summer. "Dá para não discutir o sexo sadomasoquista de vocês na frente da sua irmãzinha?"

Aponto o indicador para ela. "Nem. Mais. Uma. Palavra." Olho para Tucker, o traidor que estava se divertindo tanto às minhas custas. "Por favor, escolte Summer até o quarto de Garrett e dê um jeito de trancá-la lá dentro."

Tuck dá uma risadinha. Mas estende a mão para ela. "Vem, irmãzinha, vamos deixar o coitado em paz. Já apanhou o suficiente hoje."

## ALLIE

Não sou orgulhosa demais para admitir meus erros quando piso na bola.

E hoje pisei na bola totalmente. Não só ataquei meu namorado com um peso de papel, como depois chamei a polícia, porque, por um segundo, fiquei mesmo preocupada que pudesse tê-lo matado.

Me sinto péssima. Péssima o suficiente para estar disposta a deixar Dean gritar comigo pelo tempo que quiser, é por isso que estou sentada na beirada da cama, como ele mandou.

"Ora, vejam só... ela sabe obedecer", zomba Dean ao entrar no quarto.

Ele deixa cair a toalha e caminha até a cômoda. Enquanto veste uma cueca preta, espero obedientemente por um sermão que não vem.

"Achei que você ia gritar comigo", relembro-o.

Ele esfrega a lateral da testa, gemendo baixinho. "Mudei de ideia. Minha cabeça tá me matando."

Fico nervosa na mesma hora. "Isso não é bom. Será que não é melhor ir para o pronto-socorro?"

"Que nada. Tô bem, Allie-Cat." Ele massageia a têmpora, e a culpa continua a revirar minha barriga. "Faz anos que não levo uma pancada tão forte, e eu jogo *hóquei*", resmunga ele. "Você é assustadoramente forte, sabia?"

"Sabia." Ofereço um olhar envergonhado. "Eu te disse, meu pai teve o cuidado de me ensinar a me defender."

"Bem, parabéns pro seu pai, por ter tido o cuidado de te ensinar a se proteger. E maldito seja ele, por ter te transformado numa arma mortal." Ele geme de novo. "Nossa. Não acredito que você me apagou daquele jeito. Sorte a sua que eu te amo, gata. Se fosse qualquer outra garota..."

"Você me ama?!", exclamo.

Dean para no meio da frase. Por um segundo, parece genuinamente confuso, como se não soubesse do que estou falando. Como se não tivesse percebido o que falou.

Mas eu ouvi. Em alto e bom som. E meu coração perde o compasso de suas batidas. Ele acabou de dizer que me ama.

"Você acabou de falar", insisto, lutando contra o sorriso enorme que está ameaçando aparecer.

"Eu..." Ele limpa a garganta. "Pois é. Acho que falei."

"É verdade?" Quando ele assente com a cabeça, meus lábios começam a se contrair descontroladamente. Deus, quero tanto sorrir agora. "Quero ouvir de novo", peço.

Ele esfrega o queixo com o punho fechado, tão lindo e sem jeito. "Que merda, gata. Não me faz dizer de novo. Já basta eu ter dito *primeiro*. Isso nunca me aconteceu antes."

Um sorriso irrompe em meu rosto. E se expande de orelha a orelha. Pulo da cama e me jogo em seus braços, atordoada demais para beijá-lo como uma adulta. Meus beijos são desleixados e excessivamente ansiosos, e Dean está rindo feito um louco enquanto o ataco com a boca.

Afasto-me, abruptamente. "Tem certeza que a sua cabeça não tá doendo?"

"Tá tudo bem", insiste ele, e um ronco profundo de prazer sai de sua garganta, quando dou mais alguns beijos em seu rosto.

"Certo, ótimo, porque acho que a gente deveria transar agora." Empurro-o para a cama e seguro-o pela cintura.

Ele está se divertindo imensamente. "Deveria, é? E por quê?"

"Porque você disse que me ama, e eu também te amo, e você *sabe* como fico tarada com toda essa coisa sentimental." Já estou arrancando minha camisa. "Você não tem ideia de como tô molhada agora, gato."

O humor em seus olhos dá lugar ao desejo. "Mostra pra mim", ordena ele.

Baixo a calça de ginástica. A calcinha também. Chuto as duas para um canto e me aproximo. Então pego a mão de Dean e coloco entre minhas pernas. Ele me segura na mesma hora, e cubro sua mão com a minha, esfregando as duas contra meu corpo úmido.

Dean geme, e dessa vez não é de dor. Ou talvez seja um tipo diferente de dor. Sua ereção sobressai sob a cueca, uma demonstração longa e dura de excitação que estou louca para sentir dentro de mim.

"Allie..." Sua voz é rouca.

"Hmm?" Balanço os quadris contra as nossas mãos.

"Eu te amo."

Essas três palavras enviam uma onda de calor até o meu âmago. Solto um gemido. Ele também. Sei que sentiu a forma como minhas coxas se fecharam e a umidade molhando sua mão.

"Nossa", ofega ele. "Essa coisa de amor realmente te deixa doida."

"Eu te disse." Empurro-o novamente, e ele bate no colchão, caindo para trás e se apoiando nos cotovelos. "Vou gozar em você todinho. Orgasmos múltiplos do tipo que explodem os ovários."

Dean pega uma camisinha numa gaveta, e, antes mesmo que ele tire a cueca, estou em cima dele. "Eu te amo", sussurra, em seguida aperta a boca contra a minha.

O beijo é doce e suave, e faz meu corpo vibrar de prazer. A mão dele treme ao colocar o preservativo, e nossas bocas ainda estão unidas quando ele me gira na cama e coloca a cabecinha em mim.

Envolvo seus ombros com os braços e inclino os quadris, tentando levá-lo mais fundo. Isso funciona. Com um gemido, ele entra mais dois centímetros, e mais dois, até estar todo dentro de mim, me abrindo, me enchendo.

Quando começa a se mover, nossos olhos se encontram, nebulosos. Me sinto tão completa. É incrível. Dean afasta uma mecha de cabelo da minha testa e acaricia meu rosto, fazendo amor comigo num ritmo lento e maravilhoso, que me faz enroscar os dedos dos pés.

"Te amo", diz de novo, e posso jurar que todo o meu corpo exclama de alegria.

Seguro-o mais forte contra mim, recebendo cada investida demorada. Ele desliza as mãos sob a minha bunda e me levanta, de forma que seu osso púbico pressiona o meu clitóris toda vez que ele entra. O movimento me faz ver estrelas. Me faz suspirar e gemer e me contorcer até todo o meu mundo girar em torno de Dean. Quando meu orgasmo inunda o meu corpo, estou com as palavras "Eu te amo" nos lábios.

Seus olhos verdes queimam de emoção. Ele deixa escapar um gemido rouco e desaba em cima de mim, entrando fundo uma última vez. Então diz "Também te amo", tremendo com a sensação.

# 29

## ALLIE

O restante de dezembro passa voando. De uma hora para a outra, as festas de fim de ano chegaram, e vou ser recompensada com três semanas de folga, tempo em casa e um monte de guloseimas para cair de cabeça.

Vou ficar com meu pai durante as férias, mas combinei de passar os dois primeiros dias em Connecticut, com Dean. A família dele vai passar duas semanas em St. Bart, então é a minha única chance de vê-lo até ele voltar, quando vamos nos encontrar em Nova York para nossos últimos três dias de liberdade.

Dean me chamou para ir para a ilha com ele, mas, por mais que odeie recusar uma viagem gratuita para o paraíso, preferi ficar no Brooklyn. Quem sabe onde vou acabar depois da formatura — preciso aproveitar todos os meus segundos livres com meu pai.

Ainda assim, nem consigo explicar como estou triste de ter que ir embora de Connecticut. Embora Dean tenha me dito que seus pais eram muito tranquilos e descontraídos, uma parte de mim estava na dúvida. Quer dizer, eles são dois advogados podres de ricos que possuem *três* casas. Talvez mais que três. Dean não é do tipo que tira vantagem, então a família dele deve ter, sei lá, uma casa em cada país do mundo.

Mas você jamais perceberia isso só de olhar para eles. A mãe de Dean ficou de calça jeans e camisa de flanela o tempo todo em que passei em Greenwich e confessou para mim que a melhor coisa do feriado era deixar de lado os terninhos que usa na empresa. Ela se chama Lori e, aparentemente, manteve o nome de solteira e assina como Lori Heyward.

O pai de Dean, Peter, é tão descontraído quanto a esposa. Trabalhava toda manhã no seu escritório, mas passou a maior parte do tempo com os filhos, indo esquiar com Summer e jogando hóquei dois-contra-um com os filhos no rinque que eles têm ao ar livre, nos fundos da mansão. Pois é, eles têm a própria pista de patinação.

O irmão de Dean, Nick, é um dos homens mais gentis que já conheci. Trouxe a namorada nova, uma advogada de outra empresa, e, embora ela parecesse contida no início, era amável quando você a conhecia melhor.

E Summer... bem, ela é apenas Summer. Sem filtros, maior que a vida, o riso contagiante. Às vezes acho que amo a irmã de Dean mais do que o amo.

Por mais triste que esteja de me despedir dos Heyward-Di Laurentis, estou animada para ver meu pai. Decido me dar um presente e vou de táxi de Greenwich ao Brooklyn. No final da tarde, apareço com minha mala gigante de rodinha na entrada de casa e grito por meu pai.

Eu o encontro na sala de estar, de moletom, lendo um livro chamado *A física do hóquei*. Ele me cumprimenta com um sorriso afetuoso, então resmunga e reclama, enquanto o beijo no rosto e começo a perturbá-lo com perguntas sobre como está se sentindo. Ele enfim me interrompe para perguntar sobre a minha visita a Connecticut. Quando digo como foi incrível, meu pai parece um pouco decepcionado, o que me faz franzir o cenho.

Nós conversamos por telefone duas vezes por semana, então ele já sabe que estou namorando Dean, mas estou surpresa que ele tenha ficado de boca fechada sobre o assunto. Depois que contei a ele, meu pai simplesmente deu um grunhido e desde então não comentou nada sobre a relação.

Até agora.

"Ele não é para longo prazo, A.J.", diz, com um suspiro cansado. "Espero que você saiba disso."

As palavras contundentes me doem. Quer dizer, não que Dean e eu estivéssemos planejando mandar os convites de casamento na semana que vem, mas não vejo a gente terminando tão cedo. Temos vinte e dois anos. Estamos apaixonados. O futuro pode ser difícil, comigo em Los Angeles ou Nova York e Dean em Harvard pelos próximos dois anos, mas tenho certeza de que podemos dar um jeito, se nos dedicarmos. E quando Dean sair da faculdade de direito vai poder trabalhar onde quiser. Onde *eu* estiver. Não discutimos isso ainda, mas Dean não me deu qualquer indicação de que quer terminar depois da formatura.

"Pode ser", digo, baixinho. "Quer dizer, para longo prazo."

Meu pai nega com a cabeça, resoluto. "Não é." Sua voz perde um pouco da rigidez. "Sabe a coisa mais importante que aprendi depois de dezoito anos com a sua mãe?"

Sento no sofá ao seu lado e espero que ele continue.

"Relacionamento às vezes é um pé no saco."

Tenho que rir. "Mamãe disse a mesma coisa." Lembrar da última conversa que tive com minha mãe traz uma dor ao meu coração. "Ela me contou que vocês tiveram problemas no casamento num determinado momento", confesso. Nunca discuti isso com ele antes. Mas mamãe sempre foi muito aberta sobre seus problemas. Não em detalhes, mas deixou bem claro o quanto eles trabalharam para salvar o casamento.

"Tivemos", confirma ele, com uma voz triste. "Eram as viagens. Eva abandonou a carreira de modelo depois que você nasceu, então estava sempre em casa. E eu estava sempre na estrada." Ele me lança um olhar feroz. "Nunca toquei em outra mulher, A.J. Nossos problemas não tinham nada a ver com isso."

"Eu sei."

"Foi muito difícil. Tanto tempo longe. Os telefonemas curtos. Eu chegava em casa e me sentia um estranho, a gente tinha que se acostumar um com o outro de novo. Foi preciso muita dedicação para contornar isso." Vejo a agonia transparecer em seus olhos. "E aí ela ficou doente, e foi ainda mais difícil."

Um nó se forma em minha garganta. Eu tinha doze anos quando ela foi diagnosticada com câncer de pulmão. Lembro de implorar para ir com eles sempre que meu pai a levava para a quimioterapia. Eles nunca deixavam, e nos dias em que os efeitos colaterais eram muito debilitantes, quando sua pele ficava mais cinzenta que cinza de carvão e ela vomitava tão violentamente que chegou a quebrar uma costela, eles me mandavam para a casa da minha tia, no Queens. Não queriam que eu a visse daquele jeito. Mas vi muita coisa.

"O Dean..." Meu pai limpa a garganta, retornando ao assunto original. "Conheço homens como ele. Não estão preparados para lidar com problemas de verdade. Com os contratempos da vida. E se você — Deus me livre — ficar doente? Ou se machucar? Ou se o país cair numa recessão e o império do seu homem falir?" Ouço o desdém em seu tom. "Ele vai desmoronar feito uma barraca barata."

"Não é verdade", protesto. "O Dean é um homem bom. E é bom comigo. Bom *pra mim*."

"Você está se enganando, A.J. Sim, ele é bom com você... *agora*. Ele vive uma vida perfeita. Paga os outros para limpar a bagunça que faz. E enquanto isso der certo vai ser a melhor coisa que já aconteceu com você. Mas se a merda estourar? Ele não vai segurar a onda. Não vai ficar do seu lado, porque isso implicaria sair da sua bolha perfeita, deixar a parte feia entrar. Esse menino não gosta da parte feia."

"Você tá errado", sussurro.

Ele solta um palavrão. "Odeio dizer isso, querida. Você acha que gosto de ver essa carinha triste? Fico arrasado, A.J. Mas quero que você esteja preparada para quando acontecer." Meu pai deixa escapar um suspiro resignado. "Guarde minhas palavras. Você não vai poder contar com ele. Melhor enxergar isso agora, antes que seja tarde demais."

Não deixo o aviso de meu pai — ou melhor, sua opinião completamente injustificada a respeito de Dean — arruinar nosso feriado. Eu entendo. Ele está preocupado. Não quer me ver triste de novo depois de outra separação. E não posso nem ficar chateada com sua franqueza, porque ele sempre foi assim.

Mas ele está errado. Dean *ficaria* ao meu lado se eu precisasse. Ele já faz isso, como quando correu para o meu alojamento na noite em que o ataque verbal de Sean me deixou em frangalhos. Então decidi não ter dúvidas sobre um relacionamento que me deixa tão feliz e me forcei a aproveitar o restante das férias.

Passo a véspera de Natal, que também é o meu aniversário, em casa, com meu pai. Como sempre, assistimos a *A felicidade não se compra*, e, como sempre, choro até não me aguentar mais. Depois bebemos chocolate quente, e ele me dá o mesmo presente de sempre — trezentos dólares, com um bilhete rabiscado me dizendo para comprar uma coisa bonita. Meu pai é péssimo em dar presentes. Não me importo, porque já tenho o único presente que quero: meu pai, tão saudável quanto pode estar neste momento, vivo e aqui comigo.

Alguns dias depois, Dean volta de St. Bart e me pega de carro em casa, bronzeado e com uma cara boa de quem descansou bastante. Estou surpresa que tenha escolhido dirigir, já que teria sido mais fácil eu pegar o metrô e encontrá-lo no centro, mas, quando pergunto por quê, ele apenas sorri e diz: "Não vamos para Manhattan. Tenho uma surpresa de aniversário para você".

"Você já me deu uma surpresa de aniversário", lembro a ele. E é verdade — uma ligação de St. Bart e o sexo por telefone mais quente que já tive na vida. Fiz tanto barulho que devo agradecer à minha estrela da sorte por meu pai ter sono pesado.

"Essa é melhor ainda", promete Dean, em seguida me dá um beijo rápido nos lábios e começa a dirigir. "Senti saudade."

Não consigo conter meu sorriso bobo. "Eu também."

Com uma piscadinha, ele pega a minha mão e coloca em sua virilha. Que está obviamente sofrendo uma transformação. "Míni Dean também."

"Tô vendo."

Esfrego a protuberância cada vez maior, e ele geme. "Continue fazendo isso, e vou gozar nas calças", adverte.

Meu sorriso se alarga. "É um desafio?"

Abro seu zíper e deslizo a mão para dentro da sua cueca, envolvendo seu membro pulsante com os dedos. Nossa, ele não estava brincando. Menos de um minuto de carinhos, e ele geme de novo, apertando o volante com força enquanto arfa uma palavra. "*Quase.*"

Não o deixo estragar as calças, porque no mínimo são mais caras que a minha mensalidade da faculdade. Em vez disso, abaixo a cabeça e engulo seu gozo, gemendo quando o líquido salgado e masculino toca a minha língua.

"Minha nossa", murmura ele, e estende a mão para fazer um carinho gentil no meu rosto. "Amo você, gata."

"Que nada, você só ama ganhar boquete no carro."

"Você." Ele balança a cabeça, determinado. "Amo *você.*"

Estaria mentindo se dissesse que meu coração não dispara pelos ares. Me ajeito no banco do carona, olhando pela janela enquanto atravessamos a ponte em direção a Nova Jersey. Não sei aonde ele está me levando, mas fico feliz em deixá-lo me guiar. Seguiria Dean Di Laurentis até os confins da terra. Para as entranhas de um vulcão, se ele me pedisse para ser a Meg Ryan do seu Tom Hanks. Para Mordor, se ele me pedisse para ser o Sam do seu Frodo. Para...

"Chegamos", anuncia ele.

Desperto do raciocínio mais ridículo que já formulei. Dean estacionou a BMW na frente de um pequeno prédio no que parece ser uma área industrial em Newark. Espio pelo para-brisa para ler o letreiro. Então perco o fôlego.

Minha cabeça se vira de volta para ele. Está sorrindo.

"Meu Deus. Sério?!"

"Sério." Ele salta do carro e contorna o para-choque dianteiro para abrir a porta para mim. Pego a mão que ele me oferece e sigo praticamente aos pulos até as portas duplas de vidro. A empolgação borbulha dentro de mim. Meu peito está quente e aconchegado, e a espessa camada de emoção que se agarra à minha garganta dificulta formar frases.

Na entrada do estúdio de dança, olho ao redor até encontrar os olhos cintilantes de Dean. "Achei que você tinha dito que não queria dançar salsa. E Dean Di Laurentis só faz o que quer, lembra?"

Ele dá de ombros. "Tô fazendo o que quero."

Ergo as sobrancelhas, esperando sua explicação.

"Tô fazendo você feliz."

*Squish*. É o barulho do meu coração explodindo. Porque está tão cheio de amor que não consegue mais se conter.

## DEAN

A vida real está pedindo licença. Quero dispensá-la e mandar voltar outra hora, mas não é assim que o mundo funciona. Por mais que tenha adorado ficar de bobeira na praia com meus pais, matar a saudade dos meus irmãos e depois colocar um sorriso no rosto da minha namorada ao surpreendê-la com aulas de dança, está na hora de sair do modo férias e entrar no modo rotina.

Minha primeira semana de volta à faculdade é mais cheia do que nunca, com os treinos, as aulas e o Hurricanes tomando a maior parte do meu tempo. Por sorte, Allie está ocupada com os ensaios de novo, então não se queixa de que a nossa vida sexual tenha se resumido a uma série de rapidinhas esta semana.

No sábado, o time perde outro jogo em casa. Ninguém está nem falando mais em "finais", porque já sabemos que não vai acontecer. Apesar disso, continuo trabalhando mano a mano com Hunter. Não importa o que acontecer nesta temporada (alerta de spoiler: nada vai acontecer), Hunter ainda vai jogar para a Briar no ano que vem, e, com sorte, como capitão.

O treinador O'Shea, que tem sido surpreendentemente agradável ultimamente, libera uma hora extra de gelo para nós na noite de domingo, e Hunter e eu fazemos bom uso dela. Nossos exercícios correm bem, e volto para casa de bom humor. Como não tenho treino amanhã cedo, Allie vai dormir lá em casa, e mal posso esperar para transar com a minha namorada. Transar *de verdade*. Estou falando de três horas seguidas de paraíso, e não as rapidinhas que fizemos durante a semana.

Entro na cozinha de cabeça baixa. Estou tão focado em ver se Allie me escreveu, que levo um segundo para notar que meus colegas de república estão sentados em volta da mesa. Até Tucker, que anda desaparecido desde que o semestre começou. Nem provoco mais o cara. É óbvio que tem uma namorada. Ou talvez um namorado? Que merda, ele tem sido tão reservado esses dias que nada me surpreenderia.

"O que foi?", pergunto, distraído.

Ninguém diz uma palavra.

Enfio o telefone no bolso e olho ao redor da mesa. Os rostos assolados fazem meu coração bater mais rápido.

A umidade que vejo nos olhos de Logan me faz parar por completo.

"O que tá acontecendo?", insisto.

O estranho silêncio se arrasta. Logan esfrega os olhos com o punho fechado.

Merda. Agora estou preocupado. Não, agora estou com *medo*.

"Sério, se alguém não me disser o que tá acontecendo nesse segundo..."

"O treinador ligou", interrompe Garrett. Sua voz é baixa. Sombria.

Espero ele terminar. Minhas mãos parecem dois blocos de gelo. E agora elas estão começando a tremer.

"Ele acabou de falar com Patrick Deluca, e, hmm..."

Certo, isso está seguindo num caminho diferente do que eu esperava. Pat Deluca é o treinador do time de futebol americano. O que ele teria para dizer para Jensen?

Garrett vê a minha confusão e continua. "Acho que Deluca ligou, porque sabe que somos amigos de Beau..."

Beau? "É sobre Maxwell?" Interrompo. "O que aconteceu com ele?"

Logan desvia o rosto.

Tucker também.

O único com colhões para sustentar meu olhar é Garrett, que exala um suspiro lento e entrecortado, antes de falar.

"Ele... ah... morreu."

# 30

## DEAN

No ano em que completei o ensino médio, meu irmão e eu fizemos uma viagem pela Europa — França, Itália, Espanha, Alemanha e terminamos na Áustria, porque tinha uma caverna enorme de gelo que Nick insistiu em conhecer. Tenho que admitir, foi muito, muito legal. O passeio só deixa você visitar o primeiro quilômetro, ou algo assim, que é todo coberto de gelo. Depois disso, as câmaras interligadas e as passagens intermináveis eram de calcário. Nick e eu não estávamos interessados num mísero quilômetro, então, metidos que somos, quebramos as regras e nos separamos sorrateiramente dos outros turistas.

Nós nos perdemos. Nos perdemos de verdade mesmo, e até hoje lembro a sensação sufocante que se apoderou de mim. O eco das nossas vozes ressoando contra muros absolutamente altos. A brisa fria soprando pela caverna. Os passos do guia de turismo que veio nos salvar — podíamos ouvi-los muito claramente, mas era impossível descobrir de onde vinham. Os ecos enganavam nossos ouvidos.

É assim que me sinto agora. Ouço a voz de Garrett, mas não o vejo, nem sei bem o que está dizendo. Sua voz é um eco. Ressoando contra as paredes e os meus ouvidos e só meio que... girando à minha volta.

Meu cérebro ainda não entendeu a primeira coisa que ele disse.

Beau morreu.

Tipo, está morto?

Beau está morto?

Beau Maxwell?

Meu amigo Beau Maxwell?

"... com o impacto."

Minha cabeça se ergue num sobressalto. É como se as palavras de Garrett fossem bolinhas de papel molhado que ele está atirando contra a parede, e as três últimas enfim grudaram nela.

"O quê?", pergunto com rispidez.

Seus olhos cinzentos estão revestidos de tristeza. "Disse que ele morreu com o impacto. Não sofreu."

Pisco. Várias vezes. "Pode falar de novo? Quer dizer, explicar o que aconteceu."

Ele solta um palavrão. "Droga, por quê?"

*Porque não ouvi uma palavra do que você disse!*, quase grito. Respiro fundo e digo: "Porque preciso ouvir de novo".

Garrett acena com a cabeça, embora relutante. "Tá bom."

Cambaleio até a bancada da cozinha e abro o armário de cima. Ótimo. Achei uma garrafa de Jack. Abro a tampa e dou um longo gole, em seguida me junto aos meus colegas de república na mesa. Sento ao lado de Tuck, e, quando Garrett começa a falar de novo, o Jack Daniel's passa de mão em mão.

Não é uma história muito comprida.

Mas é angustiante.

Beau foi de avião para Wisconsin, neste fim de semana, para o aniversário da avó. Já sabia disso — ele me ligou antes de ir. Combinamos de tomar uma cerveja na terça.

Ontem à noite, os Maxwell comemoraram o nonagésimo aniversário da avó num restaurante na sua cidadezinha. As estradas estavam cobertas de gelo. Eles foram em dois carros — Beau estava com o pai. O pai estava dirigindo.

Joanna contou para o treinador Deluca que o jantar foi muito divertido.

Na volta para casa, um cervo invadiu a pista, e o pai de Beau desviou o carro.

O carro deslizou no gelo e voou para fora da estrada, capotando duas vezes.

Depois, bateu numa árvore.

Beau quebrou o pescoço com o impacto.

O pai não sofreu nem um arranhão.

Engulo outro gole de uísque. O líquido queima minha garganta e deixa minhas entranhas em chamas. Meus olhos também estão em chamas. Estão quentes e ardendo, e, quando Garrett termina de falar, arrasto a cadeira para trás e pego a garrafa.

"Vou lá pra cima", murmuro.

"Dean..." É Tucker, a voz trêmula pela tristeza.

Tuck mal conhecia Beau. Nem Garrett, nada além de esbarrar com ele nas festas. Logan era bem próximo, acho. Sei que ia até a casa de Beau às vezes. Mas eu... Era um dos melhores amigos de Maxwell. E ele era um dos *meus* melhores amigos.

De alguma forma, consigo subir as escadas sem cair. Minha mão treme tanto que quase deixo a garrafa de uísque cair uma meia dúzia de vezes antes de chegar ao meu quarto. Desabo na cama e viro a garrafa, despejando o líquido âmbar na boca. Ele espirra por meu pescoço e embebe a gola da minha camisa. Não me importo. Só bebo mais.

Então acho que Beau morreu.

Ele tinha vinte e três.

Bebo mais. E mais um pouco. E mais um pouco, até minha visão não passar de uma névoa cinzenta distorcida.

Estou completamente bêbado agora. Não, mais que bêbado. Meu cérebro não funciona direito mais. Mãos? Me tocando? Esquece. Tento colocar a garrafa na mesa de cabeceira e ela cai no chão. Por alguma razão, isso me faz rir.

Acho que o tempo passa. Ou talvez não. Talvez o tempo tenha parado, porque o pescoço de Beau Maxwell partiu feito um galho e agora ele está morto. Morto. Acabado. A-ca-ba-do.

"Dean...?"

Uma voz sussurra meu nome de longe, muito longe. Nossa. Talvez eu esteja na caverna de novo. Talvez nunca tenha saído dela — quão foda seria isso? Se eu tivesse morrido numa caverna na Áustria, mas não soubesse? Se a vida que estou levando desde a viagem à Europa fosse só fruto da minha imaginação, e meu corpo na verdade está em decomposição numa caverna de gelo agora?

"Seria muito louco", gaguejo, enrolando a língua.

"Dean." Mãos quentes seguram minhas bochechas. Ouço um xingamento baixinho. "Meu Deus. Você tá muito bêbado."

Estou quicando. Não, é o colchão. Está balançando, porque tem alguém subindo na cama comigo, e meu estômago começa a ficar enjoado. Sinto a náusea na garganta. Engulo. Respiro fundo. Posso sentir o cheiro do uísque, mas tem outro cheiro no quarto também. O aroma misterioso de Allie.

"Meu amor." Sinto minha cabeça se movendo. Ela está me colocando em seu colo, enfiando os dedos em meu cabelo úmido. Estou suando em bicas. Por que está tão quente aqui? "Logan acabou de me contar o que aconteceu. Eu..." Sua mão treme em meu cabelo. "Sinto muito, meu amor."

"Quebrou... o pescoço." Minha voz também soa muito distante. Nem parece minha. Nossa, como estou bêbado. Nojento, patético e entorpecido.

"Eu sei", sussurra Allie. "E eu sinto muito, muito mesmo. Sei que você tá sofrendo agora. Eu..." Ela acaricia minha testa quente. "Eu tô aqui, tá bom? Tô aqui e não vou a lugar nenhum."

Puxo o ar de forma entrecortada. "Gata", murmuro.

"O que foi?"

"Acho que vou..." Levanto a cabeça, mas o simples ato de fazer isso incita exatamente o que estava tentando preveni-la.

A náusea me sobe à boca, e vomito no colo da minha namorada.

## ALLIE

O velório de Beau é no estádio de futebol. O time inteiro está lá, junto com a comissão técnica, seus amigos, sua família, centenas de alunos e milhares de pessoas que provavelmente nem o conheciam.

Uma notável ausência?

Dean.

Antes de eu sair de casa, ele estava no quarto, de terno preto e uma expressão sombria. Ele me disse para ir na frente com Hannah e Garrett, e que ele me encontraria no velório.

Quando chego em casa, ele ainda está no quarto, ainda de terno preto e a mesma expressão sombria. Só que agora está segurando uma garrafa de vodca e suas bochechas estão coradas.

Está bêbado.

Esta semana, ficou bêbado todos os dias. Na verdade, bêbado ou chapado. Duas noites atrás, eu o vi fumar quatro baseados, um seguido do outro, antes de capotar no sofá da sala de estar. Logan teve que colocá-lo no ombro e arrastá-lo para o segundo andar, e nós dois ficamos de pé na porta do quarto, olhando Dean desmaiado de braços abertos na cama. "As pessoas sofrem de maneiras diferentes", murmurou Logan.

Eu entendo. Acreditem em mim, entendo. Quando perdi minha mãe, passei por diversas fases do luto. Principalmente negação e depressão, até que enfim aprendi a aceitar que ela não estava mais lá. Demorei um tempo para chegar a esse estágio, mas cheguei. Dean também vai conseguir, sei que vai. Mas tem sido doloroso — não, *insuportável* — vê-lo recorrer ao álcool e à maconha essa semana, quando podia se apoiar em mim.

"Não consegui", murmura ele, ao me ver na porta. Tirou o paletó e a gravata, e o colarinho da camisa branca está torto. O cabelo louro está revolto, como se ele tivesse passado os dedos por ele várias vezes.

Entro no quarto com passos tímidos, ainda usando o vestido preto simples e de gola alta que escolhi para a cerimônia.

"Não tive estômago, gata." É um sussurro. Envolto em tristeza. "Fiquei imaginando os pais dele... e Joanna... vendo seus rostos..." Dean pousa a garrafa de vodca na cômoda e afunda lentamente na beirada da cama.

Respirando, sento ao seu lado e descanso a cabeça em seu ombro. "Ela cantou."

"O quê?"

"Joanna", digo em voz baixa. "Tinha um palco montado com um piano. Ela cantou 'Let It Be'. Foi lindo. E triste." Pisco por sobre as lágrimas. "Foi triste e bonito."

Dean faz um barulho abafado.

Acaricio seu rosto com a ponta dos dedos. Sua pele está quente, mas ele não parece tão embriagado quanto na noite passada. Ele se inclina contra o meu toque, a respiração instável esquentando minha mão. "Não consegui", diz, de novo.

"Eu sei. Tudo bem, meu amor."

Mas está tudo bem? Ele tinha que ter ido, porra. A *família* de Beau estava lá. Se eles tiveram "estômago", então Dean também devia ter tido.

A recriminação dura desperta uma onda de culpa. Quem sou eu para decidir o que alguém deve ou não deve fazer? As pessoas faltam a enterros e velórios o tempo todo, por todos os motivos. Talvez queiram chorar por seus entes queridos a sós. Talvez seja muito difícil. Talvez simplesmente não acreditem em funerais. Não é meu papel julgar, e me forço a lembrar disso ao deslizar a mão gentilmente sobre a bochecha de Dean.

"Não acredito que Beau tá morto", diz Dean, apático.

Fico momentaneamente assustada, porque é a primeira vez em que ele diz o nome de Beau desde que tudo aconteceu. Fico ainda mais assustada quando viro a cabeça e vejo as lágrimas não derramadas nos olhos de Dean. Ele pisca, e um par de gotas escorre até onde meus dedos acariciam seu queixo.

Suas lágrimas atraem as minhas, contagiosas como um bocejo. De repente, estamos os dois chorando, Dean está enterrando o rosto nos meus seios, e todo o seu corpo estremece em soluços silenciosos. Não sei quem beija quem primeiro. Ou quem despe quem. Ou como acabamos entrelaçados na cama, nus, ofegantes, enfiando a língua na garganta um do outro e freneticamente tocando nossos corpos. Uma vez, Megan me falou de uma estatística maluca que fez que oitenta por cento dos entrevistados numa pesquisa sobre o luto admitiram ter relações sexuais logo antes, durante ou depois de um velório.

Acho que faz sentido, se você pensar no assunto. Celebrar a vida diante da morte. Precisar de alguém em quem se segurar, uma ligação tangível com outra pessoa viva.

Soltamos gemidos simultâneos, quando ele desliza para dentro de mim. Sem camisinha, mas desde que o semestre começou que não usamos mais. Nós dois fizemos testes antes das férias, e eu já tomava pílula.

Recebo seu membro grosso e latejante em meu corpo, arqueando os quadris para encontrar suas investidas desesperadas. O orgasmo que me domina me atordoa pela força. Não achei que fosse possível sentir esse tipo de prazer, cru e intenso, quando estou tão tomada pela tristeza.

Dean emite um ruído profundo e torturado ao gozar, tremendo violentamente. Com a respiração baixa e rasa, desaba em cima de mim, então gira nossos corpos, de modo que minhas costas suadas tocam seu peito molhado. Sinto a umidade em minha nuca. Não é suor, mas lágrimas. Todas as lágrimas que ele estaria tentando segurar se tivesse ido ao velório de Beau.

Viro de frente para ele e envolvo seus ombros largos, enquanto ele chora pelo amigo que perdeu. Não sei quanto tempo ficamos nessa posição, mas, por fim, Dean fica imóvel e adormece com o rosto contra o meu. Pela primeira vez em sete dias, sinto um minúsculo lampejo de esperança. Esperança de que a liberação emocional que ele acabou de experimentar alivie um pouco a sua dor e o leve para mais perto do caminho da aceitação.

Mas sabe qual é a pior coisa da esperança?

Com muita frequência ela leva à decepção.

# 31

## ALLIE

Nas duas semanas seguintes, tudo o que posso fazer é ficar de braços cruzados e assistir Dean descer ladeira abaixo. Ele tem uma nova rotina. Acorda de manhã. Vai para a aula. Vai para o treino. Então volta para casa e bebe ou fuma até entrar em estado de torpor.

Surpreendentemente, ainda termina as leituras da faculdade e entrega os trabalhos finais. Quando dou uma espiada num dos artigos que escreveu, descubro que é *bom*. É como se ele tivesse entregado as rédeas para o cérebro inteligente que não gosta que as pessoas saibam que tem, e agora está funcionando no piloto automático. É o mesmo no rinque. Ele só deixa o corpo forte e atlético e seus anos de formação assumirem e fazerem o trabalho por ele. Seu coração — ou melhor, acho que sua *consciência*, na verdade — não participa de nada.

Nem sua libido. Isso também acabou. Bem, não completamente. Ela reaparece quando ele atinge um certo patamar de entorpecimento, em algum lugar entre embriagado e inconsciente. Mas o rejeito todas as vezes, porque o cara me lançando aqueles sorrisos arrogantes, sussurrando safadezas no meu ouvido e cujas mãos hábeis tentam entrar debaixo da minha camisa e dentro das minhas calças não é o meu namorado.

Meu namorado não quer transar comigo só quando está bêbado, e o sorriso despreocupado do meu namorado não é resultado de droga nem de álcool.

Dean Di Laurentis faz sexo porque gosta de sexo, e sorri porque gosta de sorrir.

Este Dean bêbado e chapado é um intruso. Nem se importa quando digo que não estou no clima, porque ele também não está no clima — as substâncias correndo em seu sangue só estão fazendo seu corpo achar que ele está.

*Ele está de luto.* Repito as palavras para mim mesma uma centena de vezes por dia. Lembro-me que Beau Maxwell está morto, e que Dean sente terrivelmente sua falta. Me repreendo por ficar com raiva de ele estar lidando com a morte de Beau de uma maneira diferente do que eu faria.

Mas... caramba, não sei lidar com a forma como ele está lidando com isso. O que eu devia fazer, interná-lo numa clínica de reabilitação? Ele não é alcoólatra. Não é um viciado em drogas. E a pior parte é que a bebida e as drogas não têm efeito sobre a sua vida acadêmica ou esportiva. Ele só levanta da cama de manhã e patina como um campeão ou gabarita um teste.

Mas tem uma coisa faltando na sua rotina — o Hurricanes. Depois da notícia da morte de Beau, o tempo parou por uma semana. Dean e Logan foram dispensados dos treinos, porque eram bem próximos de Beau, e Dean também abandonou as aulas no ensino médio. Achei que fosse um hiato temporário. Licença por luto, por assim dizer. Mas já se passaram três semanas, e Dean ainda se recusa a voltar. Pedi para repensar com carinho, mas tudo o que consegui foi um enfático *não*. Ele disse na minha cara que não queria mais trabalhar com as crianças.

Suspeito que seja porque trabalhar com elas o deixa feliz. E agora ele não quer se sentir feliz. Não quer sentir nada.

Eu? Estou sentindo muitas coisas. Tristeza. Frustração. Raiva, o que gera culpa, porque ele perdeu o melhor amigo, pelo amor de Deus. Não tenho o direito de ficar zangada com ele.

Hoje, estou me sentindo determinada. Decidi que Dean não pode chafurdar na dor para sempre. Em algum momento, vai encontrar um jeito de sair desse redemoinho em que está preso, e, quando isso acontecer, não o quero olhando para trás e descobrindo que perdeu algo importante.

O Hurricanes é importante para ele.

Estaciono o carro de Dean na frente da arena e desligo o motor. Ele já estava na quarta cerveja quando saí de casa, para onde me mudei desde que Beau morreu. Disse a ele que precisava do carro emprestado para comprar absorvente. Dica para a vida: se você não quer alguém fazendo perguntas, diga a palavra *absorvente*, e a conversa termina.

Entro no pequeno edifício e caminho pelo corredor, passando pelas máquinas de comida e pelas portas duplas que levam ao rinque. Um frio acerta o meu rosto quando abro as portas. No gelo, os meninos estão no meio de uma repetição acelerada que envolve patinar muito rápido e depois parar de repente. Não entendo o objetivo do exercício, mas tudo bem.

Virando a cabeça, noto uma figura solitária na arquibancada. Dakota. Seu rosto se acende ao me ver. Aceno para ela e, em seguida, levanto um dedo para indicar que vou demorar só um minuto.

Aproximo-me da mureta baixa perto do banco do time da casa no mesmo instante em que Doug Ellis chega, patinando. "Allie. Oi." Ele olha para a entrada. "Dean está com você?"

Nego com a cabeça, e ele parece decepcionado. Assim como os meninos, que obviamente me reconhecem das poucas vezes em que encontrei Dean aqui para sairmos para jantar. Acho que associaram o meu rosto com o assistente técnico que idolatravam.

Ellis diz aos meninos que eles têm cinco minutos de patinação livre, então se vira para mim e escuta sem me interromper enquanto peço desculpas pela ausência de Dean e lhe asseguro de que meu namorado vai voltar em breve. "Ele está passando por uma fase difícil agora", digo, em voz baixa.

Ellis assente para mim. "Ele me contou sobre esse amigo. Saiu em todos os jornais locais também. O quarterback do time de futebol, né?"

Confirmo com a cabeça. "Beau Maxwell. Ele..." Vejo os olhos azuis brilhantes e o sorriso meio cafajeste de Beau, e meu coração se comprime. "Ele era um cara fantástico." Engulo um caroço de tristeza. "Ele e Dean eram muito próximos, e... sim... tem sido difícil. Mas Dean me pediu para dizer que vai voltar a trabalhar com as crianças em breve."

"Não, ele não pediu", diz Ellis.

Evito seu olhar astuto.

"Ele não mandou você aqui para falar comigo, querida. E não disse que ia voltar." Ellis dá de ombros. "Mas você quer que ele volte."

Minha garganta se fecha. "Sim, quero." Engulo em seco de novo. "Queria ter certeza de que você ainda vai querer recebê-lo se... *quando* chegar a hora."

"Claro que vou." Ele aponta o rinque com a cabeça. "A pergunta é: será que *eles* vão? Crianças não gostam de ser abandonadas."

"Mas elas também perdoam mais rápido", indico.

Talvez não todas. Quando me aproximo de Dakota nas arquibancadas alguns minutos depois, fica óbvio que perdão é a última coisa em sua mente neste momento.

"Dean não gosta mais de mim", me diz, numa voz indiferente. "E não gosto *dele*."

Contenho um suspiro. "Não é verdade, querida. Vocês dois gostam muito um do outro."

"Gostamos *nada*. Se ele gosta de mim, então por que não me ensina mais a patinar? E ele também não ajuda mais o Robbie! Faz *anos* que não vem aqui."

Três semanas. Mas acho que, para uma criança de dez anos, isso parece uma eternidade.

"Ele tá bravo porque eu não quis usar patins de menino?" Seu lábio inferior treme. "Minha mãe disse que foi falta de educação fazer ele comprar patins de menina. É por isso que ele me odeia? Porque pagou dinheiro por patins de menina?"

E então ela começa a chorar.

Ai, Deus. Não sei o que fazer nesta situação. Não sou parente dela e não sou sua professora — posso abraçá-la? Será que vou ter problemas se o fizer?

Foda-se. Não me importo se é impróprio. Dakota está aos berros agora e precisa de conforto.

Passo um braço em volta dela e a aperto com força. E então, com o coração palpitando descontroladamente, fico os vinte minutos seguintes dizendo a uma menina triste que meu namorado não a odeia.

A voz rouca do meu pai se repete em looping na minha cabeça durante a viagem de volta para a casa de Dean.

*Conheço homens como ele. Não estão preparados para lidar com problemas de verdade. Com os contratempos da vida.*

*Ele vai desmoronar feito uma barraca barata.*

Estou apavorada ao admitir que talvez meu pai tenha razão. Mas não pode ser. Dean só está sofrendo. Está amargando a morte de um amigo.

*Ele vive uma vida perfeita.*

*Paga os outros para limpar a bagunça que faz.*

Um frio desce por minha coluna quando penso em algo. Merda. É isso que estou fazendo agora? Limpando a bagunça de Dean, tentando garantir que mantenha sua posição na escola? Implorando a uma criança de dez anos que o perdoe por abandoná-la?

Deus, estou tão cansada. Nas últimas três semanas, me concentrei exclusivamente em Dean. Tentei fazê-lo se sentir melhor, tentei fazê-lo enxergar uma saída. Estou com os estudos atrasados. Apareço nos ensaios com os olhos turvos e exaustos, porque passo todo o meu tempo cuidando do meu namorado embriagado. Droga, os ensaios gerais começam amanhã. A estreia é em cinco dias. Eu devia estar me concentrando na minha atuação, mas mal consigo lembrar sobre o que é essa maldita peça.

Minha frustração só se intensifica quando entro pela porta da frente quinze minutos depois e sou recebida pela música ensurdecedora — "Drain You", do Nirvana, está tocando a toda altura pela casa. Que delícia.

Encontro Dean no sofá da sala, segurando uma garrafa de cerveja numa das mãos e batendo uma baqueta de bateria invisível com a outra. Está sem camisa, mas nem a visão de seu peito espetacular pode acalmar meus nervos à flor da pele.

"Dean!", grito por cima da música.

Ele não presta atenção em mim.

Pego o controle remoto na mesinha de centro e interrompo a música. O silêncio cai sobre a sala, e sua cabeça loura se volta para mim, com surpresa. "Oi, gata. Não vi você aí."

"Oi."

Sento na ponta do sofá e gentilmente pego a garrafa de sua mão. Para minha surpresa, ele não protesta. Acho que está nos primeiros estágios da bebedeira ainda, porque não enrola as palavras ao perguntar: "Você tem ensaio hoje à noite?".

Nego com a cabeça. "Não, mas os ensaios gerais começam amanhã."

"Merda. Já?"

"A noite de estreia é na sexta-feira", lembro a ele.

"Ah. Certo."

Age como se soubesse disso, mas tenho certeza de que minha peça nem passa por sua cabeça há semanas. Ele não demonstrou qualquer interesse no que estou fazendo. No que *ninguém* está fazendo. É como se tivesse congelado no lugar, preso naquele momento angustiante em que descobriu que Beau estava morto.

Todo mundo continuou com suas vidas. Até a família de Beau. Joanna ainda está trabalhando na Broadway. Temos trocado e-mails desde o velório, e ela me contou que tanto ela quanto os pais voltaram a trabalhar na semana passada.

Dean é o único que se recusa a seguir em frente.

"Meu amor..." Minha garganta se aperta, a preocupação e o medo formando um nó em minha traqueia. "Você vai à estreia, não vai?"

Seus olhos verdes se acendem. "Que pergunta é essa agora?"

*Você não foi ao velório do Beau.*

Refreio a acusação e inspiro fundo. "Só quero ter certeza."

"Claro que vou." Pela primeira vez em semanas, vislumbro uma emoção genuína em seus olhos. Um calor profundamente honesto. "Onde mais eu estaria?"

Ele não está aqui.

*Viúva* estreia para um auditório lotado e se encerra com a plateia nos aplaudindo de pé. As lágrimas em meus olhos quando Mallory e eu nos curvamos para cumprimentar o público não têm nada a ver com a ovação esmagadora.

Os holofotes tornam difícil identificar os rostos para além das três primeiras filas, mas a segunda fila é tudo que preciso ver, porque é onde meus amigos estão sentados. Bem, onde estão de pé, porque é como estão nos aplaudindo, assim como os outros no auditório.

Hannah. Garrett. Megan. Stella. Justin. Grace. Logan.

Uma risada histérica ameaça escapar de meus lábios à medida que repasso os rostos familiares e vivo um momento *O mágico de Oz*. E *você* estava lá, e *você* estava lá, e *você* estava lá — e sabe *quem* não estava lá? O homem que amo. O homem que prometeu estar aqui.

Nos bastidores, recebo, obediente, os abraços e os elogios de todos envolvidos na produção. Steven. Os alunos produtores. Nosso orientador acadêmico. Os alunos de arte que fizeram o figurino. A equipe de iluminação. O aluno de último ano que faz o papel do meu marido morto me levanta do chão e me gira no ar. Mallory me abraça forte o suficiente para me tirar o fôlego, depois passa cinco minutos se desculpando por ter estado tão aérea no início do projeto.

Mal ouço uma palavra do que diz. As lágrimas marcam meu rosto, mas acho que todo mundo imagina que sejam lágrimas de felicidade.

Estão todos errados.

Essa noite, Steven vai dar uma festa para o elenco, a equipe e alguns amigos no seu apartamento fora do campus, e digo ao meu diretor que estarei lá. Mas não vou. Pelo menos não imediatamente. Tenho que passar em outro lugar primeiro, e, quando Hannah me manda uma mensagem para saber se vamos nos encontrar fora do auditório ou no estacionamento, já estou ao volante da BMW de Dean, o pé trêmulo pisando no acelerador.

Quando me aproximo da frente da casa, fico assustada com a quantidade de carros parados na rua. E quatro carros estranhos bloqueiam a entrada da garagem, então sou obrigada a estacionar na calçada.

Ouço a música antes mesmo de chegar à porta da frente, que está aberta. A raiva inunda meu estômago, borbulhando e chiando e fervendo quando entro na sala de estar.

O lugar está lotado de monstros — homens imensos, com algumas mulheres pequenas aqui e ali. Só pelo tamanho, imagino que os caras recostados no sofá e nas poltronas e escorando-se contra a parede sejam jogadores de futebol americano. As meninas, vai saber. Mas fico satisfeita de vê-las se jogando sobre os caras do futebol, e não sobre o meu namorado. Dean está sozinho, esparramado numa poltrona, os olhos fechados.

Como se sentisse minha presença, suas pálpebras se abrem, e seu rosto se ilumina ao me ver de pé na porta. Mas sua felicidade dura pouco. Ainda estou usando o vestido simples com avental da minha personagem. Ainda estou com a maquiagem de palco. Meu cabelo ainda está puxado para trás num coque bagunçado e apressado. Não sou Allie agora. Sou Jeannette. E os olhos de Dean se arregalam em pânico quando percebe o que isso significa.

"Allie." Sua voz é abafada pela música.

Dou uma última olhada na festa acontecendo na sala de estar. Em seguida, viro de lado e me apresso em direção à escada.

As lágrimas ressurgem, e minha garganta está tão apertada que mal consigo respirar. Foi por *isto* que ele não pôde se dar ao trabalho de aparecer na estreia? Porque estava numa festa com um bando de jogadores de futebol?

Irrompo em seu quarto e corro para a cômoda, abrindo a gaveta de cima, onde tenho guardado as roupas que trouxe do alojamento. Roubei também metade do armário de Dean, e é isto que faço a seguir — arrancar roupas dos cabides e jogá-las na minha mala.

"Ah, gata, não faz isso." Dean aparece na porta.

Ignoro-o e continuo enchendo a mala.

"Allie, por favor." Ele vem por trás de mim, e engulo um soluço quando seus braços fortes me envolvem. Por um breve momento, permito-me desabar contra ele. Escorar em seu peito quente e forte, e sentir sua barba raspar minha pele enquanto ele esfrega o rosto no meu. "Desculpa, gata. Fiz merda. Esqueci completamente que a peça era hoje."

*Eu avisei dez vezes!*, quero gritar.

"Prometo que amanhã eu vou." Suas mãos deslizam para cima e para baixo em minha cintura, acariciam minha barriga, roçam minha bunda. "Você disse que vão ser três apresentações, né?"

Minha voz sai seca. "É. Mas não precisa ir amanhã. Não quero você lá."

Ele esfrega meu ombro com o queixo. "Não fala assim. Sei que você tá chateada, mas vou consertar isso. Amanhã eu *vou*."

"Queria você lá *hoje*, Dean." Ainda não consigo virar e encará-lo. E não sei por que o estou deixando se esfregar em mim assim. Mas pensando bem, *por que* ele está se esfregando em mim? Sinto sua ereção, mais dura que pedra, se apertando contra a minha bunda. Como ele pode estar excitado agora?

É a reação bizarra do seu corpo que me faz virar de frente para ele. Franzindo a testa, avalio seu rosto cuidadosamente, absorvendo cada detalhe. Não está bêbado, percebo. Suas faces estão coradas, mas seus olhos estão vivos demais. O que significa que também não fumou maconha, porque em geral eles ficam difusos. Neste momento, eles estão brilhando. Brilhando com um prazer e uma felicidade que ele absolutamente *não* deveria estar sentindo, não quando estou aos prantos.

Inspiro lentamente. "O que você usou?"

Ele parece confuso com a pergunta.

"O que você usou, Dean?" Insisto: "Hein?".

Ele pisca, então responde: "Ah. Só umas balas".

*Puta merda.*

Sem outra palavra, passo por ele e fecho minha mala.

"Para onde você tá indo?" Ele parece magoado.

"Para o alojamento", disparo. "Não vou mais ficar aqui."

"Por quê?"

"*Por quê?* Você faltou à minha noite de estreia para dar uma festa e se drogar! Você tá cheio de ecstasy na cara, esfregando o pau em mim enquanto eu tô chorando! E ainda me pergunta *por que* tô indo embora?"

Ele fecha a cara. "Não dei uma festa. Ollie e Rodriguez ligaram, perguntando se podiam aparecer aqui, falar um pouco sobre o Beau. Como eu ia recusar isso?"

Meu queixo cai. "Não se *atreva* a usar Beau como desculpa para se drogar!"

Ele recua, mas quando fala de novo seu tom é defensivo. "Grande coisa, gata. Tomei umas balas. Eu não faço isso o tempo todo. A última vez foi há mais de um ano."

"Não é disso que tô falando!" Luto para conseguir respirar de novo. Não adianta discutir com Dean agora. Ele não me ouve, não quando está drogado. Expiro, e o ar me sai num sopro fraco. "Meu pai tinha razão. Não posso contar com você pra nada."

"Tá de sacanagem com a minha cara? Eu te apoiei desde o início!", rosna ele. "Meu melhor amigo *morreu*, Allie. Então, caramba, desculpa se estou um pouco distraído ultimamente. Estava com a cabeça cheia."

Seu sarcasmo não é bem-vindo. "Distraído? Você não estava distraído. Você estava bêbado! E agora tá drogado!" O ressentimento queima um caminho até a minha garganta e arde em meus olhos. "Adivinha, Dean? As pessoas morrem! Tô arrasada com a morte de Beau. Arrasada. Mas você não pode simplesmente beber para curar a dor."

Seu rosto fica vermelho.

"Eu sei como é, a Vida de Dean é só sol e maravilhas...", é a minha vez de ser sarcástica, "... mas a vida real não é assim. Na vida real, coisas ruins acontecem, e você precisa lidar com elas."

Pego a mala e saio pela porta. Paro de repente e me viro na direção dele de novo. Estou com tanta raiva e tão chateada que não consigo pensar direito.

"A vida não é perfeita, Dean, e você precisa crescer e aceitar isso. Tentei ajudar, mas você não deixa. Passei quase um mês assistindo você se embebedar. Assistindo você afastar todo mundo, vendo você decepcionar todas as pessoas ao seu redor."

Ele ainda não disse uma palavra, e isso me deixa mais irritada.

"Falei com o treinador Ellis em seu nome!", grito. "Eu o convenci a te dar outra chance quando você decidir voltar para treinar o time." As lágrimas caem mais depressa, encharcando minhas bochechas. "Sentei com Dakota enquanto ela chorava até cansar! Ela acha que você *odeia* ela porque se recusou a usar uma merda de um par de patins de menino!" Tomo fôlego. "Quer saber, parei de segurar a sua mão e de limpar a sua bagunça. Acabou, Dean."

Ele inspira. Enfim algo do que eu disse chama a sua atenção. "Não acabou."

"Acabou sim." Minha mão está tremendo tão violentamente que quase deixo a mala cair no meu pé. "Acha que você é o único que perdeu alguém? Vi a minha mãe morrer de *câncer*. Literalmente assisti ela definhar e morrer."

"Allie..."

"Você precisa encontrar uma maneira de lidar com a sua dor. Mas não posso te ajudar mais. Não vou ficar parada aqui assistindo você enfiar a cabeça numa garrafa porque tá com medo demais para enfrentar a dor. *Acabou*."

Saio do quarto pisando duro e o deixo para trás, me olhando em estado de choque.

# 32

## DEAN

Sou acordado por um gemido alto, agonizante. Meu Deus, parece que tem alguém morrendo, e levo um minuto para entender que o ruído torturado vem de mim. Sou *eu* que estou gemendo, porque minha cabeça dói. Não, meu olho dói. Por que meu olho dói?

Sento e toco cuidadosamente o rosto. Meu olho esquerdo está inchado e fechado. E minha boca está mais seca que o Saara. Merda. Estou com tanta sede. E cansado — só o ato de levar a mão ao meu rosto me drena todas as energias.

O ecstasy, me dou conta. Da última vez que tomei, também me senti exausto e dolorido na manhã seguinte.

Escorrego para fora da cama e descubro que dormi de roupa. Cambaleando até o armário, abro a porta e fito o espelho dentro dele. Minha nossa. Meu olho está roxo, quase preto, e, enquanto estudo meu reflexo, todos os acontecimentos da noite passada me chegam ao mesmo tempo.

Eu faltando à peça de Allie.

Allie me largando.

Garrett voltando para casa e gritando comigo. Sobre o que estava gritando... me esforço para lembrar. Claro, sobre ter faltado à peça de Allie. Ah, e porque convidei metade do time de futebol para a nossa casa, e eles... pois é, alguns dos linebackers estavam cheirando cocaína na cozinha. Merda. Foi aí que Garrett me puxou de lado e começou a me dar um esporro. Devo ter dito alguma coisa que ele não gostou, porque... bem, olho roxo.

Dou as costas para o espelho e desabo na beirada da cama, fazendo uma lista dos meus problemas agora.

Estou com um olho roxo.

Tenho um colega de república com raiva de mim e que me deixou com o olho roxo.

Tenho uma ex-namorada.

E fiz uma menininha chorar.

*Sentei com Dakota enquanto ela chorava até cansar! Ela acha que você odeia ela porque se recusou a usar uma merda de um par de patins de menino!*

As palavras furiosas de Allie ressoam como um trompete na minha cabeça, fazendo minhas têmporas pulsarem e meu estômago revirar. Mal chego ao banheiro a tempo, engasgando na bile em minha garganta antes de alcançar a privada. Eu me curvo sobre ela e luto com a ânsia pelo que parecem horas. Não comi nada ontem à noite, então não há nada para vomitar, mas meu estômago continua se contorcendo e se comprimindo, e não consigo parar o enjoo.

Quando a náusea finalmente se acalma, escovo os dentes na pia e caio no chão de azulejos, onde fico sentado por um tempo, pensando no que fiz. No que perdi.

Allie.

Beau.

Que merda, Beau. Por que ele tinha que morrer?

O pensamento é tão absurdo que desencadeia uma onda de risos. Altos e incontroláveis, até meus olhos estarem lacrimejando e eu estar soluçando.

Ouço uma batida na porta. "Dean... você tá aí?"

Tremo ao ouvir o som da voz de Garrett. Mas ele não parece chateado. Só cansado.

Quando abro a porta, encontro um par de olhos cinzentos sérios me olhando de volta. "Você tá bem?", pergunta Garrett, a voz áspera.

Rio de novo. "Nem um pouco."

Seu rosto exibe um lampejo de culpa. "Desculpa pelo olho roxo." Ele solta um palavrão. "Mas, porra, cara, você mereceu. Devia ver a bagunça que os caras deixaram. A casa tá um lixo."

Deslizo a mão fraca pelo couro cabeludo. "Eu limpo. E não esquenta com o olho roxo. Mereci mesmo. Tô surpreso que Allie não tenha me acertado no outro olho."

Só dizer o nome dela é brutal. Parece que alguém abriu meu peito com a lâmina de um patim e a cravou em meu coração, cortando-o em pedaços.

Não consigo imaginá-la me perdoando. Não fui à estreia. Merda, já não estava dando atenção a ela mesmo antes disso. Passei três semanas andando num nevoeiro, fazendo de tudo para tentar esquecer que Beau está morto. Sempre que ele cruzava os meus pensamentos, abria outra cerveja ou bolava outro baseado, porque era o jeito mais rápido e fácil de desligar meu cérebro.

O pai de Allie disse que não confiava em mim para cuidar dela. E estava certo. Aparentemente, não posso cuidar nem de mim mesmo.

"Wellsy tá chateada com você", diz Garrett.

"Eu tô chateado comigo." Solto um gemido, ainda pensando na magnitude da merda em que me meti. "Eu..." Minha garganta dói. "Sinto falta de Maxwell."

Garrett murmura: "Eu sei".

"Fico arrasado de pensar que nunca mais vou vê-lo de novo."

"Eu sei."

Há uma pausa de um segundo, e Garrett me surpreende, me puxando para um abraço. Não é um abraço de macho, de lado ou ligeiro, mas um abraço de verdade, com os dois braços em volta de mim, me segurando apertado.

Eu o abraço de volta. "Sinto muito, cara. Pela casa. Pela bebida. Por tudo."

"Eu sei", diz ele, pela terceira vez.

A porta se abre. "Este momento homoerótico é privado? Ou qualquer um pode participar?"

Rio baixinho, enquanto Logan se arrasta na nossa direção. Garrett me solta, e Logan toma seu lugar. Seu abraço é mais breve, mas não menos reconfortante.

Logan dá um tapa nas minhas costas e pergunta: "Vai conseguir treinar hoje?". Seu olhar avalia cuidadosamente meu olho esquerdo.

"Não tenho muita escolha", respondo, com um suspiro. "Só vou aparecer lá e deixar o treinador decidir se me quer no gelo. Com a cara desse jeito, ele provavelmente vai me expulsar para a sala de musculação."

Mas queria não ter que ir. Tudo o que quero fazer esta manhã é dirigir até a Bristol House e ver Allie. Me jogar aos seus pés e implorar para ela me aceitar de volta.

"A gente diz que estava ensaiando uma cena de *Clube da Luta*", brinca Garrett, e sua expressão fica séria novamente. "Ele não precisa saber o que aconteceu de verdade. A festa... as drogas..."

Faço que sim, agradecido. "Obrigado."

E, tirando meu olho, na verdade não há nenhum outro sinal de que tenha acontecido alguma coisa de desagradável na noite passada. A parte boa das minhas farras — não que alguma coisa na minha vida possa ser descrita como *boa* agora — é que tenho a capacidade assustadora de me recuperar como se nada tivesse acontecido. Bebo como louco? Zero ressaca. Fumo maconha? Minha cabeça está mais clara que um céu azul no dia seguinte. Hoje estou um pouco mais lento, mas isso é por causa do peso esmagador apertando meu coração.

Ontem me afastei da pessoa mais importante da minha vida. Isso me assusta, o fato de que, em três meros meses, foi isso que Allie Hayes se tornou. Ela é tudo para mim.

Tucker está com o café pronto nos esperando lá embaixo. Comemos e saímos para a arena, onde Garrett passa a carteirinha na porta e lidera o caminho até o vestiário.

Assim que nós quatro entramos, paramos no mesmo lugar. O treinador Jensen e O'Shea estão no canto da sala, conversando com um homem magro, de óculos, paletó e carregando uma pasta. Alguns dos nossos colegas estão andando de um lado para o outro, mas ninguém diz uma palavra. Hollis acena para nós. Fitzy me fita uma segunda vez quando percebe o olho roxo.

"Bom dia, treinador", cumprimenta Garrett, cauteloso. "O que tá acontecendo?"

Sua resposta é lacônica: "Teste de drogas".

Meu coração cai. *Plof.* Ele bate no chão. A náusea? Bem, ela se eleva. Sobe até a minha garganta e a fecha por completo.

Meu olhar se desloca para O'Shea. Ele me encara de volta, totalmente inexpressivo, mas tenho a nauseante sensação de que é responsável por isso. Testes aleatórios de drogas não são coisa rara — acontecem o tempo todo em esportes universitários. Mas a temporada está quase no fim. Que merda, a temporada desceu pelo ralo, não temos a menor chance de chegar às finais. Não tem razão nenhuma para fazerem um teste de drogas na gente.

Meu mal-estar aumenta mais e mais à medida que a sala vai se enchendo de jogadores. Posso sentir os olhos escuros de O'Shea cravados em mim, mas meu olhar permanece colado em minhas botas. Estou em pânico, vivendo minha própria versão do conto "O coração delator", só que, em vez de ouvir as batidas do coração de um morto sob as tábuas do assoalho, estou terrivelmente ciente do sangue em minhas próprias veias. O fluxo constante e acelerado, contaminado pelas balas que tomei ontem à noite.

Com a pulsação latejando em meus ouvidos, inspiro, trêmulo, em seguida expiro devagar e caminho até o treinador Jensen.

"Treinador... posso falar com você a sós?", murmuro, e, na mesma hora, seu rosto adquire *aquele* olhar. O olhar que me diz que ele sabe exatamente o que vou dizer, e que ele preferiria cortar os pulsos a ouvir o que tenho para confessar.

"Claro", responde ele, depois de um longo e tenso momento.

Jensen me leva até a sua sala. Não sentamos. Não falo nada.

Ele espera, mas não consigo fazer minha confissão. Droga. Estou com nojo demais de mim mesmo agora. E uma vergonha filha da puta.

O treinador suspira. "Você vai me fazer perguntar, é isso? Tudo bem, vou perguntar." Ele faz uma pausa. "O que vai acontecer quando você mijar naquele copinho, Dean?"

A vergonha aumenta dentro de mim até eu poder praticamente sentir seu gosto, quando engulo em seco.

"O que os resultados vão mostrar?", insiste ele, a expressão insuportavelmente resignada. "Maconha? Cocaína?"

"Ecstasy", murmuro.

Ele fecha os olhos por um momento. Em seguida, abre novamente. "Tudo certo. Obrigado por me avisar."

Deixo sua sala me sentindo como um homem no corredor da morte.

Dois dias depois, sou expulso do time.

# 33

## ALLIE

Três dias depois de sair correndo da casa de Dean dizendo que nosso namoro acabou, encontro-o na cafeteria do campus. Todas as meninas aqui dentro se viram para admirá-lo quando ele entra pela porta. Eu também, porque... nossa, ele parece o Dean por quem me apaixonei. Os olhos verdes brilhando animados quando pede um café no balcão, o cabelo louro contornando o rosto esculpido, as calças cargo abraçando a bunda perfeita.

Basta olhar para o seu rosto e sei que não bebeu hoje. Na verdade, talvez não beba há dias. Hannah me contou ontem que Dean falhou num teste de drogas e foi expulso do time. Não posso negar que meu coração se partiu quando soube disso, porque sei o quanto o hóquei é importante para ele, mas a notícia não me surpreendeu nem um pouco. Você não pode encher a cara e usar drogas sem enfrentar as consequências. No ritmo em que ele estava indo, um dia a farra ia cobrar seu preço.

Para minha surpresa, ele não parece chateado quando toco no assunto, que é a primeira coisa que abordamos quando ele se acomoda no assento à minha frente. Dean simplesmente dá de ombros. "Mereci." Com uma expressão de dor, ele acrescenta: "Mas não vim aqui pra falar do time. Queria pedir desculpas."

Faço que sim com a cabeça. Foi o que imaginei quando recebi sua mensagem me convidando a vir hoje, mas, santo *déjà-vu*, porque é a segunda vez em três meses que me vejo nesta posição. Na última vez, éramos eu e Sean. Sentados neste mesmo café, tendo esta mesma conversa. Mas, agora, a dor em meu coração é um milhão de vezes pior, porque ainda estou apaixonada por Dean. Irremediável e desesperadamente apaixonada por ele.

"Desculpa, gata. Estraguei tudo." Seus dedos longos e graciosos envolvem a xícara de café. "Não soube lidar com a morte de Beau. Pra ser sincero, não sei se estou lidando bem com ela agora, mas pelo menos tô sóbrio."

Concordo com a cabeça de novo.

"Desculpa por ter perdido a peça. E desculpa por ter colocado você numa posição em que teve que se desculpar por mim. Com o treinador Ellis e...", sua voz falha, "... Dakota. Tô planejando implorar o perdão deles também. Mas queria ver você primeiro."

Sei disso. Faz três dias que ele está me ligando e me mandando mensagens, mas só concordei em vê-lo hoje. Estava tudo muito recente ainda.

Dean dá um gole no café. Quando fala, sua voz soa tomada pela vergonha. "Tem lugar no seu coração pra me perdoar?"

No meu coração? Deus, meu coração está devastado agora. Parece que acabou de enfrentar um furacão. O furacão Dean. Ainda não posso apagar a noite de sexta da minha mente. De pé no palco, procurando na multidão e não vendo Dean. Chegando em casa e o encontrando completamente alterado.

Mas se posso perdoá-lo?

Poxa, claro que posso. Não guardo rancor. A vida é muito curta para isso.

"Claro que posso te perdoar." A centelha de esperança em seus olhos não me passa despercebida, e me dói ter que extingui-la. "Mas isso não é uma questão de perdão."

"É uma questão de quê, então?"

"Me diz você. Você veio aqui me pedir pra voltar pra você?"

Ele assente, lentamente. Seu rosto inteiro se suaviza. "Eu te amo", diz, a voz rouca. "Não quero ficar longe de você."

A dor se irradia dentro de mim. Também não quero ficar longe dele. Mas... acho que preciso disso.

"Não... não posso ficar com você", sussurro.

Ele solta um som angustiado.

"Pelo menos não agora." Agarro meu copo de isopor com ambas as mãos, precisando desesperadamente do seu calor. "Nunca fiquei sozinha, Dean. Nunca. Comigo sempre foi um relacionamento depois do outro. Nem sei se sei viver sozinha, e acho que pode ser uma boa hora pra descobrir. Você mesmo já falou — você ainda tá lidando com a sua perda. E ainda tem outras pessoas com quem fazer as pazes. Então, enquanto você estiver lidando com os seus problemas, eu lido com os meus."

Ele cerra os dentes. Acho que vai se opor. Fico esperando ele rebater o meu pedido. Porque ele é Dean Heyward-Di Laurentis, o homem que sempre consegue o que quer. O homem que insiste e insiste até onde pode. Mas ele me surpreende. "Quanto tempo?", pergunta, a voz rouca.

Mordo o lábio. "Não sei. Algumas semanas? Um mês? Não tenho um cronograma. Só sei que preciso ficar sozinha agora. Sem namorado. Só eu."

Ele parece triste. "Tudo bem."

Posso ver as perguntas em seus olhos. *Vamos só dar um tempo ou estamos terminados? Estraguei tudo? Você ainda me ama?* Mas ele não as expressa em voz alta. Apenas assente com a cabeça e murmura: "Leve o tempo que precisar, gata."

## DEAN

Achei que Allie fosse dizer uma coisa ou outra — *Acabou de vez, Dean* ou *Te perdoo, Dean.* Esperava um fim de namoro ou uma reconciliação chorosa, não esse estado angustiante de limbo.

Mas tudo bem. É só um pequeno contratempo, não? Se ela precisa ficar sozinha agora, então vou deixá-la em paz. Mas fico encorajado pelo fato de que ela me deixou beijá-la antes de seguirmos cada um o seu caminho. E, quando passei uma mecha do seu cabelo atrás da orelha, ela se inclinou para junto do meu toque e esfregou o rosto contra os meus dedos.

Allie ainda me ama. Guardo essa certeza reconfortante perto do coração pelos próximos dias. Preciso da convicção de que alguém ainda me ama, enquanto sigo num calvário de desculpas que me deixa exausto. Estou armado com uma lista *Kill Bill* de pessoas — quer dizer, pessoas a quem pedir desculpas, e não para assassinar com espadas de samurai. Cheguei até a escrever os nomes numa folha de papel, porque não ia ser capaz de decorar todos eles.

Os primeiros são fáceis de cortar.

Hannah ainda está furiosa comigo por ter machucado sua melhor amiga, mas ganho seu perdão após passar uma hora inteira recitando o que amo em Allie e tudo o que vou fazer se — não, quando —, *quando* ela estiver pronta para me ver de novo. Hannah cede.

WELLSY ✓

Em seguida, me desculpo com meus colegas de time por tê-los decepcionado. Tecnicamente, não fui expulso, só suspenso até a próxima temporada. Mas como vou me formar na primavera, não tem próxima temporada para mim.

Os caras estão surpreendentemente tranquilos com a burrada que me tirou da comissão de hóquei. Para ser sincero, acho que desistiram da temporada. Garrett me garante que ainda estão dando duro no gelo, mas acho que está todo mundo pronto para colocar este ano desastroso para trás e começar do zero. Principalmente Hunter. É com ele que me desculpo mais intensamente, prometendo recompensá-lo por ter abandonado nossos treinos particulares.

TIME ✓

Mas eles não são meu único time, e meu coração está pesado enquanto dirijo até a arena de Hastings. Mais uma vez, sou tomado de surpresa, porque não preciso me esforçar muito para fazer as pazes com o treinador Ellis. Antes que consiga começar o longo discurso que preparei, ele dá um tapa de leve em meu ombro e diz: "Guarda isso para os meninos. É bom ter você de volta".

TREINADOR ELLIS ✓

Os meninos? Também foi fácil reconquistá-los. Dessa vez, consigo chegar à metade do meu discurso, que inclui uma promessa de levá-los para comer uma pizza. Quando tento seguir em frente, Robbie me interrompe, gritando: "Cara, você ganhou a gente quando disse pizza!".

Fico e ajudo com o treino. Meu coração não está mais pesado. Está transbordando, porque Allie tinha razão, *amo* isso. Patinar com as crianças, dar dicas sobre como posicionar o corpo, quando fazer o lançamento. Depois do apito final, ajudo Ellis a arrumar o equipamento e passamos dez minutos discutindo opções que jamais imaginei que estivessem disponíveis para mim.

Minha ansiedade ressurge quando subo as arquibancadas.

Dakota está com o caderno cor-de-rosa no colo, o lápis equilibrado numa página em branco. Ela fica tensa quando me sento a seu lado. Não diz oi, e vejo a dor nítida em seus enormes olhos azuis.

"Então, o que a malvada da senhora Klein passou de dever de casa hoje?", pergunto com a voz rouca.

Ela me ignora.

"Se você tiver que escrever uma redação sobre o seu herói, tenho certeza de que não vou aparecer. Mas se for uma descrição da pessoa que você mais odeia? Aposto que pode escrever fácil dez páginas sobre mim."

Ela dá uma risadinha, então cobre a boca, horrorizada, como se estivesse tentando guardar o barulhinho agudo lá dentro.

"Dakota", suspiro.

Ela enfim olha para mim. Com raiva. "Tô brava com você."

"Eu sei, mocinha." Engulo um caroço de vergonha. Sou um idiota. Abandonei nossas aulas de patinação, não apareci para explicar. Simplesmente sumi da sua vida.

Dakota e Robbie estão sendo criados por uma mãe solteira. Dakota fala muito dela e contou que, um dia, seu pai simplesmente saiu pela porta e nunca mais voltou. A ideia de que posso ter trazido à tona memórias tão dolorosas para ela faz meu estômago revirar.

"Meu amigo morreu...", paro abruptamente, porque não consigo pensar em Beau sem experimentar uma dor dilacerante no coração. Droga, sinto tanta saudade daquele imenso idiota. Sinto falta de conversar com ele, de poder falar qualquer merda. Com quem mais posso discutir *Crepúsculo* e não me sentir julgado? "Não lidei com isso muito bem", digo a Dakota. "Nunca perdi ninguém antes. Bem, só o vovô Kendrick, mas ele morreu quando eu tinha cinco anos. Talvez fosse mais forte quando era criança."

Ela está me observando com cautela.

"Me desculpa, Koty. Sinto muito, muito mesmo por ter desaparecido sem dizer uma palavra. Se quiser, pode dar o soco mais forte que você conseguir na minha cara. Mas depressa, enquanto o treinador Ellis não tá olhando."

Ela ri de novo. Então, provando que crianças são mesmo mais fortes, estica a mão e dá um tapinha no meu braço. "Para de palhaçada, Dean. Gosto de você de novo."

Engulo uma risada. "Gosta?"

"Aham." Ela sopra uma bolha com o chiclete, em seguida, aponta para o caderno. "Tenho que escrever uma página sobre meu filme preferido e por que gosto dele."

"Entendi. Qual o seu filme preferido?"

"*O diário da princesa*."

Claro.

"Certo." Estalo os dedos como se estivesse me preparando para uma luta. "Vamos resolver isso."

DAKOTA ✓

Quando chego em casa, ligo para Joanna Maxwell e por sorte a pego no teatro, no intervalo do jantar. Peço desculpas por não ter ido ao velório. Ela me perdoa. Conversamos sobre Beau por quase uma hora, até ela me dizer, relutante, que precisa voltar para os ensaios. Prometemos manter contato, e desligo com uma pontada de dor no coração. Porém, não vou quebrar essa promessa. Beau era importante para mim. Joanna é sua irmã mais velha. Vou sempre manter contato.

JOANNA ✓

Tenho mais uma ligação para fazer, e não estou ansioso por ela. Alguns dias atrás, pedi a Fitzy para rastrear Miranda O'Shea para mim. Fitz arruma video games piratas o tempo todo sem precisar comprar, então imagino que seja capaz de rastrear um número de telefone. E parece que imaginei certo. Não tenho ideia de como ele fez isso, e não planejo perguntar, porque prefiro não ir para a cadeia.

Digito o número e espero. Faz anos que não vejo nem falo com Miranda. Não sinto mais nada por ela, mas, ah, como temos questões não resolvidas entre nós. E tem uma coisa que nunca cheguei a lhe dizer. Espero mudar isso hoje.

Se ela atender a porcaria do telefone. Ele toca e toca, e, quando estou prestes a desligar, uma voz agitada surge do outro lado da linha.

"Alô?"

Respiro fundo. "Miranda?"

"Sou eu. Quem tá falando?"

"É... ah, o Dean." Faço uma pausa. "Dean Di Laurentis."

Um silêncio estupefato preenche a chamada.

"Sei que tô ligando completamente do nada..."

"Como você conseguiu o meu número?", interrompe ela, mas sua voz é suave, e não irritada. "Meu pai?"

"Não. Um amigo meu arrumou para mim."

Há uma pausa constrangedora de ambos os lados.

"Não vou demorar muito", começo. "Só tinha uma coisa pra dizer. Uma coisa que nunca disse naquela época, porque seu pai tirou você da escola." Expiro, tenso. "Me desculpa."

Ela expira também, bruscamente.

"Desculpa por tudo o que aconteceu entre nós", continuo. "Pelo meu papel no seu... hmm..."

"Colapso?", completa ela, com ironia. "Não foi culpa sua, Dean. Eu já estava lidando com a depressão muito antes de namorar você."

"Eu sei. Mas... a gente fez sexo... e depois..." Meu Deus, como isso é desconfortável. A conversa inteira parece... clínica. Como dois estranhos discutindo a vida sexual de outra pessoa, e não a própria.

"A gente fez sexo porque eu te seduzi quando você estava bêbado." Ela soa profundamente envergonhada. "E depois eu tentei te forçar a ficar comigo, quando sabia que você não estava feliz. Você não tem ideia de como me senti culpada depois. Queria te ligar, mas estava morrendo de vergonha. E meu pai falou que ia me mandar para a Sibéria se eu falasse com você de novo. Então fiquei quieta. Achei que você ia acabar se esquecendo de mim." Há uma pausa. "Obviamente não esqueceu."

"Não, não esqueci."

Outra pausa.

"Enfim." Limpo a garganta. "Era isso que eu queria dizer. Me desculpa se fiz ou falei alguma coisa para contribuir com o que você estava passando, ou para agravar. Nunca quis machucar você."

"Também nunca quis machucar você."

Engulo em seco. "Então... você tá bem agora? Se formando na Duke, esta primavera, hein?"

"É!" A empolgação ecoa do outro lado da linha. "E vou para a faculdade de medicina!"

A notícia me assusta, porque ela sempre falou que queria ser assistente social, e não médica. Mas acho que as pessoas mudam. Eu mesmo mudei pra caramba. Passamos alguns minutos colocando o papo em dia, e fico aliviado quando a chamada termina. Miranda foi um capítulo importante na minha vida, mas é bom fechá-lo.

MIRANDA O'SHEA ✓

Nem me dei o trabalho de colocar o pai de Miranda na lista. Pedido nenhum de perdão vai fazer aquele filho da mãe gostar de mim, e, verdade seja dita, não devo a ele mais desculpa nenhuma. O único crime de que sou culpado foi terminar com a filha dele. Não merecia o soco na cara nem ser tratado feito lixo por isso.

Frank pode resolver seus problemas sozinho.

Estou resolvendo os meus.

Mais uma semana se passa. Allie continua vivendo a sua vida. Eu continuo na minha. Já trocamos algumas mensagens, só uns "E aí? tudo bem?", e não mais que isso. Estou morrendo de vontade de vê-la. Abraçá-la. Beijá-la. Fazer amor com ela. Mas prometi ser paciente, então mantenho distância.

No entanto, encho o saco de Hannah em busca de informações sempre que posso. Sei que Allie mandou superbem na disciplina de roteiro. Sei que fez as unhas no salão da cidade. Esmalte verde-claro, me contou Wellsy, e isso me fez sorrir.

Quando a importuno de novo por notícias, Hannah revela que Allie foi a Los Angeles. Meu coração vai parar no meu pé, porque acho que ela me largou de vez, mas Hannah não demora em me tranquilizar. Acontece que o pessoal da Fox quis que ela fosse até lá e fizesse um teste pessoalmente. Adoraram o vídeo, mas queriam experimentar a química com as duas outras atrizes com quem deve trabalhar.

Meu coração quase explode de orgulho quando ouço isso, e mando uma mensagem de parabéns. Sua resposta só chega várias horas depois. Ela me diz que está prestes a embarcar no voo de volta para casa e que vamos conversar em breve.

No sábado de manhã, embarco em meu próprio voo no aeroporto de Boston. Vou fazer uma viagem rápida a Nova York, porque tenho um item final que preciso riscar da lista.

# 34

## ALLIE

"Você não pode recusar o papel." Hannah parece indignada que eu sequer tenha sugerido tal blasfêmia.

"Por que não?"

"Porque é para ser a protagonista de um seriado! E se o programa fizer sucesso? Você pode ganhar um Emmy!"

Dou de ombros e saboreio meu café. Sei que pareço louca neste momento. Acredite em mim, Ira já destilou uma bela dose de descrença hoje mais cedo e me implorou para aceitar o trabalho. Mas quando se trata da minha carreira, sempre sigo meus instintos, e meu instinto está me dizendo que este não é o papel para mim.

"Não decidi ainda", digo a Hannah. "Eles me deram até quarta-feira." É sábado à noite. Isso significa quatro dias inteiros para pensar.

Meu instinto insiste que não tenho nada que pensar.

Fico tentada a ligar para Dean e pedir seu conselho, mas me contenho. Estou tão acostumada a repassar minhas decisões com meus namorados... Fiz isso com Fletch, com Sean e com Dean. Mas ninguém pode tomar essa decisão por mim. É tudo por minha conta.

Para ser sincera, gostei de passar as últimas semanas sozinha. É bom pensar um pouco em mim mesma, para variar. Mas sinto falta de Dean. De verdade. Sei que ele está indo bem, porque fico enchendo o saco de Hannah para me inteirar sobre o que está fazendo. Ela me contou que está trabalhando com o Hurricanes de novo. Ele foi ao Malone's com os caras algumas vezes, mas só tomou umas cervejas, pelo que Hannah sabe.

Não tem nenhuma foto sua no Instagram ou no Facebook se pegando com outras garotas, mas uma parte de mim ainda se preocupa com isso.

Dean é o cara mais sexual que já conheci. Rezo para que esteja se masturbando muito, porque não sei o que vou fazer se descobrir que dormiu com outra. Não toquei no assunto no café, porque simplesmente presumi que ele iria manter as calças fechadas enquanto eu colocava a cabeça em ordem.

Foi egoísta da minha parte, talvez. Mas eu o amo, e se ouvir que uma garota tentou colocar as mãos nele vou acabar com a raça dele. Ele é *meu*. E estou finalmente pronta para voltar. O tempo separados serviu para eu me centrar, mas agora está na hora de trazer o meu homem de volta.

O único problema é que Dean está em Nova York, visitando os pais por uma noite. Hannah me contou hoje mais cedo, o que despertou uma onda de apreensão em mim, porque é estranho ele voar para Manhattan só por uma noite.

O toque do meu telefone interrompe nossa conversa, e fico ainda mais aflita quando vejo o número do meu pai.

Um segundo depois, sua voz ecoa em meu ouvido. "Não quero que você se preocupe", começa ele, e, ai, meu Deus, *quem* diz isso? Agora estou preocupada!

Baixo minha caneca com força na mesa da cozinha e fico de pé num sobressalto. Hannah me fita, assustada.

"O que foi?", pergunto. "O que aconteceu? Você está bem?"

"Acabei de falar para você não se preocupar, não foi?" Deus, às vezes minha vontade é de matar meu pai. "Tive uma pequena queda hoje à tarde, foi só isso. Achei que podia ter quebrado o braço, então chamei uma ambulância."

O medo me invade. "Ai, meu Deus. Você tá bem?"

"Estou *bem*", insiste ele, com firmeza. "Foi só um pulso torcido. Nenhum osso quebrado, prometo." Então sua voz é tomada por um quê de sarcasmo. "Posso pedir para o hospital mandar cópias do raio X, se você quiser."

Cerro os dentes. "Deixa de ser idiota, pai."

Ele suspira profundamente em meu ouvido. "Desculpa. Só sabia que você ia reagir de forma exagerada quando eu contasse. Prometo, querida, estou bem. Meu pulso está um pouco dolorido, mas tenho meus remédios para dor."

"Como você voltou para casa do hospital?"

"De táxi. E agora estou deitado no sofá, assistindo ao jogo do Hawkeyes."

Inspiro lentamente, tentando me acalmar. "Certo. Não fica andando pela casa. Não tenta levantar nada pesado. Por favor, pai, só pega leve por uns dias."

"Pode deixar. Te amo, A.J."

"Também te amo."

Desligo e olho para Hannah, que pergunta na mesma hora: "Seu pai tá bem?".

Faço que sim com a cabeça. "Ele diz que tá." Mas meu pai era jogador de hóquei. Jogadores de hóquei *sempre* dizem que estão bem, mesmo quando estão sangrando pelas orelhas e cuspindo os dentes quebrados no chão.

Inspiro fundo. Então abro o contato de Dean no telefone e aperto *ligar*.

## DEAN

Joe Hayes atende a porta com a cara mais feia e rabugenta que já vi num homem.

"Só pode ser brincadeira! Ela mandou você para ver como é que estou?"

Toco seu ombro com gentileza para afastá-lo do meu caminho. Aposto que ele não vai me convidar para entrar. "Mandou", confirmo. Então entro e olho ao redor.

Por sorte, não parece haver nada de errado. Olho para as escadas — Allie me disse por telefone que Joe teve uma "queda". Não vejo sangue na madeira, nem tábuas quebradas. Isso é bom. E ele não está ostentando hematomas nem lesões visíveis. Está de bengala, mas parece mais firme em seus pés do que na última vez em que o vi.

"Por favor, não me diga que você pegou um avião e veio até aqui só para ver como eu estava", resmunga.

"Não. Já estava na cidade, visitando minha família."

Hayes se instala no sofá e passa a me ignorar.

Tiro o casaco e coloco no encosto da poltrona. Então sento.

Ele hesita. "O que você tá fazendo?"

"Ficando à vontade." Arqueio uma sobrancelha. "Não falei? Vou passar a noite."

"De jeito nenhum!"

Sua indignação me faz rir. "Ora, senhor. Achei que já tínhamos concordado que discutir com a sua filha é inútil. Ela me pediu para passar a noite e ficar de olho em você, e é isso que tô fazendo." Porque vou fazer qualquer coisa que essa mulher pedir. Vendo a alma ao próprio diabo se Allie mandar.

"Não gosto disso", resmunga o sr. Hayes.

"Não me importo", respondo, animado.

E é assim que acabo assistindo futebol americano universitário com Joe Hayes pela próxima hora. São quase nove da noite agora, e meu estômago está roncando. Não jantei, e Hayes não se opõe quando sugiro uma pizza. "Calabresa com bacon parece bom?", pergunto para ele, ao fazer o pedido.

Ele resmunga. Acho que significa que sim.

Mais uma hora se passa. Não conversamos. Devoramos a pizza, bebemos cerveja e passamos do futebol ao hóquei. O Bruins está jogando hoje. Toda vez que gritamos com a tela ou comemoramos um gol, olhamos um para o outro com cautela depois, como se estivéssemos nos lembrando da presença um do outro.

Entre o segundo e o terceiro período, baixo minha cerveja e digo: "Amo a sua filha, senhor".

E ele responde: "Eu sei, playboy".

Não sei se é uma aceitação ou um "É, você a ama, mas ainda odeio você". Decido ficar com a primeira opção.

Lá pelas onze, ajudo-o a subir as escadas e espero do lado de fora da porta do seu quarto, enquanto o escuto caminhar e trocar de roupa. Então bato à porta. "Tudo bem aí?", grito.

"Estou bem, porra. Vai dormir."

Rindo comigo mesmo, entro no quarto de infância de Allie, onde Joe falou que eu podia passar a noite. A primeira coisa que noto é o cheiro. Puta merda, é *o* cheiro. A fragrância misteriosa que está sempre ao redor de Allie e que nunca sou capaz de identificar.

Caminho até a penteadeira e pego um pequeno frasco de perfume. Ou pelo menos acho que é perfume. O rótulo azul-claro diz "*Allie*" numa letra cursiva bonita. Que merda é essa?

"Eva mandou fazer para ela."

Dou um pulo de susto. Viro e vejo o sr. Hayes de pé na porta, vestindo nada mais que uma cueca samba-canção xadrez. Não posso deixar de notar o seu peito. O sujeito tem quase cinquenta anos, sofre de esclerose múltipla e está exibindo um *tanquinho*. Estou impressionado. Acho que explica como pegou a mãe de Allie, uma modelo escultural. Merda, de repente me ocorre que, se o pai de Allie é assim hoje, ela deve ter expectativas altas. Acho que vou ter que malhar pelo resto da vida.

Diante do meu olhar vazio, ele aponta para o frasco em minha mão. "Minha mulher... a mãe de A.J... ela tinha um amigo na França, um estilista afrescalhado com quem trabalhou uma vez. Ele conhecia um perfumista — é assim que fala? Perfumista?"

"Não tenho ideia, senhor."

"De qualquer forma, o amigo de Eva uma vez deu um perfume para ela, um perfume feito especialmente para Eva. A.J. ficou morrendo de inveja, então, quando ela fez doze anos, Eva disse que ia ganhar um perfume especial também. Minha esposa já estava doente, doente de verdade, por isso estava fazendo tudo que podia para deixar A.J. feliz. Ela perguntou a A.J. que aromas ela queria, e A.J. disse...", ele bufa, divertindo-se, "... morangos e rosas".

Rio também, porque agora entendo o motivo de nunca ter descoberto que cheiro era aquele. Rosas e morangos. Duas fragrâncias completamente diferentes, mas que, de alguma forma, quando combinadas, funcionam. Elas são *Allie*.

"Ela mandou fazer seis frascos. Acho que A.J. já gastou três, não tenho certeza. É muito econômica com isso. Acho que não quer que acabe."

"Então Allie tem um perfume francês criado especialmente para ela? Chique, hein."

Ele dá de ombros. "Eva passou muito tempo na França. Falava francês com fluência também. Sempre quis que A.J. aprendesse, mas ela não estava interessada."

Meu coração se comprime. "Tá interessada agora."

Ele parece surpreso. “Está?”

Faço que sim. “Tá tentando aprender sozinha, assistindo a uma série francesa.”

Hayes sorri.

“Assisti a duas temporadas com ela.” Suspiro, com pesar. “Não é tão ruim.”

Ele me oferece uma gargalhada cheia. Uma gargalhada que vem do fundo da sua garganta e ilumina seus olhos azuis. “Você não é de todo mal, playboy”, diz, e sai do quarto.

## ALLIE

Estou esperando por Dean em seu quarto quando ele chega na noite de domingo. Eu o teria buscado no aeroporto, mas ele tinha deixado o carro no estacionamento, então teve que dirigir desde Boston.

Seus olhos verdes amolecem quando me vê. “Oi.”

“Oi.” Levanto depressa, mas não caminhamos na direção um do outro. Estamos a um metro e meio de distância.

É insuportável.

Com um suspiro estrangulado, me jogo em seus braços, e ele me pega com facilidade, as mãos grandes envolvendo minha cintura e me puxando para perto. Enterro o rosto em seu peito e sussurro: “Obrigada por conferir como ele estava”.

“Não precisa agradecer.” Sinto seus dedos em meu cabelo. Dean afasta a cabeça para trás e me força a olhar para ele. “Ele tá bem, gata. Prometo. Acho que só chamou a ambulância por precaução. O pulso tá um pouco dolorido, mas é só isso. Ele tá superbem.”

Já tinha ouvido tudo isso por telefone, tanto dele como do meu pai. Mas precisava ver a segurança e a certeza nos olhos de Dean. Abraço-o mais apertado, o alívio tomando o meu corpo.

Seus lábios roçam minha têmpora. Então ele inala profundamente, como se estivesse cheirando meu cabelo. “Senti saudade”, murmura.

“Também senti saudade.” Engolindo em seco, interrompo o abraço e encontro seus olhos. “Não preciso mais ficar sozinha.”

Um sorriso lento curva os seus lábios. "Ainda bem." Ele senta na beirada da cama e me coloca em seu colo. "Fiquei louco sem você nas últimas semanas."

"Eu sei. Mas o tempo separados foi bom para mim. Precisava avaliar minha vida, cuidar de *mim mesma*, só eu, e não a versão de mim que está sempre num relacionamento. Precisava saber se consigo ficar sozinha."

"E consegue?"

"Consigo." Roço os dedos na barba loura por fazer em seu queixo de estrela de cinema. "Mas não quero ficar sozinha. Quero ficar com você."

Ele me beija. Suave e com gentileza, sem língua. Só os lábios roçando os meus, e de novo e de novo, até eu estar implorando por mais. Justamente quando abro a boca para convidar sua língua, ele se afasta.

"A Wellsy disse que você tá pensando em recusar o piloto da Fox." Ouço um quê de repreensão em sua voz.

"Argh. Por que todo mundo tá me enchendo o saco com isso?" Suspiro. "Não decidi ainda."

"Mas você tá pensando em recusar."

Hesito. Em seguida, faço que sim com a cabeça.

É a sua vez de suspirar. "Eu sei por que você tá fazendo isso, gata, e sinto muito, mas não posso deixar."

Num piscar de olhos, estou fora de seu colo, e ele me bota no colchão. Dean vai até o casaco que deixou cair no chão. Pega algo dentro de um dos bolsos e volta com um envelope.

Ah, não. Malditos alienígenas idiotas fazendo *déjà-vu* no meu cérebro de novo.

Ele coloca o envelope na minha mão e diz: "Abra".

Abro sem dizer uma palavra, e sim, encontro a mesma porcaria que Sean tentou me dar. Números de confirmação para dois voos para Los Angeles. Pelo amor de Deus. Será que os homens todos dividem um mesmo cérebro ou algo assim? Uma espécie de consciência coletiva que os provoca a fazer a mesma burrada?

"Você não vai para Los Angeles comigo", aviso Dean.

Ele parece assustado.

"Não tô recusando o papel porque não quero ficar longe de você. Tô..."

"O bilhete não é pra mim."

"... recusando, porque...", paro. "Espera, o quê?"

"Não é pra mim", explica ele. "É pro seu pai. Sei que você não quer ficar longe *dele*. Então achei que, em vez de desistir do seu sonho para ficar na Costa Leste com ele, você pode ficar com o sonho e ele vai pra Costa Oeste com você." Dean dá de ombros. "Já falei com ele, e ele topou. Disse que vai começar a procurar um lugar para alugar quando você der carta branca."

Estou... chocada. Não posso deixar de lembrar do dia na cafeteria com Sean, quando ele insistiu em ir comigo. E agora, aqui está Dean, insistindo que eu vá sem ele.

Meu pai estava errado. E certo. Ele estava certo *e* errado. Dean não aguentou o tranco, é verdade. Mas talvez precisasse da queda para aprender que a vida não é perfeita, que coisas ruins *acontecem* e que você não pode parar de viver quando elas o surpreendem.

Sorrindo, devolvo o envelope para ele. "Vou recusar o projeto."

Ele parece irritado. "Allie-Cat..."

"Não é por causa do meu pai", interrompo, "embora fique feliz de saber que ele está disposto a se mudar, se eu acabar indo trabalhar em Los Angeles. Vou rejeitar porque o projeto não é certo para mim. Não me identifiquei com a personagem. E se o programa fizer sucesso, o contrato exige que eu me comprometa por sete temporadas. Não vou entregar sete anos da minha vida para um papel que não suporto."

"Ah. Bem, que merda. Acho que devia ter perguntado antes de comprar essas passagens não reembolsáveis, né?"

"Você acha?"

Rindo, ele me coloca de volta em seu colo, e passo as pernas em torno de seus quadris, e os braços em volta do pescoço. Tento beijá-lo, mas Dean fala antes que meus lábios toquem os seus.

"Também tomei algumas decisões."

Eu levanto as sobrancelhas. "Ah, é? Quais?" Vejo suas bochechas corarem e dou um pulo. "Meu Deus, você tá ficando vermelho? Certo, agora tô *morrendo* de curiosidade. O que tá acontecendo?"

"Eu, ah... vou ser professor de educação física."

Fico boquiaberta. "Jura?"

Ele parece envergonhado. "Falei com o treinador Ellis sobre minhas opções. Parece que escolas particulares são bem flexíveis com os créditos para professores. Não preciso de um diploma em educação, mas ajuda. E, quando estava em Nova York, conversei por telefone com os responsáveis pelas admissões da Universidade de Nova York e de Columbia. Os dois me falaram a mesma coisa: posso adaptar minha graduação. É só mais um ano de aulas, cinesiologia, saúde e bem-estar, esse tipo de coisa. Mas posso dar aulas enquanto isso, dependendo da escola que me contratar." Ele se ajeita, desconfortável. "Fiz uma coisa feia."

"Ai, não. O que foi?"

"Usei o nome Di Laurentis nessas ligações."

Tento conter o riso. "Ah, meu amor, não tem problema. É por uma boa causa, não é?" Porque Dean trabalhando com crianças *é* uma boa causa, caramba. Ele pode fazer a diferença na vida delas. Ajudá-las a construir autoconfiança, a se tornar atletas melhores, pessoas melhores.

"Aí falei com o treinador de hóquei novo da minha escola e pedi para me avisar se ele soubesse de alguma vaga numa escola particular, tanto para professor de educação física como para treinador." Ele parece animado agora. "Tem uma vaga para as duas coisas numa escola de Manhattan, do primeiro ao oitavo ano. O trabalho começa no outono. Aula de educação física para todos os anos, e treinador de hóquei do time das meninas."

"Das meninas?" Sorrio. "Parece divertido."

"Acho que vou me candidatar."

"Claro que vai. Se é isso que você quer fazer da vida, então é o que precisa fazer." Paro por um instante ao pensar numa coisa. "Espera. Isso significa que você não vai para a faculdade de direito? Já contou para os seus pais?"

"Sim e sim. Foi por isso que fui pra Nova York nesse fim de semana. Sentei com meu pai e conversamos por horas. Depois fiz a mesma coisa com Nick, antes de você me ligar para ver como o seu pai estava. Os dois me apoiaram muito."

Não estou surpresa. A família de Dean é incrível. "Tô orgulhosa de você", anuncio.

"Eu também." Ele roça o nariz na minha bochecha antes de plantar vários beijos no meu queixo. Então chupa o meu pescoço, e o prazer se acende entre as minhas pernas.

Mãe do céu. Faz muito tempo que não transamos. Quase um mês. Ou talvez mais de um mês? Nossa, não lembro. A sensação dos seus lábios quentes e molhados viajando ao longo do meu pescoço está me excitando além do inimaginável.

"Dean", murmuro.

"Hmm?"

"Eu te amo."

"Também te amo." Ele lambe atrás da minha orelha.

"Mas não quero você agora."

Ele afasta a cabeça, um olhar mais do que insultado no rosto. "O que foi que você disse?"

"Não quero você." Abro um sorriso travesso. "Quero o Míni Dean."

Meu namorado joga a cabeça para trás e ri. Então abre a calça e me oferece exatamente o que pedi.

# 35

## DEAN

*Abril*

A formatura está chegando. Estou meio indiferente a ela, para ser sincero, mas vou usar beca e capelo e jogar o diploma para cima, porque sei que vai deixar meus pais felizes. Já eu, no geral, estou feliz pra cacete, porque estou apaixonado pela melhor mulher no mundo, e a melhor mulher no mundo está apaixonada por *mim*.

E mesmo que o time não tenha chegado às finais, isso não significa que não haja novidades no mundo do hóquei. Logan assinou com o Providence Bruins, a equipe de base do Boston Bruins, o que significa que, em um ano ou dois, pode ser chamado para jogar na liga profissional. Quanto a Garrett, seu agente está trabalhando duro nos bastidores. Aparentemente, vários times demonstraram interesse nele, e estou na torcida para que acabe num lugar bom.

Já sei para onde vou — Manhattan. Na semana passada, fiz uma entrevista para a vaga de professor na Parklane Academy. Ontem de manhã, o diretor me ligou para dizer que consegui o emprego. É um contrato de dois anos, sendo que o segundo ano depende da transferência do meu diploma para o curso de educação.

E acho que minha irmã não estava assim tão errada com sua teoria sobre o universo, porque, uma hora depois do telefonema com a Parklane Academy, o agente de Allie ligou com uma notícia que a fez gritar tão alto, que Garrett ouviu lá do chuveiro da suíte dele e entrou correndo no meu quarto, nuzinho em folha e armado com um taco de hóquei na mão.

Depois que explicamos que estava tudo bem — e elogiamos seu pinto —, Allie revelou que tinha recebido uma proposta para trabalhar num programa de TV desenvolvido pelo diretor estrelinha Brett Cavanaugh, com quem ela tinha feito uma peça no verão passado. Não ia ter nem teste — Cavanaugh tinha gostado tanto de trabalhar com Allie que ofereceu o papel direto para ela. A melhor parte? As filmagens vão acontecer em Nova York.

Allie diz que ainda quer fazer teatro também, quando o programa estiver em recesso ou se ele der errado, o que acho que não vai acontecer. Mas o mais importante para ela é que não foi escolhida como a loira burra. Este novo papel é sério e "substancial", como ela gosta de dizer, e sei que está animada para encarar o desafio.

"E se eu tiver que mostrar os peitos?"

Sua voz irônica me desperta dos meus pensamentos. Estamos caminhando de mãos dadas, nos afastando do prédio de teatro, onde ela acabou de ter uma aula de monólogo. O ar ainda está frio, mas a paisagem está começando a ficar verde de novo, e a neve já derreteu, deixando uma camada de gelo enlameado no caminho de paralelepípedos.

"Ira disse isso?"

"Não, mas é para a HBO. O mais provável é que tenha nudez. No mínimo uma cena de topless."

"Por você, tudo bem?", pergunto, cuidadoso.

Ela dá de ombros. "Desde que não seja gratuito, então tudo bem, acho que pensaria no assunto." Há uma pausa. "E por *você*, tudo bem?"

Lanço um sorriso diabólico na direção dela. "Gata, seus peitos são demais. Jamais privaria o mundo deles."

"Fala sério. Você se importaria?"

Penso por um instante, então nego com a cabeça. "Por mim, tranquilo. É parte do seu trabalho, e se você estiver confortável em exibir um pouco de pele, eu não ligo."

Ela se aproxima e me dá um beijo na bochecha. "Você é incrível. Sabia?"

"Claro que sei. Ouço isso no mínimo dez vezes por dia."

Sua risada é interrompida quando uma figura familiar aparece na nossa frente. Meus ombros se enrijecem à medida que o ex-namorado de Allie se aproxima de nós, lentamente.

Sean olha para as nossas mãos dadas. Não preciso ver o rosto de Allie para saber o que está sentindo agora. Pela forma como seus dedos apertam os meus, sei que não está feliz em vê-lo. Que não esqueceu as grosserias insensíveis que ele falou para ela depois do feriado.

"Oi, Allie." Sean parece arrasado, mas não tenho um pingo de simpatia por ele. "Pensei em te ligar."

"Melhor não", digo, bruscamente. "Melhor apagar o telefone dela."

Allie me dá um aperto reconfortante. "Já falamos tudo o que tínhamos para falar", diz para o ex. Seu tom é suave, mas firme.

Sean pigarreia. "Te devo desculpas."

"É verdade, e você acabou de fazer isso, e eu aceito. Mas não somos amigos e não vamos ser." Ela avança. Reluto em fazer o mesmo. Estou me coçando para enfiar um murro na cara do filho da mãe, mas Allie está me puxando para longe dele, os dedos entrelaçados aos meus com força. "Ele não é importante", murmura para mim.

Ela tem razão. Sean não é importante.

Mal damos cinco passos, e detecto outro rosto familiar. Este pertence a uma loira gostosa que sorri e acena ao passar por nós. "Tá bonito hoje, hein, Di Laurentis."

Não devolvo o elogio, porque gosto do meu saco, e Allie vai arrancá-lo fora se eu flertar com Michelle. Além do mais, não *quero* flertar. Allie matou esse desejo. É a única com quem tenho vontade de flertar. Além disso, gosto muito do meu saco.

Então só digo "Bom ver você" e sigo meu caminho.

"Acho que hoje é o dia dos ex-namorados, né?", comenta Allie, secamente.

Reviro os olhos. "Michelle não é minha ex."

"Certo. É só alguém com quem você fez sexo a três."

"Com quem *quase* fiz sexo a três. Você me atrapalhou, lembra?"

"Lembro." Ela parece satisfeita consigo mesma, e finjo fazer beicinho. "Rá. Não aja como se eu tivesse arruinado a sua *única* chance de fazer sexo a três. Tenho certeza de que não foi a primeira vez."

Dou de ombros.

"Que merda. Quantas *vezes* você fez isso?"

Desta vez, dou uma piscadinha. "Algumas. E você?"

"Várias."

Fico rígido. "Nomes e datas", rosno. "Preciso fazer outra lista *Kill Bill.*"

Allie começa a rir. "Relaxa. Você estava em todas."

Meus lábios se franzem. Hmm, acho que me lembraria se tivesse feito...

"Você, eu e Winston", diz ela, feliz.

Solto um gemido, exasperado. "Isso não conta."

"Claro que conta. Teve dupla penetração."

Ah, se teve.

Uma hora depois, estamos de volta à minha casa. É a vez de Allie escolher o filme, o que significa que posso tomar um banho, porque ela sempre leva um tempo ridiculamente enorme para decidir o que quer ver. Dez minutos depois, entro na sala e a vejo aconchegada sob uma manta, mexendo no telefone.

Quando me vê, fica boquiaberta. "Ai, meu Deus, Dean. Por que você tá pelado?"

"Não gosto de camiseta."

"E calças?", exclama ela. "Tem alguma coisa contra elas também?"

Atravesso a sala e deixo minha bunda pelada cair no sofá, em seguida pego uma ponta da manta e cubro a parte inferior do meu corpo. Allie me observa, divertida.

"O quê?", pergunto, na defensiva.

"Nunca conheci ninguém tão avesso a roupas. É *tão* estranho."

Pego sua mão e trago para debaixo da manta. Coloco bem em cima do meu pau semirrígido. "Estranho ou impressionante?"

Ela esfrega o dedo ao redor da cabecinha, em seguida, suspira. "Impressionante", corrige-se.

"E aí, o que você escolheu?" Aponto para a tela da TV, o tempo todo apreciando o movimento lento e preguiçoso sob a manta.

"Ah, você vai gostar desse!" Sua mão para, e Allie se vira para mim, um sorriso escancarado no rosto. "Ganhou um Oscar."

Deixo escapar um gemido. "Não, gata. *Não*. Me recuso a assistir mais um dos seus 'vencedores do Oscar'."

Ela aperta um botão no controle remoto com a mão livre, e meus olhos se arregalam de delírio.

"*O exorcista*?!", exclamo. "A porra do *Exorcista*?" Nem registro mais o carinho debaixo da manta. Estou empolgado demais que ela escolheu um filme de terror, e Míni Dean está pagando o preço por minha felicidade não baseada em sexo.

"Tá vendo que namorada boa eu sou? Faço tudo por você." Ela sorri. "Esse relacionamento é demais."

"Demais mesmo." Beijo sua bochecha e, em seguida, prendo o fôlego diante do que acaba de me ocorrer.

"O que foi?", pergunta ela, preocupada.

Fito Allie com olhos ainda mais esbugalhados. "Gata... viramos dois chatos?"

Minha namorada dá uma gargalhada. "Você acabou mesmo de perguntar isso?"

"Acabei!" Gesticulo com uma das mãos para a sala vazia. "Olha só pra gente. É sexta à noite, e estamos no sofá da sala, falando sobre como o nosso relacionamento é demais. É a coisa mais chata que a gente podia estar fazendo." Suspiro alto. "Esta é a nossa vida agora? Condenados a ficar em casa abraçadinhos todas as noites? A emoção acabou?"

"A emoção não acabou", me assegura ela.

"Tem certeza? Porque parece..."

"Oi." A voz de Tucker me interrompe, e nós dois erguemos o rosto e o encontramos de pé, junto da porta.

"Oi." Franzo a testa. "Achei que você ia sair com Hollis hoje."

"Mudança de planos." Ele entra na sala, assimilando a visão de nós dois sob a manta. "G. e Logan estão em casa?"

Nego com a cabeça. "No alojamento."

"Merda." Ele deixa a mão cair junto do seu corpo. Sua expressão tensa é alarmante. Assim como o jeito como fica mudando o peso do corpo de um pé para o outro, como se não conseguisse encontrar a posição certa.

"Tudo bem?", pergunta Allie, sutil.

Tucker hesita. "Eu... Porra, estava torcendo pra que estivessem em casa, pra eu dar a notícia para todo mundo logo de uma vez."

"Que notícia?" Minha inquietação aumenta.

"Eu... hmm..." Ele para, fecha a boca. Abre a boca. Para de novo. Então solta uma expiração que parece saída do fundo da sua alma. "Vou ter um filho."

O silêncio cai sobre a sala.

De canto de olho, vejo a boca escancarada de Allie. Seu choque é tão palpável quanto o meu.

Como um idiota, fito a barriga de Tucker por uns bons dez segundos, antes de me lembrar que não vivemos num mundo em que Arnold Schwarzenegger pode carregar uma criança na barriga.

"Você vai ter um *filho*?" Minha mente continua a girar como um carrossel, o que dificulta muito falar sem gaguejar. "Com... com *quem*?"

Tucker fita meus olhos confusos e responde: "Sabrina James".

E, ao meu lado, Allie começa a rir.

Viro a cabeça na direção dela, mas sua risada continua a lhe escapar, baixa e ofegante, até que enfim ela recupera o fôlego e me lança um sorriso irônico. "A emoção acabou, é?"

Eu que o diga.

# Nota da autora

Estava louca para encarar a história de Dean desde que o apresentei como colega de república de Garrett, em *O acordo*. Mal podia esperar, porque SABIA que ia adorar escrever este livro — e ele não me decepcionou. Me diverti horrores com a história, e fico muito emocionada que vocês tenham dedicado seu tempo para lê-la!

Nota: tive que fazer algumas alterações no calendário da programação de férias do time de hóquei. A maioria dos times de primeira divisão joga durante os meses de dezembro e janeiro, mas queria que Dean tivesse um longo período de folga, por isso distorci as datas. Mas amei cada segundo que Dean e Allie passaram juntos em Nova York. Então... não me arrependo de nada! De nada!

Como sempre, gostaria de agradecer às minhas primeiras leitoras/ fãs de carteirinha/ amigas queridas por me ajudarem a dar forma a este livro: Viv, Jen, Sarina, Katy, Monica, Nicole e Sophie. Amo vocês.

Na parte dos negócios, não teria sobrevivido sem Nic e Natasha (amigas e assistentes extraordinárias!), Gwen (não me abandone nunca!), Sharon (ainda temos que organizar o casamento) e a pessoa que me mantém sadia: Nina Bocci.

Para todos os blogueiros e críticos que ajudaram publicando a capa, postando comentários e simplesmente falaram sobre esta série para todo mundo que queria ouvir — vocês são o máximo. O. Máximo.

E a todos os meus leitores, vocês não têm ideia de quão honrada eu fico de que vocês continuem apoiando/ amando/ elogiando esta série. Vocês são a cereja do bolo!

TIPOGRAFIA Adriane por Marconi Lima
DIAGRAMAÇÃO Osmane Garcia Filho
PAPEL Pólen Soft, Suzano S.A.
IMPRESSÃO Gráfica Bartira, novembro de 2021

A marca FSC® é a garantia de que a madeira utilizada na fabricação do papel deste livro provém de florestas que foram gerenciadas de maneira ambientalmente correta, socialmente justa e economicamente viável, além de outras fontes de origem controlada.